세계의 도시를 가다 1

유럽과 아프리카의 도시들

「이 도서의 국립중앙도서관 출판예정도서목록(CIP)은 서지정보유통지원시스템 홈페이지(http:/seoji. nl.go.kr)와 국가자료공동목록시스템(http://www.nl.go.kr/kolisnet)에서 이용하실 수 있습니다. (CIP제어번호: CIP2015002580)」

세계의 도시를 가다 1

국토연구원 엮음

유럽과 아프리카의 도시들

CITIES OF EUROPE & AFRICA
PLANNERS' EYES ON CITIES OF THE WORLD

한울
아카데미

　　인류 역사상 처음으로 세계 인구의 절반 이상이 도시에 살게 된 21세기는 도시의 세기로 지칭된다. 하버드대학교의 글레이저 교수는 『도시의 승리』라는 책에서 도시가 인간의 가장 위대한 발명품 중의 하나라고 말한다. 도시는 경제발전의 견인차이고 창의적인 아이디어의 원천이며 주민들의 삶의 질을 좌우하는 공간이다. 각 도시는 진화하는 유기적 생명체로서 역사, 사회, 경제, 문화, 환경적 특성을 달리한다.

　　『세계의 도시를 가다』에서는 대륙별로 분류된 총 54개 도시를 2권에 나누어 소개한다. 각 도시가 지닌 다양한 속성을 쉽게 이해할 수 있도록 하기 위해 인위적인 분류를 피하고 해당 도시의 개성이 드러나는 제목을 부여해 그 도시를 이해하는 키워드를 제시했다.

　　이 책에 수록된 원고들은 국토연구원에서 발간하는 ≪월간 국토≫에 연재되었던 '세계의 도시' 원고들 중에서 선정됐다. 국토연구원에서는 '세계의 도시' 시리즈를 통해 1998년 8월 베를린을 시작으로 2012년 7월까지 167곳의 다양한 해외 도시를 소개했으며, 이 중 일부 원고를 묶어 2002년에 단행본으로 펴낸 바 있다. 2002년 이후 연재된 100여 편의 원고 중 도시계획가의 전문적 시각에서 바라본 도시를 중심으로 『세계의 도시를 가다』를 구성했다. 일부 원고가 누락된 것은 이러한 이 책의 기획의도와 맞지 않았기 때문이다.

　원고를 집필한 필자들은 모두 해당 도시에서 유학했거나 관련된 연구를 수행해 그 도시에 대한 해박한 지식을 지닌 전문가들이다. 이들의 원고는 각 필자의 경험과 애정을 바탕으로 한 삶으로서의 도시읽기라는 점에서 여행안내서나 블로그, 인터넷 카페 등에서 접할 수 있는 도시정보와는 차별화된다. 물론 일부 독자들에게는 도시계획가적 관점 자체가 딱딱하게 느껴질 수도 있겠지만 새로운 자극과 폭넓은 시야를 제공해줄 것으로 믿는다.

　이 책이 발간되기까지 많은 분들이 수고해주었다. 가장 먼저 옥고를 선뜻 내어주고 수차에 걸친 수정 요구를 흔쾌히 수용해주신 필자들께 감사드린다. 원고검토와 편집을 맡아주신 국토연구원의 김동주 부원장과 문정호 글로벌개발협력센터 소장, 천현숙 주택·토지연구본부장, 권영섭 선임연구위원, 김호정 선임연구위원, 김성수 책임연구원, 한여정 전문원께도 감사드린다. 끝으로 이 책을 흔쾌히 출간해주신 도서출판 한울 김종수 사장께 감사드린다.

국토연구원 원장 **김경환**

I. 아시아

I. 서유럽

영국 리즈, 맨체스터, 버밍엄, 에든버러, 바스, 케임브리지

아일랜드 더블린

독일 뒤셀도르프, 드레스덴, 라이프치히, 뮌헨, 겔젠키르헨

프랑스 마르세유, 소피아앙티폴리스

스위스 베른, 제네바

네덜란드 헤이그

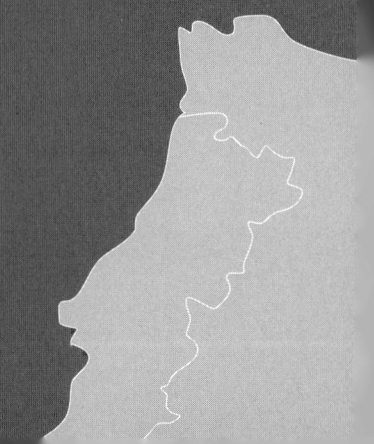

근대 산업도시에서 후기 산업사회 중심지로 성장하는
리즈

Leeds

▌ 리즈 도심 전경(© Carl Milner, 플리커)

도시모델링으로 저명한 미국의 클라크^{Keith Clarke} 교수는 인간에 의해 유발되는 토지의 형태변화 중 가장 주요한 원인이 '도시화^{urbanization}'라고 했다. 현재의 잠실이 30년 전에는 뽕밭이었다고 하니 클라크 교수의 주장에 동의하지 않을 수 없다.

도시화는 세계적인 추세다. 2002년 유엔의 인구통계 예측에 따르면 2000년부터 2030년까지의 인구증가는 61억 명에서 83억 명으로 약 22억 명이 늘어나는데 이 중 도시인구가 29억 명에서 50억 명으로 21억 명이 늘어날 것이라고 하니, 앞으로 후손들의 대부분은 도시에서 태어날 것이라는 해석(물론 농촌인구의 도시 유입을 포함하지만)이 가능하다.

도시의 발달은 인간의 문명발달과 밀접한 관계를 지니며, 학자들에 따라 그 기원을 기원전 9500년경의 터키 아나톨리아^{Anatolia}라고도 하고, 기원전 3000년경의 메소포타미아^{Mesopotamia}나 나일^{Nile} 강 유역 등이라고도 한다. 그러나 인간의 삶이 도시적 생활방식의 굴레에 강하게 구속되기 시작한 것은 18세기 초 영국에서 비롯된 근대 산업도시의 등장부터라고 할 수 있다. 당시 도시성장은 농촌의 잉여인력을 흡수하면서 진행됐다. 산업혁명에 의해 촉발된 도시지역의 노동력 수요는 2차 인클로저 운동에 의해 농토에서 분리된 농민들을 스펀지처럼 흡수했다.

그러나 이러한 근대 산업도시의 대부분을 구성했던 공장노동자들은 값싼 노동의 대가에 의존해 살아야 했다. 영국에서는 공중위생법(1848년), 공장법

(1833~1901년), 도시계획법(1909년) 등 당시로서는 개혁적인 조치로 약간씩 나아지기는 했지만, 인프라 부족, 환경과 교통 문제, 소수인종 문제, 계층 간의 불평등 등은 여전히 도시에 사는 공동체들이 풀어야 하는 난제들로 남아 있다. 도시는 인간의 필요에 의해 창조됐음에도 인간은 도시가 만들어내는 거대한 질서 또는 무질서(불편함)에 지배돼 이러한 도시시스템에 적응하고 인내하며 살아야 하는 역구조가 탄생했다.

도시가 만들어내는 이러한 문제점들에 대한 인식은 자연스럽게 도시가 왜 성장하는지, 어떤 도시가 성장하고 어떤 도시는 쇠퇴하는지, 어떻게 하면 도시 속에 살고 있는 인간의 삶이 개선되거나 더 이상 나빠지지 않도록(지속가능하도록) 유지할 수 있는지 등에 대한 의문들을 지속적으로 제기해왔다. 물론 지난 100여 년간 이러한 의문에 대해 많은 이론적인 연구[1]가 진행돼왔다. 그러나 일견一見이 백문百聞보다 낫다고 했다. 딱딱하고 어려운 이론보다는 차라리 영국 산업혁명시대의 중심에 있었던 "리즈"라는 도시의 발전과정을 자세히 보는 것이 더 이해가 쉽다. 리즈가 산업혁명의 중심도시로 성장해온 과정과 그 속에서 발생했던 도시문제, 이를 극복하기 위한 노력, 그리고 현재의 모습 등을 시간의 흐름에 따라 살펴봄으로써, 이들이 만들어내려 했던 도시의 모습과 그 중심에 있었던 인간의 역할을 이해하는 것이 보다 흥미로울 것이다.

위치 영국 잉글랜드 웨스트요크셔 주
면적 562㎢
인구 약 758,000명(2011년 기준)
주요 기능 경제산업

리즈 시청(ⓒ Andrew Roberts, 위키디피아)

리즈의 지리학적 위치와 일반현황

리즈Leeds는 영국의 중심부에 위치한 도시다. 리즈에서 스코틀랜드의 수도인 에든버러Edinburgh까지가 북쪽으로 약 360㎞이고, 남쪽으로 같은 거리에 잉글랜드의 수도인 런던London이 위치하고 있다. 리즈는 또한 영국 교통의 중심지다. 런던에서 시작해 영국의 남과 북을 연결하는 주 간선도로인 M1 고속도로의 종착지이며, 영국의 동쪽 헐Hull에서 서쪽의 리버풀Liverpool까지 연결하는 M62의 중간에 위치하고 있다. 리즈의 시내중심에서 시작하는 M621 고속도로를 타고 5분이면 이 두 고속도로와 만나므로, 리즈는 교통의 요지임에 틀림없다. 리즈의 면적은 562㎢이며, 2011년 현재 인구는 75만 8000명으로 크기는 대전(551㎢) 정도이나, 인구는 대전(150만 명)의 절반 정도 수준이다. 인구를 기준으로 본다면 영국에서 런던, 버밍엄Birmingham, 맨체스터Manchester다음으로 큰 대도시다. 2008년의 지역총생산량GRP은 약 600억 달러이며, 1인당 GDP는 약 8만 달러 수준으로, 경제규모로도 런던, 버밍엄, 맨체스터 다음의 도시다.

리즈 성장의 역사

리즈의 역사는 중세 장원까지 거슬러 올라가지만, 본격적인 도시발전은 18세기부터라고 할 수 있다. 당시 리즈는 직물의 교역도시였다. 리즈에서 직물산업이 발전한 것은 우선 양을 키울 수 있는 완만한 구릉의 목초지가 많고 양모를 세탁할 수 있는 물이 있기 때문이었다. 또한 양모를 나를 수 있는 교통수단이 있었는데 그것은 운하다. 운하는 당시 낙후된 도로시설을 대신해 적은 노동력으로 많은 화물을 운반할 수 있어[2] 전국적으로 발전했는데, 리즈는 에어Aire 강이 시내의 중심을 가로지르고 있으며 영국 동쪽 항구인 헐과 운하로 연결돼 있었다. 직물거래를 위한 시장의 설립은 이 에어 강 위의 다리에서 시작됐는데, 교역이 점차 활발해짐에 따라 18세기 중반에는 강 북쪽의 브리게이트Briggate와 콜Call, 그 오른쪽의 커게이트Kirkgate 등으로 시장이 확대됐다.

18세기가 리즈라는 도시의 태동기라면 19세기의 리즈는 산업혁명으로 대표될 수 있다. 도심지는 공장과 공장노동자들의 주거지로 더욱 과밀화됐다. 부자들이 공해에 찌들고 북적거리는 도심에서 탈출해 외곽으로 이주해 나가면서 도시가 급속히 팽창했고, 이로 인해 토지이용의 분화가 나타나고 고착돼갔다. 19세기가 시작되면서 리즈의 직물산업은 점차 쇠퇴하기 시작했으나, 인구의 감소를 겪는 다른 도시와 달리 리즈는 기계, 군수물품과 의류산업, 출판기계산업이 번성하기 시작했다. 또한 이들을 고객으로 하는 은행이 설립(1813년)되고 상점이 생겨나면서 인구는 여전히 증가세를 보였다.

이러한 인구증가는 공장이 밀집한 도심의 모습을 변화시키기 시작했다. 먼저, 시내에 상업시설이 나타나기 시작했다. 보어레인Boar lane에는 1867년에 쇼핑센터가 들어섰다. 노동자들의 주거지역은 도심의

도심 내부를 흐르는 에어 강(© Tim Green, 위키디피아)

동쪽인 동커게이트East Kirkgate나 도심의 서쪽인 웰링턴Wellington, 홀벡Holbeck, 에어 강 남쪽의 헌슬렛Hunslet으로 급속히 번져나갔으나, 이들의 삶은 극도로 절망적인 수준이었다. 그들은 열악한 근로환경과 비위생적인 주거환경, 심각한 공해 속에서 제 수명을 다하지 못하고 죽어갔다. 1750년 영국 남자의 평균수명이 31세, 여자의 평균수명은 33세였다고 한다.

당시 급격히 늘어난 공장은 에어 강 남쪽의 헌슬렛, 시내중심에서 서쪽인 홀벡, 커크스톨Kirkstall과 시내 동쪽으로 요크로드York Road를 따라 확대돼갔으며, 이 공장들에서 내뿜는 연기는 북동 방향으로 부는 바람을 타고 시내 전역에 검은 분진을 날렸다. 성공한 상인들이나 공장주들은 이를 피해서 유일한 탈출구인 북쪽 또는 북서쪽의 민우드Meanwood나 헤딩리Headingley 등으로 이주했고, 이들 신흥 부촌과 리즈 도심을 연결하는 오틀리로드Otley Road가 1818년에 건설된다. 현재 이 도로는 A660 도로로 불리며 리즈에서 가장 정체가 심한 도로로 유명한데, 당시 이 도로는 유료 도로여서 일반 노동자는 부촌으로 접근하는 것 자체도 어려웠다.

이러한 북적임 속에서도 재미있는 것은 시내중심에 공원Open Space을 조성하려고 노력했다는 것이다. 그러나 당시의 이러한 노력은 넘쳐나는 노동자들과 이들의 조밀한 주택Back to Back House이 급속하게 확대돼 실현되지는 못했다. 지금 시내에 들어가보면 빼곡한 건물들 주변에 잘 가꾸어진 잔디밭들이 눈에 띄는데, 이는 1세기가 지난 20세기 도시재개발의 산물이다. 시내중심에 공원을 조성하려는 노력은 수포로 돌아갔지만, 시내를 벗어난 외곽에는 커다란 공원들이 조성돼 아직까지도 보존되고 있다.

▮ 커크스톨 수도원(ⓒ JohnArmagh)

19세기의 이러한 토지이용 분화에 큰 영향을 준 것은 도시교통의 발전이었다. 처음 도시교통수단으로 등장한 것은 두

마리의 말이 끄는 마차버스였는데 1840년에 부촌인 헤딩리와 시내중심 간을 운행했다. 그러나 이 버스는 요금이 비싸서 중산층조차 이용할 수 없었으며, 1902년 전차Electrified Tram에 그 자리를 양보했다. 전차는 전기를 이용한 기술혁신으로 낮은 요금을 유지할 수 있어서 노동자들의 발이 됐고, 이는 도시의 성장에 커다란 영향을 미쳤다. 저렴한 요금과 노동자들의 수요를 바탕으로 전차노선은 리즈 인근의 웨이크필드Wakefield, 호스포스Horthforth, 로스웰Rothwell 등으로 뻗어나가 도시 간 교통수단의 역할도 담당했다.

물론 1830년대에 이미 기차가 도입됐으나 그 연장이 짧았고 북쪽의 병풍과 같이 펼쳐진 높은 지형 때문에 크게 확대되지 못한 것과 비교해 전차의 성공은 상당히 대조적인 성과였다. 비록 1920년에는 소규모 버스회사들이 등장했으나 북쪽의 높은 언덕을 힘겹게 오르락내리락했기에 전차와 경쟁하기에는 기술력이 부족했다. 이미 탄탄하게 형성된 전차의 방사형 진입장벽에 막혀 전차노선의 틈새를 메우는 역할을 했을 뿐이다.

그러나 버스회사들은 1930년 도로교통법에 의해 작은 버스회사들이 큰 회사로 통합되면서 보다 나은 장비로 전차와 경쟁이 가능해졌다. 저렴한 대중교통의 등장은 도시의 외형을 급속히 변화시켰는데, 우선 방사형으로 뚫린 전차선로 주변에 노동자들의 주택이 들어서기 시작했다. 그러나 이후 등장한 버스가 이러한 방사선의 틈새를 메워감에 따라 방사형 도시의 틈도 어느덧 중산층 도시인의 주택으로 채워져갔다. 특히 1970년 자동차가 급속히 보급됨에 따라 부유한 사람들은 리즈의 유일한 탈출구였던 북쪽 방향으로 보다 멀리 이주해 부도심권을 형성했다. 이들이 이주한 리즈의 북쪽지역과 북서쪽지역의 주택가격은 지금도 리즈에서 가장 높다.

근대 도시재개발의 노력

20세기 바로 전까지 이루어진 리즈의 토지이용 분화는 몇 가지로 요약될 수 있다. 우선 리즈의 도심은 공업지역에서 상업지역과 시장지역으로 변모됐으며, 기존 공장들은 도심 인근의 3개 지역으로 이동하기 시작했다. 운하와 기차역에 가까운 에어 강 남쪽에는 중공업, 도심에서 2㎞ 정도 서북쪽에 위치한 민우드와 타너리Tannery를 중심으로 한 지역에는 염색산업과 의류산업, 도심 서쪽의 헌슬렛과 홀백에는 경공업과 중공업이 밀집됐다. 이러한 공장지대 사이를 노동자들의 주택인 Back to Back House가 리즈 도심에서부터 동심원의 띠를 이루며 밀집해 있었고, 조금 부유한 사람들은 파 헤딩리Far Headingley, 라운드해이Roundhay 등 더 외곽에 띠를 이루며 거주했다.

도심지에 위치한 노동자들의 절박한 생활은 크게 나아지지 않았고, 가진 자와 가지지 못한 자 간의 대립은 더욱 심화됐다. 노동자들을 위한 환경개선은 서서히 개선돼갔는데, 그것마저도 불결한 환경이 노동생산성을 감소시킨다는 사용자들의 우려 때문이었다. 사실 1909년까지는 도시계획법이 없었으므로, 노동자들의 가옥이 공장이나 창고 등과 마구 섞여 있는 무질서한 도시구조의 탄생은 자연적인 것일 수밖에 없었다. 이러한 도시구조 중에서 가장 심각한 문제는 노동자들의 주거환경이었다. 이들의 주거는 전쟁포로 막사를 연상시키는 집단거주시설로, 내부는 2개의 방으로 구성돼 있는데 하나는 침실이고 나머지 하나는 부엌과 화장실 겸 마루인 다용도 방이다. 이러한 형태의 가옥구조는 1909년까지 7만 채에 달했으며 리즈 인구의 80% 이상이 이러한 집에서 거주했다. 따라서 20세기 도시재개발의 노력은 당연히 이러한 불량가옥의 철거와 도시빈곤층과 공장을 도심외곽으로 이전하는 것부터 시작됐다.

그러나 1900년대 초에는 당장 주택 부족문제가 심각해 이러한 도심재개발을 시행하지 못하고, 서북쪽의 민우드나 남쪽의 미들턴Middleton 등의 지역에 주택을 공급하는 것에 치중했다. 1939년에 이르러 드디어 도심 서쪽에 위치한 3만 채의 불량주택을 철거하기 시작했다. 이곳에 거주하던 주민들은 리즈 남쪽으로 이주했다. 이러한 계획은 쿼리힐Quarry Hill Flats에 대규모 플랫Flat을 건설하면서 절정에 달했다. 쿼리 힐 플랫은 1000가구를 수용할 수 있는 공동주택으로 한국의 아파트와 비슷하다. 상수도와 하수도가 개별 호마다 공급됐고, 주변의 82%가 녹지로 조성됐으며, 병원과 상가가 단지 내에 위치했다. 하지만 이러한 건물구조는 당시 대량의 도시빈민을 구제하기 위한 유토피아적 사상이 그 배경에 있었다고 하더라도 영국인들의 생활방식과는 어울리지 않음이 증명됐고, 도시의 흉물로 남아 있다가 최근 철거됐다.

1950년대까지만 해도 여전히 도심에는 수많은 도시빈민의 주거지가 있었고, 이들 중 대부분은 기본적인 주거조건에 미달해 철거대상이었다. 1948년 총 15만 4000채의 가

옥 중 주거조건 기준미
달로 철거돼야 할 가옥
은 9만 채였다고 하니,
아직도 3채 중 2채는 철
거돼야 했고 이들 중 6만
채 가까이가 도시노동자
의 Back to Back House
였다.

전통과 새로움이 공존하는 빅토리아 쿼터(© Michael D. Beckwith)

제2차 세계대전 이후
리즈의 도시발전은 외
부 순환도로 바깥쪽에
서 이루어졌다. 고급 개인주택이 리즈 북쪽에 건설됐으며, 동북쪽의 시크로프트Seacroft
와 윈무어Whinemoor에는 산업단지와 주거단지를 포함하는 자족적인 미니 신도시가 건
설됐다. 현재 이곳에는 9만 명이 거주한다.

한편 도심에서는 도시빈민주택이 점차 철거됨에 따라 도심재개발이 광범위하게 이
루어졌다. 우선 시내에서 북서쪽 구릉지대에 단일의 포괄적인 계획입지가 들어섰는데,
이는 리즈의과대학의 외래병동과 리즈대학, 리즈메트로폴리탄대학의 대학건물이 들어
서고 확장되면서 교육시설 단지를 형성하게 된다.

리즈 도심부 중심상업지역의 발전은 1924년 리즈 시내를 동과 서로 잇는 중심도로
의 관통에 크게 영향을 받았다. 도로 이름도 역시 중심도로와 어울리게 '중심길'이라는
뜻의 헤드로Headrow다. 이 도로는 리즈 시내에서 보기 드물게 4차선으로 곧게 뚫린 대로
다. 1960년대 이후 이 도로의 좌우에 현대식 상업시설과 쇼핑센터가 들어서기 시작했
는데, 메리온Merion센터, 세인트존스St. Johns, 빅토리아 쿼터Victoria Quarter 등의 쇼핑센터가
그것이다. 시내중심에 위치한 브리게이트를 포함한 고전적인 올드타운의 내부도로는
모두 보행자 전용도로로 규정돼 차량통행이 금지됐고, 이들 거리의 상점은 전통적인 형
태와 현대적 건축물의 세련됨이 조화롭게 공존하고 있다. 현재 리즈 도심에는 상점과

백화점, 호텔, 문화시설이 밀집돼 있으며, 이곳에서만 창출되는 고용인구가 리즈 전체의 30% 정도로 12만 명에 달한다.

　도시재창출의 꾸준한 노력에도 불구하고 리즈는 아직도 후기 산업사회에서 나타나는 도시문제에서 자유롭지 못하다. 도심의 주변에는 저소득층을 위한 장기임대주택 Council House이 밀집돼 있어 차량과 주택을 대상으로 하는 철도 등의 범죄가 극심하며, 교통문제도 심각하다. 사실 교통 혼잡은 우리와 비교해볼 때 전혀 심각한 수준은 아니지만, 리즈는 벌써부터 버스전용차선, 버스 우선신호제, 버스독점차로(도로 가운데에 버스만 다니는 차선이 있으며, 벽돌을 쌓아 경계를 만들어 다른 차량은 진입할 수 없다. 우리의 BRT Bus Rapid Transit와 유사하다), 2인 이상 합승차량 우선통행 차선제 등을 시행하고 있으며, 수퍼트램이라고 하는 경량전철을 도입하려 하고 있다.

　이러한 문제들보다 심각한 것은 산업혁명과 제국주의시대에 세계 각국의 식민지에서 이주해 온 소수인종들 간의 분리현상이다. 리즈에는 2001년 현재 5만 8000명(리즈 인구의 8.2%)의 소수인종이 있으며 이들 중 절반은 인도, 방글라데시, 파키스탄 등지의 인도계이고, 그밖에 흑인 1만 명, 중국인 3500명 등이 거주하고 있다. 이들은 절대다수의 백인들과 비교해 상대적으로 사회저층을 형성하고 있으며, 때로는 따로 모여 울타리를 치고 사는 분리현상과 부정적 사회문제를 만들어낸다. 2000년 초에는 리즈 인근 브래드퍼드Bradford에서 발생한 아시아계 인종의 폭동에 동조해 리즈 북동쪽의 헤어힐Harehill에서 이에 동조하는 폭동이 일어났고(이곳은 인도계 주민의 비율이 높은 지역이다), 흑인이 주로 밀집돼 있는 도심이나 리즈대학 주변의 범죄율이 높은 것도 사실이다. 또한 리즈의 지역 간 소득불균형 문제도 심각해 33개의 워드Ward(우리의 구청 수준) 중 6개의 워드가 영국에서 제일 가난한 지역 10%에 포함된다.

리즈를 변화시키는 힘

　폴 녹스Paul Knox 교수는 "도시는 인간과 이를 둘러싼 환경과의 복잡한 상호작용의 산물"이라고 설명했다. 한 도시의 성장은 자연적·지리적·환경적 특성과 더불어 이러한 환경에 직면한 인간들의 애환과 노력 등이 종합된 결정체라는 것이다. 리즈의 역사를 보면, 그곳 사람들이 만들어낸 과거의 슬픈 역사와 이로부터 벗어나려는 노력이 스며 있다. 리즈는 현재 산업혁명시대의 근대 산업도시로부터 탈바꿈해 서비스 부문이 총부가가치와 고용의 80%를 차지하는 후기 산업사회의 중심적인 도시로 성장했다. 앨빈 토플러Alvin Toffler는 그의 저서『제3의 물결』에서 인류의 문명이 공업혁명에서 정보혁명으로 전환돼간다고 했다. 리즈의 역사는 이를 실증하고 있는지도 모른다. 그러나 리즈는 아직도 근대 산업사회의 문제들로부터 자유롭지 않다. 어쩌면 카우퍼J. M. Cowper의 "신은 자연을 만들고 인간은 도시를 만들었다"라는 말과도 같이 도시의 본질과 변화를 이해하는 것은 자연의 그것과도 같이 복잡다기해 단순한 논리로는 그 생리와 운동법칙을 풀어내기가 어려울 수도 있다. 앞으로 또다시 몇십 년 후에 다시 리즈를 보게 된다면 어떠한 모습을 하고 있을지 궁금하다.

/ 김복환(리즈대학교 지리학과 박사, 국토교통부 창조행정담당관)

| 주 |

1 1920∼1950년대의 도시의 성장과 분화에 대한 기술적·묘사적 접근을 시도했던 동심원이론, 섹터이론, 다핵이론, 1960∼1980년대의 도시성장을 고용과 연계하려고 했던 라우리(Lowry) 모형, 뉴턴의 중력이론을 이용한 중력모형(Spatial Interaction), 1990년대에는 복잡성이론(Complex theory)을 이용한 Cellular Automata 모형, Multi-Agent 모형 등을 들 수 있다.

2 당시의 도로는 노면이 고르지 않아 무거운 화물을 나르기에는 적합하지 않았고, 점차 발전된 운하는 한 번에 40톤의 화물을 나를 수 있어 철강이나 석탄, 도자기 등을 운반하는 데 적합했다.

| 참 고 문 헌 |

• Clarke, K. C., S. Hoppen and L. Gaydos. 1997. "A self-modifying cellular automata model of historical urbanization in the San Francisco Bay area." *Environment and Planning* B 24. no.2: 247∼261.

• Thornton, David. 2003. *Leeds: the Story of a City*. Fort Publishing LTD.

• Knox, P. L. 1994. *Urbanization: An Introduction to Urban Geography*. Prentice-Hall. NY.

• UN Population Division. 2003. World Urbanization Prospects: The 2003 Revision. http://www.un.org/esa/population/publications/wup2003/WUP2003Report.pdf. [Accessed 2005].

• http://www.leeds.gov.uk

산업도시에서 창조도시로 거듭나다

맨체스터

Manchester

맨체스터 전경(ⓒ Stacey MacNaught, 플리커)

도시의 역사와 성장

맨체스터Manchester 시는 1세기경 로마의 전초기지가 현재 도시의 기원이 됐다. 20세기 초 맨체스터의 상징이었던 모직산업은 13세기부터 시작됐으며, 17세기를 거치면서 상업도시로 성장했다. 산업혁명과 함께 시작된 방직기술은 맨체스터가 세계 최초의 산업도시로 급성장하는 동력이 됐다. 이후 20세기 초, 지속적인 산업화·도시화를 경험한 맨체스터는 제2차 세계대전 이후 서비스업 중심의 새로운 세계 경제구조의 변화로 인해 급격한 침체를 겪었다. 하지만 1980년대 후반 지속적인 도시재생과 활성화의 노력으로 맨체스터 광역도시권Greater Manchester은 잉글랜드 북서부 광역권의 중심도시로 자리 잡았다. 맨체스터 광역도시권은 2010년 현재 약 300만 명의 인구를 가진 잉글랜드 북부 도시의 수도로 발돋움했다. 이는 잉글랜드 북서부 광역권 인구의 47%에 해당되며, 영국 북부 광역권 인구증가의 90%를 차지한다. 또한 지난 10년 동안 이 북서부 광역권에서 증가한 인구의 48%는 맨체스터 도시권의 성장과 깊은 연관이 있다.

맨체스터 광역도시권은 현재 볼턴Bolton, 버리Bury, 맨체스터Manchester City, 올드햄Oldham, 록데일Rochdale, 샐퍼드Salford, 스톡포트Stockport, 테임사이드Tameside, 트라포드Trafford, 위건Wigan의 10개 자치구로 구성돼 있다. 그리고 맨체스터 도시권Manchester City Region은 맨체스터 광역시를 중심으로 북서부 경제활동의 50%를 차지하는 경제허브로 성장했다.

현재 맨체스터 시와 광역권은 고부가가치를 창출하는 지식집약산업인 금융과 관련 전문서비스를 비롯해 생명공학, 정보통신, 창조·디지털·미디어 산업 및 기존의 물류·건설산업을 바탕으로 성장하고 있다. 특히, 인구의 64%가 일할 수 있는 연령으로 구성돼 있어 경제활동의 잠재력을 가진 젊은 도시이기도 하다.

맨체스터 시청과 광장

위치 영국 잉글랜드 북서부
면적 115.6㎢
인구 502,900명(2011년 기준)
주요 기능 경제산업

역사의 영광과 상처를 안은 브랜드 도시

맨체스터 시는 세계적인 인지도를 가진 브랜드 도시로 유명하다. 20세기 현대 기술 문명의 원동력이 된 산업혁명의 발상지이자 세계 최초의 산업도시, 직물도시이며, 전쟁의 폭격과 테러로 파괴를 경험한 도시이고, 한국인에게는 축구 영웅 박지성이 몸담았던 세계에서 가장 많은 팬클럽을 가진 맨체스터 유나이티드Manchester United 축구클럽이 위치한 문화적 위상을 가진 도시이다. 하지만 19세기 중반 이후 계속된 직물산업의 쇠퇴, 제2차 세계대전 당시 독일의 폭격으로 인한 도시의 훼손, 전후 제조업의 쇠퇴와 함께 시작된 급격한 경제침체, 1996년에 일어난 도심 폭탄테러 등 산업혁명의 영광과 쇠퇴를 함께 경험한 도시이기도 하다. 무엇보다도 세계의 산업혁명을 주도하며 번성을 누렸던 이 도시는 제2차 세계대전 이후 세계경제의 구조가 서비스업으로 변화함에 따라 제조업이 쇠퇴하면서 경제침체를 겪기 시작했으며, 이는 1980년대와 1990년대 중반까지 지속적으로 이어졌다.

도심 폭탄테러를 도시활성화 기회로 재도약

맨체스터 도심은 20세기 후반 아일랜드 공화당 군대에 의해 심각한 테러를 겪었다. 1996년 6월 15일 토요일, 약 1500kg의 폭탄이 도심의 코아포레이션 거리에서 폭발했다. 이 도심 폭탄테러로 220명의 부상자가 발생했으며, 맨체스터 도심은 물리적 파괴는 물론 심각한 사회적·경제적 피해를 입었다. 폭탄테러는 도심을 중심으로 경제활동을 하는 많은 사람들에게 악영향을 끼쳤다. 그뿐만 아니라 맨체스터 도심의 중심상업지를 오랜 기간 동안 마비시키는 결과를 초래했다. 이는 맨체스터 시 도심뿐 아니라 주변 맨체스터 광역권의 경제활동에까지 영향을 미쳤다. 이 테러로 인해 4만 9000㎡의 주요 소매공간과 5만 7000㎡의 사무공간이 사라졌다.

테러가 초래한 도심기능의 마비와 경제적·사회적 손실은 국가의 중요 현안이 됐다. 따라서 침체된 맨체스터 도심을 재건하는 일은 중앙정부와 맨체스터 시의 최우선 과제로 떠올랐다. 테러 이후 곧바로 정부와 맨체스터 시는 공동으로 민간과 공공으로 구성된 테스크포스Task Force 팀인 맨체스터 밀레니엄 회사Manchester Millennium Ltd.를 설립했으며, 이를 바탕으로 맨체스터 도심재건 전략을 작성했다. 도심 폭탄테러를 계기로 도심 센터에 장기적 차원의 도시재생사업이 진행된 것이다.

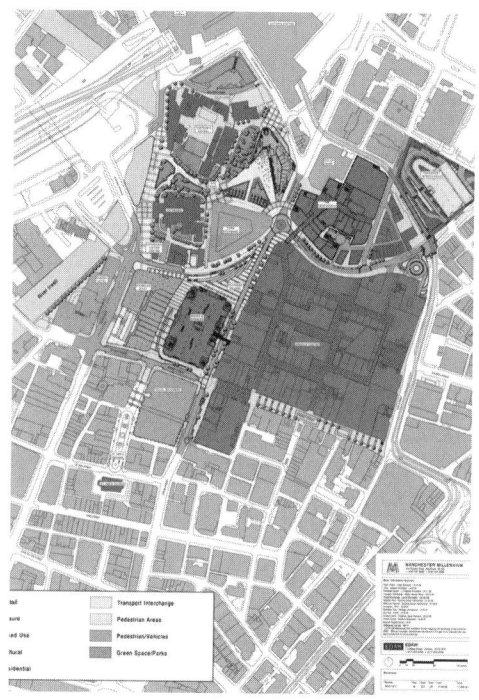

〈그림〉 폭탄테러 후 도심 활성화를 위해 작성된 마스터플랜

자료: 맨체스터 시청 홈페이지(www.manchester.gov.uk)

1996년 11월, 상업시설의 재보수, 경제 활성화, 통합된 교통시설, 21세기를 위한 도심환경 조성, 살아 있는 도시, 특징 있는 공공공간 조성을 목표로 도심재건 마스터플랜이 작성됐다. 그리고 2002년, 6년간의 도심재건사업이 완료됐다. 테러로 피해를 입었다 복원된 콘 익스체인지Corn Exchange와 로열 익스체인지Royal Exchange 같은 역사적 건물, 안데일 센터Arndale Centre와 같은 새로운 현대식 상업건물들이 익스체인지 광장Exchange Square과 함께 도심의 물리적·기능적 정체성을 확립했다. 현재 맨체스터 도심은 문화, 상업, 레저, 관광이 공존하는 인기 있는 영국의 북부 도시로 발돋움하고 있다.

맨체스터는 도시재생의 메카

맨체스터는 도시재생사업을 통해 다시 태어난 도시라 해도 과언이 아니다. 20세기 중반 산업구조의 변화로 인해 제조업의 쇠퇴를 겪었으며, 이로 인해 제조업을 기반으로 했던 지역은 인구와 자본의 이동으로 극심한 침체를 겪었다. 이 때문에 맨체스터의 도심과 광역지역 곳곳은 심각한 물리적 쇠퇴와 함께 실업, 범죄, 가난이 집중된 사회적 문제지역이 됐다. 하지만 지난 20년 동안 지속적인 재생사업을 통해 도시 곳곳의 문제를 하나씩 바로잡아 가고 있다.

재생사업 과정에서 영국 최초로 적용된 노스모어
홈 존 주거지역

홈Humle, 노스모어Northmore, 샐퍼드 독
Salford Dock, 캐슬필드Castlefield 등은 쇠퇴해
가는 맨체스터 도심과 주변지역 도시를
살린 대표적인 사례이다. 홈은 이들 사례
중 가장 심각한 문제를 가진 지역이었다.
홈은 1980년 초 페스트의 확산, 높은 범
죄율, 커뮤니티의 심각한 건강문제와 쇠
퇴를 겪은 슬럼지역이었다. 하지만 현재
성공적인 도시재생사업을 통해 커뮤니티
기반시설이 확립됐고, 정비된 가로체계를
바탕으로 활력 있는 새로운 커뮤니티 지
역으로 변모했다. 재생사업 과정에서 수
많은 건물을 철거하면서 동시에 새로운 건물을 조성해 기존 커뮤니티의 '사회구조를
재편'하는 재생사업을 실시한 것이다.

노스모어는 맨체스터 남부지역에 위치한 커뮤니티로 지난 20년 동안 계속된 인구감
소, 높은 실업률, 지속적인 범죄의 증가와 위협, 빈집의 증가, 낙후된 물리환경, 지역상
업의 쇠퇴, 주차문제 등 여러 가지 복합적인 문제가 집중된 지역이었다. 이를 해결하기
위해 작성한 3단계의 마스터플랜을 바탕으로 2000년부터 커뮤니티 재생사업을 시작했
으며, 2002년 완료됐다. 사업기간 동안 공동화된 주택의 철거와 보수를 진행했고, 기존
주거공간의 확장, 공공공간 및 커뮤니티 시설의 양질화, 공원의 재정비를 꾀하는 한편,
치안 등 여러 문제를 단계적으로 개선해나갔다.

여기서 이 모든 과정은 시가 일방적으로 진행한 것이 아니라 기존 거주민과 함께 긴
밀한 관계를 맺으며 하나씩 이루어나갔다. 주민 참여가 재생사업 과정에서 철저하게 이
루어졌다고 할 수 있다. 무엇보다도 커뮤니티 주거지 가로의 '사회적 기능'을 회복하기
위해 영국에서 최초로 시행된 홈 존Home Zone 프로그램은 큰 성과를 거두어 여러 커뮤니
티 중심 도시재생사업의 모델이 되고 있다. 그리고 이러한 성과를 토대로 영국 도시재

생협회로부터 상을 수여받기도 했다. 향상된 물리적 환경과 기존 커뮤니티의 높은 정착률, 새로운 거주자의 유입, 새로운 디자인과 내부공간을 가진 주택환경의 조성을 바탕으로 맨체스터는 커뮤니티의 정체성을 지속적으로 만들어가고 있다.

흄과 노스모어가 성공적으로 커뮤니티를 회복한 도시재생 사례라면, 샐퍼드 독은 버려진 산업유휴지를 맨체스터 도심과 연계해 창조·문화도시로 만든 도시재생의 사례이다. 현재 성공적인 문화·상업지구로 손꼽히는 샐퍼드 독은 경전철을 통해 맨체스터 도심과 긴밀하게 연결돼 있다. 샐퍼드 독은 맨체스터 도심의 서쪽에 위치해 있다. 독과 운하로 구성된 샐퍼드 독은 산업혁명의 발상지인 맨체스터와 바다를 연결하기 위해 1894년 건설됐다. 이 독은 건설 당시 영국에서 세 번째로 큰 독이었으며, 맨체스터의 도심을 가로지르는 어웰Irwell 강과 연결돼 있다. 맨체스터 시는 바다와 육지를 잇는 인프라를 통해 시의 산업과 경제적 발전을 확고히 하는 기회를 마련했다.

산업기능이 다한 버려진 산업유휴지를 맨체스터 시는 지난 약 25년간 장기적인 전략과 단계적 개발을 통해 주거·상업·문화시설로 구성된 맨체스터의 문화·창조산업 중심지구로 개발했다. 특히, 1990년대 문화 르네상스의 일환으로 조성된 1730석과 466석으로 이루어진 2개의 오디토리엄과 갤러리, 바, 카페, 컨퍼런스, 접대시설로 구성된 로리 빌딩과 제국전쟁박물관 북관(2002년)은 상업적 재생사업의 성공을 바탕으로 문화 재생사업을 성공으로 이끄는 계기를 마련했다. 지역 예술가의 이름으로 명명해 2000년 오픈된 로리 빌딩은 첫해 100만 명 이상의 방문객을 맞이했다. 또한 수변을 따라 조성된 아름다운 보행교와 수변의 장점을 살린 이벤트, 행사 등은 이러한 문화공간을 성공적인 도시재생 사례로 이끌었다. 이곳은 2002년 영연방 올림픽 게임Common Wealth Game의 마라톤 장소로 사

로리 문화센터와 쇼핑센터 그리고 광장이 어우러진 샐퍼드 독 지역

맨체스터 도심과 샐퍼드 독을 연결하는 경전철

용되는 등 시의 상징적인 공공공간이 됐다. 현재 이러한 성공이 밑거름이 돼 대규모 디지털 월드와 디자이너 쇼핑몰이 건설됐으며, 지역경제 활성화를 이끄는 맨체스터 시의 문화지구로 자리매김하고 있다. 2000년대 후반 영국공영방송 BBC의 이전과 함께 조성되는 미디어시티는 샐퍼드 독이 창조산업의 메카로 성장할 수 있는 기반을 마련할 것으로 기대돼 그 미래를 더욱더 밝게 하고 있다.

샐퍼드 독의 성공적인 재생사업은 도심뿐 아니라 광역지역에까지 영향을 주고 있다. 연간 500만 명이 방문하는 이 지역은 2002년에 1만 개의 영구 일자리를 창출했으며, 문화와 연계된 관광산업은 지역경제에 큰 영향을 미치고 있다. 현재 이 지역은 주거와 상업 그리고 문화와 새로운 산업이 공존하는 맨체스터의 새로운 중심지로 성장하고 있다.

마지막으로 캐슬필드는 맨체스터 도심의 남쪽 가장자리에 위치한 지역이다. 산업혁명의 모세혈관이었던 운하지역을 새로운 주거 중심의 커뮤니티로 조성한 도시재생 사례라 할 수 있다. 1970년대와 1980년대 물리적·사회적 침체를 겪은 이 지역은 도심 가

샐퍼드 독에 조성된 전쟁박물관

까이에 새로운 주거 재생사업을 펼치면서 인기 있는 도심 주거 환경을 조성했다. 도심 내부의 주거환경에 부정적인 영향을 끼칠 것이라는 인식에도 불구하고 운하를 따라 조성된 공공공간과 공공아트 그리고 카페, 레스토랑과 같은 커뮤니티 시설은 성공적이고 인기 있는 새로운 도심 커뮤니티를 만들었다. 시는 새로운 건물을 조성하면서 기존의 산업유적과 창고를 재보수하는 방법으로 용도 변경해 지역의 역사적 전통을 잘 담아냈다. 또한 커뮤니티 조성과정에서 양질의 도시 디자인을 보여줌으로써 이 지역의 경제적 가치를 높였다.

새로운 천년을 개척해가는 창조도시 맨체스터

보호영국창조성지표Boho Britain Creative Index에 의하면 영국의 40개 도시 중 인종적 다양성, 기술 혁신, 동성애자 수용성 부분에서 맨체스터는 가장 높은 창조도시 잠재력을 가진 것으로 평가받고 있다. 또한 영국의 특허사무소Patent Office에 의하면 맨체스터는 높은 특허 신청 수를 기록하고 있다. 이는 문화와 교육, 기술혁신 그리고 산업도시의 오랜 역사적 전통이 만들어낸 도시의 잠재력을 잘 반영한 결과라고 할 수 있다. 현재 맨체스터는 영국 북부의 상업, 은행, 보험, 레저, 문화산업을 주도하는 도시로 성장하고 있다. 20세기 초 산업혁명을 바탕으로 찬란한 영광과 번성을 누렸던 도시가 긴 침체기를 거쳐 새로운 도시의 모습으로 성장하는 중이다. 급속한 성장과 도시화 뒤에 이어진 급격한 쇠퇴는 도시 곳곳에 산업도시의 흥망성쇠 흔적과 경험을 남겼다. 하지만 지난 20년 동안 시의 지속적인 노력으로 이제 도시는 산업도시의 그늘에서 벗어나 새로운 문화·창조도시로 거듭나고 있다. 그 배경에는 산업혁명의 역사가 만든 산업도시의 전통과 유산을 바탕으로 현대의 변화하는 사회·경제적 내용을 수용하기 위해 새로운 시대 가치를 추구한 결과가 담겨 있다고 할 수 있다.

변화하는 새로운 시대환경 속에서 굴뚝의 도시 맨체스터는 세계적 수준의 창조도시와 월드시티로 위상을 높이기 위해 국제적 수준의 공항서비스 제공, 지식수도knowledge capital로 만들기 위한 연구투자, 국제기업의 본사 유치에 힘쓰고 있다. 또한 광역권에 위치한 2000여 개가 넘는 외국회사에 특별한 관리와 서비스를 제공하고, 국제 이벤트와 금융·창조산업을 유치·관리하는 데 혼신의 힘을 다하고 있다. 현재 맨체스터 시는 광역적 차원의 중심도시 역할을 넘어 국제적 위상을 높이기 위한 노력을 지속적으로 하고 있다.

/ 양도식[K-water 수변사업본부 친수사업처 공간디자인팀장, BA, MArch(Bartlett), PhD(Bartlett)]

▮ 참 고 문 헌 ▮

• Harding A et al. 2006. *A Framework for City-Regions*. London: ODPM.

• HMT et al. 2006. *Devolved Decision-Making: 3-Meeting the Regional Economic Challenge: The Importance of Cities to Regional Growth*. London: HM Treasury.

• HM Government. 2010. *Local Growth: Realising Every Place's Potential*. London: HM Government.

• _____. 2010. *Decentralisation and the Localism Bill: an Essential Guide*. London: HM Government.

• Lyons M. 2006. *National Prosperity, Local Choice and Civic Engagement: A new partnership between central and local government for the 21st century*. London: The Lyons Inquiry into Local Government.

• Marshall A. and D. Finch 2006. *City Leadership: Giving city-regions the power to grow*. London: Centre for Cities at ippr.

• Nathan M. and C. Urwin 2006. *City People: city centre living in the UK*. London: Centre for Cities at ippr.

• Northwest Regional Development Agency and Centre for Cities at IPPR. 2006. Cities Nothe West: Rethinking the Northwest Spatial Economy.

• Parkinson M. et al. 2006. *The State of the English Cities Report*. London: ODPM.

• http://www.communities.idea.gov.uk/comm/landing-home.do?id=4993164

• http://denysshortt.blogspot.com/

• http://lornagibbons.blogspot.com/

• http://www.manchester.gov.uk/

• http://neweconomymanchester.com/stories/840-other_publications

'빅시티(Big City)'로 재도약하는 버밍엄

Birmingham

버밍엄 전경

버밍엄Birmingham은 런던을 제외하고 영국에서 가장 인구가 많은 도시로, 런던에서 북서쪽으로 약 160km 거리에 있다. 도시의 면적은 서중부 광역도시권West Midlands conurbation에서 가장 큰 부분을 차지하고 있다. 서중부 광역도시권의 총인구는 228만 4093명(2011년)이며, 버밍엄과 이웃한 솔리헐Solihull, 울버햄프턴Wolverhampton, 블랙컨트리Black Country의 주요 도시들이 포함된다. 도시 인구의 약 30% 이상이 유색인종인데, 이들 대부분은 1950년대부터 1970년대 초반까지 부족한 노동인력을 보충하기 위해 추진된 이민정책에 따라 인도와 파키스탄에서 영국으로 이민 온 아시아인들이다.

버밍엄은 잉글랜드의 산업혁명 중심지였으며, 이로 인해 '전 세계의 작업장the workshop of the world' 혹은 '교역의 도시city of a thousand trades'로 알려졌다. 산업혁명 이후 버밍엄의 성장은 운하 및 철도, 그리고 도로의 개통을 통한 편리한 접근성과 도시 부근에 질 좋고 값싼 석탄, 철의 산지를 갖는 입지조건에 의해서 비롯됐다. 버밍엄은 기계 및 금속을 비롯해 자동차, 탄약, 각종 화학제품 등 여러 공업을 발달시키며 1960년대까지 계속 번창했다. 그러나 1970년대 말과 1990년대 초반 두 번의 경제위기를 겪으면서 급속한 쇠퇴를 경험하게 된다.

　1990년대 중반부터 지금까지 버밍엄은 도시재생 사업에 노력을 기울여 경제적인 성장과 함께 물리적인 개선을 이루었으며, 이로 인해 오늘날 영국뿐만 아니라 유럽 내에서도 성공 사례의 하나로 꼽히고 있다. 비록 공업도시로서 그 명성은 쇠퇴했으나 현재는 상업의 중심지로 성장해 2009년 'Cushman & Wakefield'에 의해서 영국 내에서 두 번째로, 그리고 유럽 내에서 열네 번째로 비즈니스를 하기 좋은 도시로 선정됐다. 또한 버밍엄은 외국인 관광객들이 영국 내에서 네 번째로 가장 많이 찾는 도시이다. 2008년에는 'The Mercer Quality of Life Index'에 의해서 세계에서 '가장 살기 좋은 도시' 56위를 차지하기도 했다.

위치 영국 잉글랜드의 웨스트미들랜즈
면적 267.77㎢
인구 1,074,300명(2011년 기준)
주요 기능 경제산업

| 버밍엄 시청

버밍엄의 역사

　버밍엄의 역사는 1000년 전으로 거슬러 올라가며, 1086년의 토지조사서Domesday Book 에서 이미 그 이름을 찾을 수 있다. 7세기 초반 버밍엄은 리Rea 강 변에 위치한 앵글로색 슨Anglo-Saxon의 작은 농촌에 불과했다. 도시명인 'Birmingham'은 'Beorma ingas ham'에 서 기원한 것으로 간주돼오고 있으며, 그 뜻은 'Beorma 자손의 고향'이다. 버밍엄 출신 의 사람들을 흔히 '브러미Brummies'라고 부르는데, 이는 도시의 별명인 'Brum'에서 기인 한다. 버밍엄의 악센트는 아주 독특해 '브러미 사투리Brummie dialect'라고 칭하며, 이는 주 변에 위치한 블랙컨트리와도 구별된다.

　1166년 버밍엄 영지 소유자인 피터 드 버밍엄Peter de Birmingham은 그의 성내에 시장을 소유할 수 있도록 국왕으로부터 특허장을 허가받게 된다. 이 지역은 오늘날 버밍엄 쇼 핑의 중심지인 불 링Bull ring으로, 이때부터 버밍엄은 촌락에서 시장도시로 발전하게 된다.

16세기 초반에는 버밍엄 부근에서 산출되는 양질의 석탄과 철을 이용한 철물공업이 발달했고, 17세기 영국 내전English Civil War 당시 버밍엄은 이미 무기를 생산하는 중요한 공업도시로 성장했다. 무기산업은 버밍엄의 주요한 교역업이었으며, 특히 건 쿼터Gun Quarter 지역을 중심으로 이루어졌다. 18세기 산업혁명을 거치는 동안 버밍엄은 잉글랜드의 산업화 중심도시로 급속하게 발전했으며, 17세기에 1만 5000명이었던 도시 인구가 18세기에는 7만 명으로 증가했다.

18세기에 버밍엄은 산업혁명을 주도적으로 이끈 '루나 소사이어티Lunar Society' 활동의 중심지가 됐다. 루나 소사이어티는 1765년부터 1813년까지 영국에 큰 영향을 미쳤으며, 이 모임의 회원은 매튜 볼턴Matthew Boulton, 이래즈머스 다윈Erasmus Darwin(찰스 다윈Charles Darwin의 할아버지), 새뮤얼 골턴 주니어Samuel Galton Junior, 제임스 와트James Watt, 조지프 프리스틀리Joseph Priestley 등과 같은 영향력 있는 철학자와 과학자였다.

19세기 초반인 1820년에는 광범위한 운하가 건설돼 산업혁명을 촉진시켰으며, 1837년에 그랜드 정션 노선Grand Junction Railway 철도가 건설됐다. 빅토리아 여왕 시대 버밍엄의 인구는 급속도로 증가해 50만 명 이상이 됐으며, 잉글랜드에서 런던 다음으로 인구가 많은 도시로 성장했다. 1889년 빅토리아 여왕에 의해서 버밍엄은 시장도시Market Town에서 도시City로 승격됐고, 1900년에 버밍엄대학교가 설립됐다.

제2차 세계대전 당시 버밍엄은 'Birmingham Blitz'라고 불리는 독일 나치Nazi군의 폭탄 공격으로 많은 피해를 입고, 1950년대와 1960년대에 광범위한 도시재건설사업을 추진했다. 대규모의 공공임대주택이 건설됐고, 뉴스트리트New Street 기차역도 재건됐다. 1990년대 후반에는 도시 승격 100주년 기념 광장Centenary Square과 밀레니엄 플레이스Millennium Place를 건설했으며 오래된 거리와 건물 그리고 운하 등을 재건했다. 현재도 지속되고 있는 재개발사업으로 인해 버밍엄은 그 모습이 새롭게 변모되고 있다.

버밍엄의 문화와 예술

버밍엄 시내에 위치한 버밍엄 뮤지엄과 아트갤러리에는 다른 미술관에서는 볼 수 없는 라파엘전파Pre-Raphaelite Brotherhood의 그림들이 소장돼 있고, 에드워드 번존스Edward

▎보행자들에게 휴식공간을 제공하는 빅토리아 광장

Burne-Jones의 작품도 전 세계에서 가장 많이 전시돼 있다. 버밍엄 시청은 그밖에도 애스턴 홀Aston Hall, 블레이크슬리 홀Blakesley Hall, 주얼리 쿼터 박물관Museum of the Jewellery Quarter, 소호 하우스 그리고 세어홀 밀Sarehole Mill(존 로널드 로엘 톨킨John Ronald Reuel Tolkien이 『반지의 제왕』의 배경으로 한 곳이며, 산업혁명을 주도적으로 이끈 매튜 볼턴이 오랫동안 빌려서 사용한 장소이기도 함)을 소유하고 일반인에게 공개하고 있다. 가장 최근에는 싱크탱크Thinktank 과학전시관을 개장했다. 버밍엄대학 내에 위치한 버밍엄 바버 예술 박물관The Barber Institute of Fine Arts에는 미술관뿐만 아니라 콘서트홀도 있다. 이곳에서는 세계에서 가장 많은 동전을 전시하고 있으며, 다양한 그림과 조각품을 감상할 수 있고, 점심시간을 이용한 미술관 투어도 있다.

영국에서 가장 유명한 초콜릿 공장인 캐드버리 월드Cadbury World에도 방문객들을 위한 박물관이 있으며, 공장 안에서 초콜릿 생산과정을 관람할 수 있도록 하고 있다. 버밍엄에는 8000에이커의 오픈스페이스가 있으며, 빅토리아 여왕 당시에 건설된 버밍엄 식물원Birmingham Botanical Gardens에서는 전 세계의 다양한 식물을 감상할 수 있고, 야외연주용 음악당이 있어서 여름에는 음악감상을 즐길 수 있다.

버밍엄의 정치 및 경제

버밍엄은 본래 워릭셔Warwickshire에 속해 있었으나 19세기 말에서 20세기 초에 우스터셔Worcestershire와 스태퍼드셔Staffordshire의 일부를 흡수하면서 그 면적이 확장됐다. 1974년 서튼 콜드필드Sutton Coldfield를 흡수하면서 서중부권의 자치도시metropolitan borough가 됐다.

버밍엄의 시의회는 40개의 구를 대표하는 120명의 시의원이 모여 영국에서 가장 큰 지방정부를 이루고 있으며 유럽에서 가장 큰 시의회이기도 하다. 시의회의 본부는 버밍엄 시내 빅토리아 광장의 의사당에 위치하고 있다. 현재 시의회는 보수당Conservative Party과 자유민주당Liberal Democrat에 의해 공동으로 운영되고 있다.

버밍엄에는 서중부지역정부West Midlands regional government, 서중부지역개발청Advantage West Midlands, 그리고 서중부지역 의회West Midlands Regional Assembly가 있다. 주된 산업은 제조업에서 서비스업(2003년 현재 버밍엄 경제활동의 78%)으로 바뀌었으며, 버밍엄은 잉글랜드에서 런던을 제외하고 가장 큰 소매 중심지retail centre가 됐다.

영국에서 가장 큰 은행인 로이즈 뱅크Lloyds Bank와 미드랜드 뱅크(현재는 HSBC Bank plc)가 1765년과 1836년에 각각 버밍엄에서 창립됐다. 2007년 현재 10만 8300명이 버밍엄에서 은행, 금융finance, 그리고 보험과 관련한 업무에 종사하고 있다. 지금도 도시의 인구는 증가하고 있으며, 민간 자본가들의 투자 또한 증가하고 있다. 도시민의 86%가 행정, 보건 및 교육, 재정 및 비즈니스, 소매, 호텔과 레스토랑 그리고 제조업에 종사하고 있다.

시내 중심에는 영국의 대표적인 백화점 가운데 하나인 하우스오브프레이저House of Fraser가 런던을 제외하고 가장 큰 규모로 있고, 영국에 4개밖에 없는 셀프리지 백화점 Selfridges도 있다. 2004년에는 영국 내에서 런던과 글래스고Glasgow 다음으로 가장 쇼핑하기 좋은 도시로 선정되기도 했다.

그러나 영국의 다른 주요 도시에 비해 여전히 재정 및 비즈니스, 그리고 R&D 분야 및 지식중심산업Knowledge-intensive business services의 비율이 낮은 편이다. 도시의 실업률도 영국 전체 평균에 비해 높은 편으로 인구의 약 66%(영국 평균은 74%)가 경제활동을 하고 있다. 버밍엄 시청은 이러한 문제점들을 보다 효율적으로 해결하고 오는 2026년을 목표로 세계 일류 도시로 도약하기 위해 2006년부터 '빅시티플랜Big City Plan'을 실행해 오고 있다.

버밍엄의 빅시티플랜

빅시티플랜은 영국에서 지금까지 실행해왔던 어떠한 도시재생사업보다도 야심 찬 재개발사업이라고 할 수 있다. 이 계획의 목표는 버밍엄 시를 ① 런던을 제외하고 영국 내에서 가장 세계적인 도시로 성장시키고, ② 세계에서 가장 살기 좋은 도시 20위권에 들도록 하며, ③ 경제성장뿐만 아니라 환경적으로도 친화적인 도시를 만드는 것이다. 빅시티플랜은 Regional Spatial Strategy, Birmingham Plan, Visioning the Masterplan, Big Ideas Event, Birmingham Vision 2026, Birmingham Prospectus 등에 기초해 계획됐다.

빅시티플랜은 도심의 7개로 구분된 기존 지구 — 건 쿼터, 주얼리 쿼터, 컨벤션 쿼터Convention Quarter, 애트우드 그린Attwood Green, 차이니즈 쿼터Chinese Quarter, 게이 빌리지Gay Village, 아이리시 쿼터 Irish Quarte — 를 바탕으로 9개의 지역 — 더시티코어The City Core, 사우스사이드Southside, 하이게이트Highgate, 웨스트사이드Westside, 레이디우드Ladywood, 주얼리 쿼터, 건 쿼터, 이스트사이드Eastside, 디그베스Digbeth — 로 구분해 각각의 지역에 대한 발전계획을 수립했다. 빅시티플랜의 전체 면적은 800ha다. 기존의 7개 지구 가운데 건 쿼터와 주얼리 쿼터는 그대로 유지하고, 컨벤션 쿼터와 애트우드 그린지구는 통합돼 웨스트사이드 지역에 포함됐다. 그리고 차이니즈 쿼터와 게이 빌리

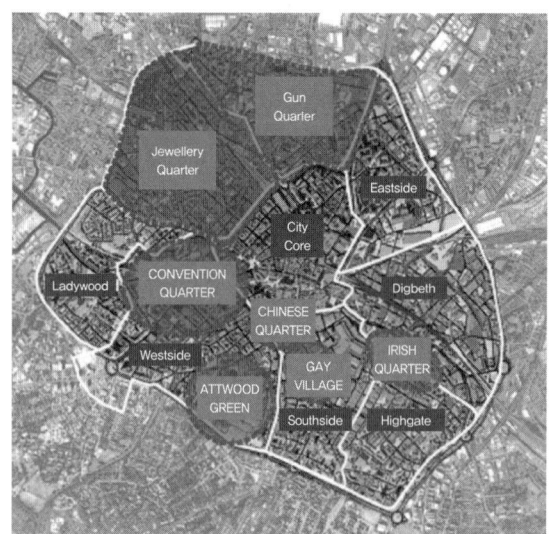

〈그림〉 빅시티플랜에 의한 지역지정

자료: Big City Plan(2007), Brimingham City Council

웨스트사이드에 위치한 Brindley Place

지는 사우스사이드 지역에, 아이리시 쿼터는 디그베스 지역에 포함됐다.

세 계 도 시 로 도 약 하 기 위 한 노 력

　버밍엄을 세계 일류 도시로 도약시키기 위한 빅시티플랜의 실천은 경제위기로 인해 예정했던 것보다 다소 지연되고 있다. 그러나 버밍엄 시청은 지난 20년 동안 이루어온 성공적인 도시재생사업을 바탕으로 도시가 당면한 문제점들을 해결할 수 있다고 믿고 있다. 따라서 고정된 계획보다는 시장상황과 시민의 요구에 부합하는 융통성 있는 개발계획을 수립해 실천해나가고 있는 중이다. 이를 위해 버밍엄 시청이 주된 역할을 하고 있으며, 서중부지역개발진흥원Advantage West Midlands과 HCAHomes and Communities Agency 같은 지역 및 중앙 차원의 공공기관과 협력하고, 민간기업과도 파트너로서 긴밀한 관계를 유지하며 공동으로 도시재생사업을 실천해나가고 있다. 또한 시민들과 대화하고 협력해 그들이 원하는 바를 개발계획에 반영함으로써 2026년 버밍엄이 이곳에 거주하는

애트우드 그린 지역의 공공임대주택 단지

시민들이 진정으로 살고 싶어 하는 도시로 거듭날 수 있도록 노력하고 있다.

/ 경신원(MIT SPURS Fellow)

┃ 참 고 문 헌 ┃

• Berg, M. 1991. "Commerce and creativity in Eighteenth century Birmingham." in M. Berg. *Markets and Manufacture in Early Industrial Europe*. London: Routledge.

• Birmingham City Council. 2007. Invest in Birmingham. Birmingham: Birmingham City Council.

• Hodder, M. 2004. *Birmingham: The Hidden History*. Stroud: Tempus Publishing.

• Hopkins, E. 1989. *Birmingham: The First Manufacturing Town in the World* 1760-1840. London: Weidenfeld & Nicolson.

• Leather, P. 2001. *A Brief History of Birmingham*. Studley: Brewin Books.

역사 속에서 펼쳐지는 축제의 도시

에든버러

Edinburgh

| 에든버러 전경

스코틀랜드의 고도(古都) 에든버러

한 나라의 수도首都에는 단지 수도라는 이유 때문에 누리는 유형·무형의 여러 프리미엄이 있다. 시간이 흐르고 이런 프리미엄이 누적되면서, 수도는 다른 보통 도시에서는 찾기 힘든 권위와 품격을 자연스럽게 갖추게 된다. 로마, 런던, 파리 등 유럽 각국의 수도들은 대부분 오랜 기간 동안 그 나라의, 나아가 세계의 권력과 부의 중심지로서 영욕을 누려왔으며, 그 세월의 흔적은 그곳의 화려하면서도 위엄 있는 도시 경관에서 자연스럽게 배어 나오고 있다.

요즘 건설되는 신도시들이 아무리 첨단 과학문명의 도움을 얻더라도 도저히 모방할 수 없는 것이 세월과 책임의 무게가 만들어내는 경륜과 권위인 것이다. 유럽 각국의 수도들 모두 이러한 역사적 품격을 자랑하지만, 그중에서도 가장 아름다운 수도로 손꼽히는 곳이 바로 에든버러Edinburgh다.

어린 시절, 나라 이름을 대면 그 나라 수도 이름을 맞추는 놀이에 꽤 자신 있었다는 혹자에게도 수도 에든버러는 생소할 수 있다. 소싯적 세계 지리를 좀 알았다는 자부심으로 아무리 기억을 되새겨 보아도 에든버러란 이름의 수도를 가진 나라는 좀처럼 머릿속에 떠오르지 않았으니 말이다. 에든버러가 영국에 있는 도시라는 것을 안 뒤에는, 영국의 수도는 런던이 아니냐고 반문할지도 모른다. 그렇지만 스코틀랜드인들에게 잉글랜드가 자신들의 나라가 아니듯이, 런던은 자신들의 수도가 아니다.

에든버러는 영국 안에 있는 또 하나의 나라 스코틀랜드의 수도인 것이다(우리가 흔히 말하는 영국United Kingdom은 그 안에 다시 4개의 작은 나라, 즉 잉글랜드, 스코틀랜드, 웨일스, 북아일랜드로 구성돼 있다). 실제 세계 어디에서도 에든버러만큼 그 나라의 역사, 문화, 개성, 정서를 정확하게 재현하는 수도의 예를 찾기는 쉽지 않다. 에든버러는 스코틀랜드인들의 마음의 고향이자 자존심의 상징이며, 스코틀랜드 정신의 정수이자 물리적 재현물이라고 할 수 있다.

일찍이 영국의 여류 문인 조지 엘리엇George Eliot이 "아침에 창밖을 내다보았을 때, 나는 유토피아에 온 줄 알았다"고 묘사했을 정도로, 중세와 근대를 대변하는 전통적 건축물로 가득 찬 에든버러의 경관은 참으로 아름답다. 특히 훌륭한 근대 건축유산들을 원형 그대로 간직하고 있어서 '북쪽의 아테네' 혹은 '근대의 아테네'로 불리기도 한다. 그렇지만 에든버러는 파리나 런던처럼 화려하거나 권위적이지 않다. 에든버러의 아름다움은 중후하지만 사람을 위압하지 않는, 친근하지만 그렇다고 결코 가볍지 않은 아름다움이다. 에든버러의 이런 아름다움은 바로 스코틀랜드의 오랜 역사를 담고 있음에서 나온다.

이 아름다운 고도古都가 최근에는 세계에서 가장 으뜸으로 꼽히는 연극 축제의 도시로 유명해지고 있다. 매년 여름, 전 세계에서 몰려온 수많은 젊은 예술가들이 고풍스러운 건물들 사이의 거리와 골목에서 자신들이 창작한 예술을 펼쳐나간다. 이때 에든버러는 역사적 건축물을 그 무대로 해 젊음과 패기를 발산하는 각종 실험적·전위적 예술들이 공연되는, 그래서 과거와 현재가 가장 역동적으로 만나는 시대적 화합과 조화의 장소가 된다.

위치 영국 스코틀랜드의 중심 도시
면적 259㎢
인구 495,360명(2011년 기준)
주요 기능 정치·경제·문화

스코틀랜드, 정체성을 찾기 위한 저항의 역사

아름다운 에든버러의 경관을 눈으로 즐기는 데 그치지 않고, 그 속에 담겨 있는 도시의 역사성과 시민들의 정서를 가슴으로 느끼기 위해서는 먼저 스코틀랜드의 역사, 그 중에서도 남쪽에 있는 숙명적 이웃 잉글랜드와의 투쟁과 통합의 역사를 이해할 필요가 있다. 스코틀랜드의 역사는 곧 외세의 침략에 대한 저항과 독립을 추구한 역사이기도 하다. 기원후 1세기경, 당시 유럽 대륙 전체를 지배한 로마제국은 지금의 영국 땅을 침략했다.

무적 군대 로마군은 영국의 남쪽, 지금의 잉글랜드 지역을 점령한 후 더 이상의 진격을 멈춘다. 북쪽에 있는 종족들－픽트Picts, 스코트Scots, 브리튼Britons의 세 종족－의 저항이 완강했을 뿐 아니라, 춥고 비가 그칠 날이 없는 혹독한 기후와 척박한 토양을 가진 이 지역을 굳이 힘들게 점령할 이유가 별로 없었기 때문이다. 당시 로마의 황제였던 하드리아누스Hadrianus는 자기들이 차지한 점령지를 방어하기 위해 긴 성을 쌓았는데, 이것이 지금 잉글랜드와 스코틀랜드의 경계선으로 남아 있는 하드리아누스 성벽Hadrian's Wall이다.

이후 자신들의 독자 왕국을 건설한 스코틀랜드는 11세기 이후부터 잉글랜드의 지속적인 공격을 받게 된다. 스코틀랜드를 병합해 영토를 확장하려는 잉글랜드와 이에 맞서 독립을 유지하려는 스코틀랜드 사이에는 쉼 없는 전쟁이 벌어지게 된다. 스코틀랜드 사람들의 민족적 정체성과 자긍심은 잉글랜드와의 전쟁 속에서 생겨난 것이다. 이 시기 잉글랜드를 격파한 스코틀랜드인들의 무용담은 여러 영웅 설화를 낳았다. 우리에게도 낯익은 영화 〈브레이브 하트〉

에든버러 전경이 한눈에 내려다보이는 칼튼힐

▌세인트 자일스 대성당. 스코틀랜드의 종교개혁을 이끌었다.

의 주인공으로 자유를 절규했던 윌리엄 월리스William Wallace가 바로 스코틀랜드의 대표
적 전쟁 영웅이다.

　이후 스코틀랜드 왕조와 잉글랜드 왕조가 결혼을 통해 서로 결합하고, 1707년에 양
의회도 통합되면서 스코틀랜드와 잉글랜드는 하나의 왕국이 된다. 하지만 그 후에도 지
배권을 행사하려는 잉글랜드에 대한 스코틀랜드인들의 저항과 스코틀랜드 고유의 정
체성을 유지하려는 노력이 지속됐다. 이 전통은 오늘날까지 이어져 지금도 스코틀랜드
독립국가를 희망하는 분리주의의 움직임이 꿈틀거리고 있다. 지난 2000년 약 300년 만
에 스코틀랜드 의회가 새로 부활하면서 스코틀랜드는 외교·국방 문제를 제외한 대부
분의 사안에 대해 자치권을 회복했다. 이는 토니 블레어Tony Blair가 이끄는 당시 노동당
정부가 스코틀랜드와 웨일스에 상당한 자치권을 주는 이른바 획기적 분권devolution정책
을 추진한 것이 결실을 맺은 것이었다.

　15세기 초 인근의 퍼스Perth로부터 스코틀랜드 왕국의 수도 자리를 넘겨받은 에든버

러는 잉글랜드에 대한 스코틀랜드의 기나긴 저항과 독립 투쟁의 구심지 역할을 해왔다. 현재 약 45만 명의 인구를 가지고 있는 에든버러는 인구규모 면에서는 스코틀랜드의 산업 중심지 글래스고에 이어 두 번째로 큰 도시지만, 명실상부한 스코틀랜드의 정치, 행정, 문화의 중심 도시다. 당연히 새로 부활한 스코틀랜드 의회 의사당이 자리 잡은 곳도 에든버러다. 철학자 데이비드 흄David Hume, 보물섬의 작가 로버트 스티븐슨Robert Louis Stevenson, 셜록 홈스의 작가 코넌 도일Conan Doyle 등 세계를 빛낸 수많은 철학가와 문학가가 이곳에서 태어나 이곳에서 교육을 받았다.

따뜻한 태양의 혜택을 누리는 남유럽 사람들은 말할 것도 없고, 영국 사람들 스스로도 맑은 날보다 비 오는 날이 더 많은 영국 날씨에 고개를 내젓는다. 그런데 스코틀랜드는 잉글랜드보다 더 춥고 비 오는 날도 더 많다. 이런 혹독한 날씨와는 대조적으로 스코틀랜드 사람들은 따뜻하고 정이 많다. 잉글랜드 사람들은 표면적으로는 매우 예의 바르지만 속마음을 잘 드러내지 않아서 차갑게 느껴지고 깊게 사귀기 어려운 데 비해, 스코틀랜드 사람들은 소박하고 낙천적인 데다 솔직하고 자존심이 강하며 또 술과 노래를 즐기고 사람 사귀는 것을 좋아한다. 이런 점에서는 한국 사람들과 닮은 점이 많다. 같은 영국인이지만 스코틀랜드 사람들은 잉글랜드 사람들과 문화, 성격, 말투 등이 확연히 달라서 외국인들도 금방 구별할 수 있다(Mac은 스코틀랜드 고유어인 게일Gaelic어로 'Son of'란 뜻으로, Mac으로 시작하는 성을 가진 사람들은 그 조상이 스코틀랜드 출신이다. 한 예로 맥도날드가MacDonalds는 중세시대 스코틀랜드에서 가장 영향력 있는 가문이었다). 잉글랜드에 비해 10분의 1밖에 안 되는 인구를 가졌지만, 잉글랜드와 대등하기를 원하고, 또 실제로 영국 정치 지도자들의 다수를 배출하고 있는 것이 스코틀랜드인들의 이러한 기질과 무관하지는 않을 것이다.

▌ 스코틀랜드 의회실의 모습

골프와 스카치위스키의 원조인 스코틀랜드인들의 문화적 정체성은 타탄tartan(체크무늬 모직)으로 만든 전통의상 킬트kilt(스커트처럼 생김)과 민속악기 백파이프bagpipe로 대변된다. 에든버러에서는 킬트를 입고 독특한 음색의 백파이프를 연주하는 거리의 악사들을 쉽게 접할 수 있다.

에든버러 성과 로열 마일

에든버러 어디서나 바라볼 수 있어 도시의 랜드마크 역할을 하는 곳이 바로 에든버러 성이다. 스코틀랜드의 상징이자 구심점이 에든버러라고 한다면, 에든버러의 상징이자 구심점은 바로 에든버러 성이다. 에든버러 성은 이 도시가 태어난 모태이자 이 지명이 유래한 곳이기도 하다. 성이 자리 잡은 곳은 빙하가 만들었다는 바위산으로 삼면이 높은 절벽으로 둘러싸인 난공불락의 요새다. 이곳은 아주 오래 전부터 군사적으로 활용됐다고 하는데, 7세기경 당시 노섬브리아Northumbria 왕국의 에드윈Edwin 왕이 이곳을

▌에든버러 성

새롭게 재건하면서 에든버러로 불리기 시작했다(burgh는 성곽도시란 뜻이다. 영국에서는 burgh가 뒤에 붙은 지명을 쉽게 찾을 수 있다). 오늘날의 에든버러는 이 성에서부터 출발해 점차 그 영역을 확장해 발전해온 것이다.

에든버러 성에서 동쪽으로 약 1마일 떨어진 곳에는 16세기 초에 지어진 홀리루드 궁전Holyrood Palace이 위치하고 있다. 당시 스코틀랜드 왕들이 거주했던 우아한 이 궁전은 평소에는 일반인들에게 개방되지만 영국 여왕이 스코틀랜드를 방문할 때에는 여왕의 공식 숙소로 사용되는 곳이다. 에든버러 성에서 홀리루드 궁전까지 이어지는 약 1마일의 거리를 로열 마일Royal Mile이라고 부른다. 자갈길의 이 거리는 스카치위스키를 위시한 스코틀랜드의 각종 토산물과 기념품을 파는 상점 및 카페, 식당, 전시장, 박물관 등이 자리하고 있는 에든버러 구시가지의 가장 대표적인 거리다.

매년 늦여름 3주간(8월 셋째 주부터 시작됨)에 걸쳐 개최되는 에든버러 국제페스티벌 기간 동안 에든버러 성과 이 로열 마일에서는 수많은 공연이 열리고, 이를 보기 위한 수많은 인파들로 인산인해의 장관을 이룬다.

에든버러 페스티벌

에든버러의 이미지를 전통의 역사도시에서 초현대적 문화도시로 변모시키는 데 가장 결정적으로 기여한 것이 바로 에든버러 국제페스티벌이다. 제2차 세계대전 직후인 1947년 전쟁으로 인한 유럽 사람들의 상처를 치유하려는 목적으로 시작한 이래, 유럽의 잣대로는 별로 길지 않은 50여 년의 역사를 가지고 있지만, 이 축제는 지금 세계에서 가장 유명하고 규모가 큰 연극제로 발전했다.

축제 기간 동안 에든버러는 스코틀랜드의 수도를 넘어서 유럽의 문화수도 역할을 한다. 시내 곳곳에 위치한 모든 극장과 공연장은 물론이고, 공원과 거리 모퉁이 등에서 수많은 연극 공연과 각종 전시 행사가 연이어 벌어진다.

에든버러를 세계적인 연극 축제의 도시로 유명하게 만든 일등 공신은 바로 에든버러 페스티벌 프린지Fringe다. 변방, 주변, 비주류 등의 의미를 지닌 프린지는 말 그대로 축제의 주최 측으로부터 공식적인 초청을 받지 못한 무명의 공연 단체들이 거리에서 길 가는 관객들을 대상으로 무료 공연을 하면서 시작됐다. 이 자발적 공연들은 사전에 기획된 것도 아니고 조직적 뒷받침도 없었지만, 독특하고 창조적인 내용과 형식으로 인해 주목을 끄는 데 성공했고, 이에 힘입어 해를 거듭할수록 자발적으로 참가하는 공연 단체들의 수가 늘어났다.

프린지의 가장 큰 장점은 사전심사나 선정과정 없이 누구나 자유롭게 참가한다는 점이다. 이 덕분에 다양하고 독창적인 예술적 실험이 시도됨으로써 항상 새로움과 활력이 넘치게 된다. 한국의 〈난타〉도 여기에서 성공적으로 공연을 개최한 바 있다. 최근에 들어와 에든버러 프린지는 세계 각지에서 몰려든 1000여 개의 공연단체와 1만여 명의 예술가가 200여 개에 이르는 공연장소에서 2만여 회의 다양한 공연을 선보이는 세계 최대의 공연 축제로 발전했다. 에든버러 프린지가 변방의 지위에서 에든버러 페스티벌의 가장 중심적 지위를 차지하게 된 것이다.

에든버러 페스티벌의 백미는 군악대 연주Military Tattoo다. 에든버러 성 앞에서 펼쳐지는 이 화려한 공연에서는 스코틀랜드의 전통악기인 백파이프와 드럼을 둘러맨 군악대를 선두로 세계 각국의 군악대가 음악 퍼레이드를 벌인다. 축제기간 동안 매일 밤 열리는 이 공연을 보기 위해 워낙 많은 사람들이 몰려들기 때문에 입장권 구하기가 하늘의 별 따기지만, 이를 보지 않고는 에든버러 페스티벌을 보았다고 하기가 쑥스러워서 몇 시간씩 기꺼이 줄을 서서 입장권을 구하려는 공연이기도 하다.

에든버러의 18세기 신시가지

로열 마일과 나란히 위치하고 에든버러를 동서로 가로지르는 대표적인 중심가로가 프린세스 거리Princes Street다. 스코틀랜드가 낳은 위대한 문인 월터 스콧Walter Scott을 기념하는 높은 탑이 세워진 이 거리를 경계로 에든버러는 구시가지Old Town와 신시가지New Town로 나누어진다. 에든버러 성과 로열 마일을 중심으로 하는 구시가지는 중세 역사의 모습이 지금도 남아 있기 때문에 구시가지로 불리는 게 당연하지만, 신시가지는 사실 어색한 호칭이다. 왜냐하면 에든버러 신시가지는 지금으로부터 200여 년 전인 18세기 중반에 조성된 사실상의 구시가지이기 때문이다.

18세기 중반에 이르러 에든버러 구시가지는 과밀에 도달해 확장 계획이 이루어졌다. 1767년의 도시설계 공모에서 우승한 당시 약관 23세의 건축가 제임스 크레이그James Craig는 2개의 광장을 가진 단순 격자형 패턴의 신시가지를 설계했다. 이를 바탕으로 건설된 신시가지는 에든버러 구시가지와 대비돼 멋진 조화를 이루고 있다. 또한 이 신시가지는 바스Bath와 함께 조지 왕조 시대의 건축물들이 가장 잘 보존된 곳이기도 하다. 특히 스코틀랜드 내셔널 트러스트에 의해 보존·관리되고 있는 조지안 하우스Georgian House는 조지안 양식의 건축과 실내 장식의 원형을 보여준다(영국의 역사에서 조지George 왕조가 통치했던 18세기를 조지안 시대, 빅토리아 여왕이 통치했던 19세기를 빅토리안 시대라고 부른다).

스콧 기념탑. 스코틀랜드 작가인 월터 스콧 경을 기리기 위해 만들었다.

지금 에든버러는 연극 페스티벌 기간 동안뿐만 아니라 영화, TV, 도서출판, 과학축제가 연중 내내 펼쳐지면서 명실상부한 유럽의 문화수도로 자리 잡고 있다. 영국에서 런던 다음으로 많은 관광객이 찾아오는 에든버러는 관광산업, 문화산업 외에도 최근 첨단기술산업과 금융업무산업들이 발전하고 있고 외국기업들도 속속 들어오고 있다. 덕분에 에든버러는 지금 영국의 도시 중에서 가장 높은 성장률을 기록하고 있으며, 소득

수준이나 삶의 질 수준에서 높은 평가를 받고 있다. 역사와 전통 속에서 펼쳐지는 문화의 힘이 도시발전에 어떻게 기여하는지를 잘 보여주는 에든버러의 성공 사례는 우리에게도 많은 시사점을 준다.

• 사진 제공: 이미지투데이

/ 강현수(중부대학교 도시행정학과 교수)

| 참 고 문 헌 |

• 홍성표. 2010. 『스코틀랜드 분리 독립운동의 역사적 기원』. 청주: 충북대학교출판부.

• Fry, Michael. 2011. *Edinburgh: A History of the City*. London: Pan Macmillan.

• http://www.eif.co.uk/

• http://www.edinburgh.gov.uk/

고대의 향기를 머금은 온천도시
바스

Bath

▌바스 전경(ⓒ Karen Roe, 플리커)

온천은 바스의 존재 이유

영국 남서쪽 에이번Avon 강 변에 위치한 바스Bath는 도시 전체가 예술작품이다. 바스의 북부지역에는 '언덕의 뱀'이란 별명을 가진 조지George 왕의 여름궁전인 란스다운 크레센트Lansdown Crescent가 약 100m의 길이로 호를 그리며 전개된다. 또 '바스의 보석'이란 별칭을 가진 왕들의 여름궁전이자 대탐험가 리빙스턴Robert L. Livingston의 집이었던 로열 크레센트Royal Crescent가 3개의 초승달 모양 커브를 그리며 바스의 서부지역을 화려하게 장식한다. 바스의 중심부에는 '바스'라는 도시 이름의 기원이 된 고대 로마인들의 목욕탕 로만바스Roman Baths가 당시 최신식 무기와 철갑옷으로 무장한 로마 병정들의 위호를 받으며 고대의 향기를 뿜어내고 있다. 로만바스 옆으로는 왕과 귀족층의 전용 목욕탕인 바로크 형식의 크로스바스Cross Bath와 토머스 볼드윈Thomas Baldwin이 설계한 우아한 코린트식의 건물인 펌프룸Pump Room이 펼쳐진다.

이러한 고건축물들은 그 가치를 인정받아 1980년대 초 세계문화유산으로 지정됐는데, 공통점은 모두 온천과 관련된다는 것이다. 란스다운 크레센트와 로열 크레센트는 온천을 이용하는 왕과 귀족들의 숙박시설이었고, 로만바스, 크로스바스, 펌프룸은 모두 온천수 이용시설이었다.

이와 같이 바스는 온천을 빼놓고는 설명할 수가 없다. 다시 말해 온천은 바스의 존재 이유다. 바스에서 온천은 로마시대 만들어진 건축물과 18세기 건축물 발달의 근원일 뿐만 아니라 도시의 기원이기도 하다. 도시 기원에 관한 전설에 의하면, 셰익스피어의 희곡 〈리어 왕〉에 나오는 리어 왕의 아버지인 블라다드Bladud는 나병에 걸려 왕위를 계승하지 못하고 피부병에 걸린 돼지 몇 마리와 함께 왕국에서 쫓겨나 현재 바스의 온천 용출 지점 근처에서 머물렀다고 한다. 그러던 어느 날 돼지의 피부병이 증기 나는 진흙탕 속에서 점점 나아가는 것을 보고, 돼지가 그랬던 것처럼 진흙탕에서 구르기를 여러 날 해 나병을 깨끗이 치유했다고 한다. 이후 블라다드는 왕국으로 돌아가 왕위를 계승하고 감사의 뜻으로 바스에 온천도시를 건설했다고 한다.

이처럼 바스의 도시 성립 기원이 된 온천은 현재도 매일같이 약 15만 갤런씩 로만바스, 킹스바스King's Bath, 핫바스Hot Bath, 크로스바스 등에서 솟아오른다. 바스의 온천은 성인成因이 비화산성非火山性으로 분류된다. 즉, 바스 온천수의 시원始原인 맨딥Mendip 지역

의 지표수가 지하로 스며들어가 다양한 광물질을 녹이고, 다시 지열을 받아 팽창하면서 갈라진 틈과 단층선이 많은 바스 지역에서 자연용출한 것이다. 이렇게 자연용출한 바스 온천수의 수온은 용출 지점마다 조금씩 차이가 있는데 핫바스가 49℃로 가장 높고, 그 다음은 킹스바스 46℃, 크로스바스 40℃다. 이러한 온천은 사람들에게는 쉴 곳을 제공하고 새와 동물에게는 안락한 보금자리 역할을 해 예로부터 바스 지역에 사람과 동물이 모여드는 원인이 됐으며, 온천 휴양시설이 본격적으로 개발됐던 로마 점령 시대부터 현재에 이르기까지 도시의 존립기반이 돼왔다.

위치 영국 남서부 서머싯 주의 북동부
면적 28㎢
인구 83,992명(2011년 기준)
주요 기능 관광

United Kingdom

Edinburgh

Leeds

Manchester

Birmingham

Cambridge

Bath

바스의 관광지 라이프 사이클

기원후 43년 로마 점령 이래 온천휴양지로 새롭게 탄생한 바스는 관광지 라이프 사이클Life Cycle이 시대별로 크게 4단계로 나타난다. 로마 점령 시대는 관광지 라이프 사이클의 초기 개발단계, 중세시대는 정체단계, 엘리자베스·조지·빅토리아 시대는 성숙단계, 그리고 20세기 이후는 침체단계로 구분된다. 이러한 라이프 사이클의 단계별로 바스의 모습을 시계열적으로 그려보면 다음과 같다.

먼저 바스의 관광지 라이프 사이클 초기 개발단계는 영국이 로마제국의 지배를 받았던 시기다. 이 시기의 로마제국은 영국의 남서부지역을 점령하고, 점령한 지역마다 요새 등 군대시설을 건설했다. 하지만 바스에는 다른 지역과 달리 전쟁으로 심신이 지친 로마 군인들에게 즐거움과 치료를 제공하기 위해 군대시설이 아닌 온천 휴양시설을 건설했다. 당시 로마인들은 아쿠아 술리스Aquae Sulis라 불리는 직사각형의 도시를 에이번 강 변에 건설했으며, 링컨Lincoln부터 남서부에 이르는 지역까지는 로마도로를 건설했다. 그리고 온수 공급이 용이하고 목재를 쉽게 구할 수 있는 최적의 입지조건을 갖춘 애비Abbey 교회 근처에 루커스바스Lucus Bath, 로만바스, 로만하우스Roman House 등을 건설했다. 이 중에서 현존하는 것은 현재 박물관으로 활용되고 있는 로만바스뿐이다. 로만

바스는 당시 로마인들이 에이번 계곡의 증기 나는 늪을 조사한 후에 늪지의 온수를 관개해 만든 것이다. 로만바스에는 지금까지도 당시 로마인들이 과학적으로 만들어 사용했던 사우나시설, 찜질방, 목욕탕, 온천 치료시설, 수영장 등이 남아 있다.

중세시대는 관광지 라이프 사이클 정체단계에 해당한다. 이 시기에는 바스의 교외지역

▎고대 로마인들의 목욕탕 로만바스

이 발달해 성의 남문, 북문, 서문에 교외지역을 연결하는 도로가 새로 건설되고, 종교적 기능을 강화하기 위한 교회와 수도원이 많이 건설됐다. 성직자의 통치를 받았던 이 시기에는 목욕이 사치스러운 것으로 간주됐다. 또 금욕禁慾이라는 당시의 종교적인 신조 때문에 로마 점령 시대에 꽃피웠던 온천문화가 사라지고 오로지 병을 치료하는 데에만 주안점을 두게 됐다. 당시 사원의 전용 병원시설인 킹스바스와 세인트존St. John 병원이 건설됐는데, 영국의 잉글랜드 전역에서 많은 사람들이 병 치료를 위해서 모여들었다고 한다.

관광지 라이프 사이클 성숙단계에 해당하는 16세기 말부터 19세기 말에 이르는 시기는 해외 식민지 건설과 산업혁명으로 인한 부의 축적으로 온천에 기반을 둔 레저휴양문화가 크게 발달했다. 이 시기는 영국의 엘리자베스 여왕, 조지 왕 등이 재임했던 시기로 바스가 외연적으로 크게 확장되고 온천휴양산업이 최대의 성수기를 누렸던 시기다. 이 시기의 바스는 유럽 귀족을 위한 도시였다고 할 수 있는데, 당시 바스에는 귀족들이 즐길 수 있는 온천 편의시설은 물론, 댄스장, 운동을 겸할 수 있는 공원, 음악연주회장 등이 있었다. 오래된 숙박시설은 규모를 확장하거나 보다 화려한 숙박시설로 리모델링하기도 했다. 그뿐만 아니라 게이Gay 거리, 알프레드Alfred 거리, 테라스Terrace 거리, 바스 거리 등 많은 도로가 건설됐고, 현재도 이용되고 있는 에이번 수로와 철로도 이 시기에 건설됐다.

이 시기에 건설된 대부분의 건축물들은 1980년대 초 유네스코 세계문화유산으로 지정돼 바스를 온천도시에서 세계적인 역사문화도시로 탈바꿈시켰다. 엘리자베스 여왕 재임기에는 목욕시설인 십자형 구조의 킹스바스, 바로크 양식의 크로스바스, 옛 로열바스Royal Bath로 알려진 핫바스가 여전히 치료와 휴양을 위해 활용됐고, 현재는 파괴되고 없는 킹스바스 옆에 퀸스바스Queen's Bath가 새롭게 건설됐다. 조지 왕 재임기에는 도시 미관을 위해서 도시 전체가 건축예술가에 의해 재설계되고 리모델링됐다. 그뿐만 아니라 숙박시설을 갖춘 왕실온천병원Royal Mineral Water Hospital, 킹스바스와 스톨 거리Stall Street 사이의 개인용 목욕탕, 토머스 볼드윈이 설계한 온천수 음용 펌프룸, 존 우드John Wood가 설계한 초승달 모양의 로열 크레센트, 그리고 로버트 애덤Robert Adam이 설계한 아치형

┃ 로버트 애덤이 설계한 플테니 다리

의 플테니 다리Pulteney Bridge가 건설됐다. 이와 같은 17, 18세기의 건축물들은 당시 온천 문화가 얼마나 귀족 중심적이었는지를 단적으로 보여준다.

한편 이 시기에는 온천으로 인한 병폐도 적지 않았다. 바스 지역의 대기환경과 에이번 강은 영국 전 지역에서 모여드는 인파와 이들을 수용하기 위한 각종 온천 관련 시설물로 인해 오염이 극심했다. "한꺼번에 너무 많은 이들이 같은 온천탕에서 목욕을 하기 때문에 온천수가 도저히 깨끗해질 수 없다"는 영국의 정치가 새뮤얼 피프스Samuel Pepys(1668)의 글은 당시 상황을 잘 말해준다. 그뿐만 아니라 노름과 남녀 간의 무질서한 성행위가 사회적 문제로 대두됐다. 당시 바스는 도박꾼들이 치료를 목적으로 바스를 찾는 환자들에게 많은 부당이득을 챙겼을 정도로 영국 및 유럽 전역에서 내기노름 장소의 대명사로 악명이 높았다. 그리고 공중탕 내에서는 남녀가 혼욕을 하면서 문란한 성행위를 해 사회적 물의를 빚고 풍속을 어지럽혔다. 당시 바스 행정당국은 이러한 사회 문제를 해결하기 위해서 '남녀 모두 옷을 입고 목욕을 해야 한다'는 자치규약을 1737년에 제정했는데, 이 법이 제정된 이후에는 머리에 모자를 쓰고 몸에는 정장류의 옷을 입은 채 입욕을 하는 목욕문화가 새롭게 나타났다.

20세기에 들어와 바스는 관광지 라이프 사이클상 침체단계에 접어들게 된다. 이때 바스는 시설이 노후한 데다 유럽 대륙과 연계된 교통시설의 발달로 인해서 부유한 관광객들을 유럽 대륙의 온천휴양지에 빼앗겼다. 그 빈자리는 세계대전 중에는 부상당한 수천 명의 병사들로, 전후에는 경제적으로 여유가 없는 일반인들로 채웠다. 17~19세기의 바스가 귀족지향적이었다면 20세기의 바스는 대중지향적인 것이 특징이다. 20세기에 접어들면서 바스에는 공공 수영장과 온천치료 병원National Health Service 등과 같은 대중지향적인 시설물이 많이 들어섰다. 그러나 1976년 온천치료 국립병원이 자금문제로 문을 닫고, 설상가상으로 1978년에 여덟 살짜리 남자아이가 온천 시설의 낡은 파이프에 서식하던 박테리아균에 감염돼 사망했다. 이 소문은 일파만파로 영국 전역에 퍼졌고, 그 결과 관광객 수가 현격히 줄어들어 바스에 있는 모든 온천 휴양시설업체들이 문을 닫게 됐다. 그뿐만 아니라 바스의 런던로드London Road, 란스다운로드Lansdown Road, 기차 철로 주변지역에는 슬럼화 현상이 국지적으로 빠르게 진행돼 도시경관을 크게 해치고 바스의 생존까지도 위협하게 됐다.

▌ 슬럼화 현상이 나타나고 있는 바스의 일면

바스의 도시회생 전략

이와 같은 국지적인 슬럼화 현상과 온천욕 중이던 아이의 사망으로 모든 온천 관련 시설이 문을 닫게 되자, 바스의 행정당국은 바스 지역 도시회생 전략으로 다음과 같은 세 가지 전략을 내세워 추진하고 있다.

첫 번째 전략은 바스 지역 전체를 유네스코 세계문화유산으로 지정해, 바스를 온천 관광도시에서 문화유적 관광도시로

탈바꿈시키는 것이다. 이러한 전략은 이
미 1980년대 초 채택됐고, 그 결과 17, 18
세기 엘리자베스 여왕과 조지 왕 시대에
만들어진 대부분의 온천시설과 건축물이
유네스코 세계문화유산으로 지정됐다. 세
계문화유산 지정 이후 바스 지역은 온천
관련 서비스를 공급하는 도시에서 전통문
화를 소비하고 향유하는 문화유적 관광지
로 재탄생해 다시 한 번 세계의 주목을 받
게 됐다.

바스 스파 프로젝트 추진 모습

　두 번째 전략은 영국의 모든 온천도시
회생의 귀감이 되는 바스 스파 프로젝트
Bath Spa Project의 추진이다. 바스 스파 프로젝트는 바스 문화유적지 내에 온천 관련 시설
을 복원해 온천치료 및 건강증진 프로그램과 연계하고, 나아가 지역 전체의 경기를 회
복하는 데 그 목적을 두고 있다. 바스 스파 프로젝트는 1997년부터 바스와 북동 서머싯
위원회Bath & North East Somerset Council에 의해 선정된 네덜란드 온천개발회사가 건축물보전
팀, 토목공사팀 등의 협력을 받아 추진했다. 바스 행정당국에 의하면, 바스 스파 프로젝
트는 고용증가와 관련 직업 창출에 기여했을 뿐만 아니라 관광객의 평균 체재기간을 늘
려 바스의 경제 향상에 그 공헌도가 높다고 한다. 또한 핫바스, 크로스바스, 펌프룸, 바
스 거리Bath Street 7-7a, 8 등이 복원되고 재활용됐기 때문에 도심 재활성화는 물론 문화유
적 관광과 온천 휴양관광을 동시에 가능하게 했다고 한다. 이러한 바스 스파 프로젝트
는 1978년 이래 사라진 바스 지역의 온천문화 재창출과 온천문화 확산의 터빈 역할을
해 영국 내 폐공된 수많은 온천공들을 재활용하는 계기가 될 것으로 보인다.

　세 번째 전략은 바스의 지역공동체를 위한 전략이다. 이 전략은 바스 지역 행정당국
Bath & North East Somerset Local Strategic Partnership에 의해 입안된 것으로 지역주민의 복지와 생활
의 질 향상을 그 목적으로 한다. 바스 행정당국은 지역주민의 사회·경제·생활거주환경

〈표〉 바스 스파 프로젝트의 협력기관

역할	기관
협력팀	Bath & North East Somerset Council
자금 제공기관	The Millennium Commission
건축	Nicholas Grimshaw & Partners
건축물 보전	Donald Insall Associates
토목공사 디자인	Ove Arup & Partners
수문-지질 관련 자문	Dr. G Kellaway
자문	The British Spas Federation, Bath Spa Trust , Bath Preservation Trust, Assess Bath

자료: www.bathspa.co.uk/contact/into.html

개선에 대한 세부적인 안을 마련해 이를 위한 사업을 추진해오고 있다.

이러한 바스의 도시회생 전략은 관광지 라이프 사이클상 쇠퇴단계에 이른 한국의 온천도시에 많은 시사점을 제공한다. 한국의 수안보, 온양 등의 온천도시들은 영국의 바스처럼 온천의 역사가 길고 또한 온천과 관련된 조선 시대 교통로, 숙박시설, 온천제, 전설 등의 역사문화유산이 많지만 인식이 부족해 아직 개발되지 않은 상태다. 그리고 시설 노후와 관광경기 악화로 온천공이 폐쇄되거나 이용되지 못하는 경우가 많으며, 지역주민의 삶의 질 또한 수질오염, 쓰레기 문제, 교통체증, 계층 간의 위화감 등으로 매우 열악한 형편이다. 따라서 이러한 바스의 세 가지 도시회생 전략은 위기에 처한 한국 온천관광지의 지역재활성화는 물론 향후 지역을 운영하는 데 방향을 제시할 수 있을 것이다.

/ 이영희(마카오과기대 호텔관광경영학과 조교수)

| 참 고 문 헌 |

- Ballinger, S. 1995. The Bath Chronicle, 4 May.

- Bath City Center Management Scheme. "Business Plan 1996-1999: A Partnership Scheme between Bath & North East Somerset Council and The Bath Business Community." Internal Data of Bath City[m1].

- Bath City Council. 1987. *Economics of Tourism in Bath*. Montgomery, US: Coopers & Lybrand Associates.

- Bath City Council Spa Committee. 1973. *Bath Official Guide Book*. Bath: Bath City Council Spa Committee.

- Coles, T. and G. Shaw. 2002. "Tourism, Tourist and Local Residents: Management implications for the world heritage city of Bath." in W. Karl. Wöber(ed.). *City Tourism 2002; Proceedings of European Cities Tourism's International Conference in Vienna, Austria, 2002*, 230∼240. Springer Wien, New York.

- Cunliffe, B. 1986. *The City of Bath*. Oxford: Alan Sutton.

- Foster, Danny M. and P. Murphy. 1991. "Resort cycle revisited, the retirement connection." *Annals of Tourism Research* 18: 553∼567.

- Howells, S. B. 2002. *How to Reposition, Change Image & Remarket a Destination in Maturity or Decline Case: Majorca*. Paper for the Seminar of Department of Geography, University of Exeter.

- Johnston, C. S. 2001. "Shoring the foundation of the destination life cycle model, part 2: a case study of Kona, Hawaii Island." *Tourism Geographies* 3 no.2: 135∼164.

- Lee, Y. H. 2000. "The Building of Tourism Destination Area Life Cycle Model: A case study of suanbo spa, South Korea." Ph.D. Dissertation. Dongguk University, South Korea.

- Patmore, J.A. 1967. The Spa Towns of Britain, Gilbert, E.W. Beckinsal, R.P. and Houston, J.M.(eds.), 1968. *Urbanization and Its Problems*, 47∼69. Oxford: Blackwell.

- Robertson, C. 1975. *Bath an Architectural Guide*. London: Faber & Faber.

- Rollins, P. 2002. Sales and Marketing Manager, Thermae Bath Spa. Interview.

- Simons, P. 2002. Chairman, The British Spas Federation. Interview.

- "Environmental Statement: Non Technical Summary." 1998. Southgate Bath, October, 1998.

- The Bath Chronicle, 23rd June, 1970.

- The Bath Chronicle (special publication), 2 July, 2000.

- The Bath Chronicle (special publication), 3 July, 2000.

- Torner, N. 2001. Bath Spa University College Coursework Report.

- http://www.bathspa.co.uk/contact/into.html

- http://www.thermaebathspa.com

역사적 대학도시에서 첨단 과학도시로

케임브리지

Cambridge

케임브리지 시내 전경

영국의 수도 런던에서 북북동 방향으로 직선거리 약 80km 떨어진 곳에 위치한 케임브리지Cambridge는 현재 인구 약 12만 명에 불과한 작은 도시다. 하지만 이곳에 소재한 케임브리지대학교의 명성으로 인해 전 세계에 널리 알려진 대학도시다.

캠Cam 강을 가로지르는 다리Bridge. 세계적으로 유명한 대학의 이름이자 그 대학이 자리 잡은 도시의 이름은 여기에서 유래됐다. 케임브리지라는 지명의 어원이 된 다리는 9세기경부터 존재했다고 하며, 그 무렵부터 케임브리지는 교역의 중심지로 성장했다. 상업도시로 성장하던 케임브리지가 대학도시로 변모한 것은 약 800년 전인 1209년 옥스퍼드Oxford에 있던 학자들이 그곳 주민들과의 싸움을 피해 케임브리지로 옮겨와 정착하면서부터다. 케임브리지에 최초의

화려한 건물 외관으로 유명한 킹스 칼리지(ⓒ AndreasPraefcke, 위키피디아)

칼리지가 설립된 것은 1284년으로, 이때부터 케임브
리지라는 도시의 역사는 바로 대학의 역사라고 해도
과언이 아니다. 케임브리지대학교가 없는 도시 케임
브리지는 상상조차 할 수 없을 정도로 대학교는 도시
의 기능 및 공간구조와 유기적으로 결합돼 있다. 케임
브리지대학교의 핵심 건물들이 모여 있는 곳이 바로
케임브리지 시내 중심가이며, 도시 인구의 상당수가
이 대학의 학생과 교수, 직원, 연구원 등 대학과 관련
된 사람들이다.

위치 영국 잉글랜드 케임브리지셔 주의 도시
면적 41㎢
인구 122,700명(2011년 기준)
주요 기능 역사 · 문화

칼리지가 중심인 대학 생활

도시 케임브리지와 케임브리지대학교를 제대로 이해하기 위해서는 이 대학교의 독특한 칼리지College 제도를 이해할 필요가 있다. 이 제도는 중세 수도원의 교육방식에서 유래한 것으로 볼 수 있는데, 그 핵심은 학생이 스승과 숙식을 함께하면서 일대일 대화를 통해 배우는 것이다. 케임브리지의 모든 학부 학생들은 반드시 한 칼리지에 소속되며, 그 안에서 숙식이 의무화돼 있다. 그리고 전공교육과는 별개로, 칼리지 소속 교수와 개인면담을 통한 교육, 즉 슈퍼비전Supervisions을 받는다. 각 칼리지는 독자적인 재정을 운영하며, 교수진, 기숙사, 도서관, 세미나실, 운동장 등도 각기 별도로 운영한다. 이처럼 칼리지는 학생들과 교수들의 학문공동체이자 생활공동체 역할을 한다.

현재 케임브리지에는 31개의 칼리지가 있다. 각 칼리지는 독특한 개성을 지니고 있는데, 이 중에서 특히 유명한 칼리지는 위대한 졸업생을 가장 많이 배출한 트리니티Trinity 칼리지와 화려한 건물 외관으로 대학교의 상징으로서 널리 알려진 킹스King's 칼리지다. 이처럼 작은 성채 같은 칼리지들이 도시 곳곳에 독립적으로 자리 잡으면서 케임브리지라는 도시 조직의 골격과 경관을 형성한다. 벽돌과 돌로 둘러싸인 격조 있고 고풍스러운 석조 건물, 건물의 유일한 출입구인 육중한 철문 앞에 붙어 있는 독특한 문양, 철문 사이로 살짝 보이는 칼리지 내부의 아름다운 정원, 뾰족한 첨탑 지붕이 만들어내는 스카이라인. 이같이 각 칼리지에서 풍기는 고풍스럽고 학구적인 분위기가 바로 도시 케임브리지의 분위기라고 할 수 있다.

케임브리지대학교 출신들은 자연과학뿐만 아니라 철학, 문학, 경제학 등 인문학과 사회과학 분야에도 뛰어난 업적을 많이 남겼다. 대체로 케임브리지의 학풍은 보수적인 옥스퍼드보다 좀 더 진보적인 것으로 평가된다. 현재 케임브리지대학교에는 1만 2000여 명의 학부생과 6000여 명의 대학원생이 있다. 학부 과정이 3년이고, 매년 세 번의 학기가 이어진다. 대다수의 학생들은 여가활동이자 사회활동으로 크리켓과 럭비, 축구 같은 단체스포츠를 즐긴다. 이 같은 단체스포츠 중 가장 대표적인 것이 보트 경주Rowing Race다. 대학 내부의 각 칼리지마다 보트팀이 있어서 칼리지의 명예를 걸고 대항전을 한다. 또 1년에 한 번 케임브리지대학교 대표팀과 라이벌 옥스퍼드대학교 대표팀 간의 보트 경주가 있다. 이 때문에 케임브리지를 가로지르는 캠 강에서는 평소에도 학생들 여럿이 열심히 배를 젓는 장면을 자주 볼 수 있다.

미국 동부 매사추세츠 주 보스턴 근교에도 케임브리지라는 동명의 도시가 있다. 이 도시의 이름이 케임브리지가 된 이유는 1638년 미국 동부에 정착한 청교도들이 하버드대학교를 설립하고 나서 이 대학교를 영국의 케임브리지를

■ 케임브리지 시내를 가로지르는 캠 강

본뜬 훌륭한 대학으로 키우고 싶었기 때문이다. 하버드대학교 설립에 기여한 존 하버드 John Harvard가 케임브리지대학교 졸업생이었던 것도 도시 이름을 결정짓는 데 큰 영향을 미쳤다. 현재 미국의 케임브리지에도 세계적인 명문대학으로 성장한 하버드와 MIT가 있어서 원조인 영국의 케임브리지대학교와 선의의 경쟁을 하고 있다.

케임브리지 현상

케임브리지는 30년 전까지만 해도 중세부터 내려오던 고풍스러운 대학도시의 모습에서 거의 변화하지 않은 채였다. 케임브리지는 세계 최고의 대학이 있는 도시로 유명했지만, 그 주변지역은 전형적인 낙후된 농촌지역이었다. 하지만 1970년대와 1980년대를 거치면서 케임브리지 및 그 주변지역은 소규모 첨단기술기업들의 창업이 줄을 잇고, 관련 기업들이 이주해 오면서 이른바 케임브리지 현상Cambridge Phenomenon이라고 일컬어지는 첨단산업의 급속한 발전을 경험하게 된다. 현재 케임브리지 및 그 주변지역은 영국에서 인구가 가장 빠르게 증가하는 지역이며, 유럽에서 가장 큰 첨단산업 클러스터

노벨상 수상자를 다수 배출한 트리니티 칼리지(© Timwi)

중 하나다. 낙후된 농촌지역에서 첨단산업의 중심지로 변신한 케임브리지의 성공 사례는 도시 및 지역 연구자들의 큰 관심을 끌었고, 케임브리지의 성공 원인을 분석하기 위한 많은 연구들이 진행됐다.

케임브리지에서 첨단산업이 발전하게 된 것은 케임브리지대학교 덕분이었다. 세계 최고 수준의 자연과학 연구와 실험이 이루어졌던 케임브리지대학교 주변에는 19세기부터 이미 이 대학에 실험기구와 재료를 납품하는 소규모 업체들이 있었고, 이들이 오늘날까지 이어지는 첨단제조업의 뿌리를 형성했다. 또 제2차 세계대전 직후 케임브리지대학교는 컴퓨터 분야에서 세계 최고의 연구 중심지였다.

하지만 1950년대와 1960년대에는 이러한 잠재력이 발휘될 수가 없었다. 왜냐하면 이 지역의 도시계획 정책이 역사적 대학도시의 특성을 그대로 유지하기 위해 이 지역의 물리적 성장과 새로운 기업 입지를 엄격히 규제하는 방향이었기 때문이다. 따라서 기업들이 이곳에서 성장하기가 어려웠고, 외부 기업들이 진입하기도 어려웠다. 하지만 1960년대 말부터 지역경제의 낙후와 높은 실업률 등으로 인해 정책 방향을 전환해야 할 필요성이 제기됐다. 특히 케임브리지대학교의 우수한 과학적 역량을 산업발전과 연계시킬 수 있는 방안에 대한 많은 논의가 있었다. 그 결과 굴뚝산업이 아니라 대학의 과학연구에 기반을 둔 첨단기술산업을 케임브리지 안에서 제한적으로 수용해야 하며, 한 걸음 더 나아가 대학과 산업의 연계를 촉진하기 위해 인위적인 과학단지를 조성할 필요가 있다는 데 의견이 모아졌다.

이에 따라 1970년 트리니티 칼리지에서 케임브리지 과학단지Science Park를 처음 설립했는데, 이것이 큰 성공을 거두었다. 수많은 노벨상을 수상한 세계 최고의 연구기관에서 나온 탁월한 연구 성과들은 첨단기업의 성장에 훌륭한 촉매제가 됐다. 연구자들에게 지적 소유권을 인정해주고 창업을 적극 유도한 대학 당국의 정책, 대학도시 특유의 진취적인 문화와 이곳을 떠나기 싫어하는 케임브리지대학교 졸업생들, 기존 산업의 발전이 미약했기 때문에 오히려 낡은 산업구조의 관성이 거의 없어서 새로운 혁신에 대한 저항이나 거부감이 없었다는 점 등이 케임브리지 성공의 주요 요인으로 분석됐다.

세계적 첨단과학도시로 발돋움

탁월한 연구 성과가 대학교에서 끊임없이 생산되는 데다가 창업과 기업활동에 대한 각종 정책적 지원이 이루어지면서 오늘날 케임브리지 및 그 주변지역은 영국을 대표하는 첨단기술산업 집적지로 성장했다. 이 지역은 미국을 대표하는 세계 최고의 첨단기술산업 집적지인 실리콘밸리와 자주 비교된다. 그래서인지 케임브리지 일대를 실리콘밸리와 이 지역 지명인 펜랜드Fenland를 합성한 '실리콘 펜'으로 부르기도 한다. 케임브리지가 이렇게 변신하는 데 기폭제가 됐던 케임브리지 과학단지는 영국에서 가장 오래됐고 또 가장 명성 있는 사이언스 파크Science Park다. 현재 케임브리지 과학단지에는 IT와 BT 분야 중심으로 소규모 벤처기업부터 세계 유수의 다국적기업 연구소에 이르는 100여 개의 첨단기업이 입주해 있다. 여기에서 성장한 기업들이 다시 주변지역에 정착해 지역경제와 긴밀한 연계를 이어가고 있다. 그리고 이러한 혁신 환경에 매료된 세계 유수의 기업들이 이곳에 연구소나 실험실을 설립하고 있다.

그렇다고 케임브리지가 고립된 발전의 섬은 아니다. 케임브리지는 영국의 정치, 경제, 문화의 중심지 런던과 M11 고속도로로 약 1시간 30분, 특급열차로 45분이면 바로 연결되며, 런던을 통해 유럽 대륙 및 세계 전역과 연계되고 있다. 또 런던–옥스퍼드–케임브리지를 있는 이른바 골든트라이앵글Golden Triangle을 형성해 점차 쇠락해가던 영국 산업의 새로운 견인차 역할을 하고 있다.

┃ 공원 같은 케임브리지 사이언스 파크

개발과 보전의 조화 추구

이렇게 번성한 케임브리지에도 고민이 많다. 우선 많은 기업과 고급인력이 좁은 도시에 몰리다보니, 도시 경제는 성장하지만 주택 가격이 폭등하고 생활비도 런던만큼이나 높다. 지속적 경제 성장에 필요한 기업 유치와 주택 수요 해소를 위해서는 더 많은 도시개발이 필요한데, 이는

| 대학 칼리지와 상가가 혼재되어 있는 케임브리지 시내

중세부터 이어져온 도시경관과 주변의 자연환경을 해칠 우려가 있다. 따라서 다양한 도시성장 관리수단을 통해서 높은 도시환경의 질을 유지하면서도 성장을 촉진하려는 것, 즉 지속가능한 발전을 지향하면서 개발과 보전이라는 두 마리 토끼를 동시에 잡으려는 것이 케임브리지 시 당국이 직면한 핵심 과제다.

현재 케임브리지 지역계획Local Plan에 따르면, 활력 넘치는 역사적 도심과 이를 매력적인 녹지공간이 둘러싼 압축적Compact이고 역동적인 도시를 케임브리지가 지향할 미래 비전으로 설정하고, 향후 지식기반 경제 시대에도 도시의 번영을 계속 구가하기 위해 고등교육 및 연구 분야에서 세계의 중심지 역할을 계속 이어가겠다는 목표를 가지고 있다. 그리고 이를 달성하기 위한 계획적 수단으로 도시의 수용 용량을 고려한 치밀한 개발 계획과 함께 엄격한 규제가 병행되고 있다.

케임브리지의 다양한 즐거움
케임브리지는 전통을 자랑하는 대학도시이자 미래를 앞서 나가는 첨단과학도시이

| 퀸스 칼리지에 있는 수학의 다리

지만, 또한 세계 어디에서도 접할 수 없는 독특한 경관과 분위기를 보고 느끼기 위해 많은 관광객들이 찾아오는 유명 관광도시이기도 하다. 칼리지들과 각종 도시 시설들이 밀집된 도심지역은 그리 넓지 않아서 30분 정도 걸으면 어디든지 도착할 수 있다. 도시 전체도 그리 크지 않아서 반나절 정도면 대부분의 도시경관을 볼 수 있다.

케임브리지를 방문한 외지인이 가장 목가적으로 도시를 구경하는 방법은 캠 강을 따라 배를 타고 가면서 천천히 도시를 음미하는 것이다. 보트 경주에 나갈 학생들은 경주용 배를 타지만, 도시를 구경하는 관광객들은 긴 상앗대를 강바닥에 찍으면서 배를 밀어 나가는 펀트Punt 배를 주로 탄다. 펀팅Punting은 쉬워 보이지만 초보자들이 긴 상앗대를 조작하기가 쉽지 않아서, 보통 용돈을 벌기 위해 아르바이트하는 케임브리지 학생을 뱃사공으로 쓴다. 수재들이 젓는 배에 편안히 앉아 캠 강을 가로지르는 여러 유서 깊은 다리─뉴턴이 수학적 이론에 근거해 못을 전혀 쓰지 않고 만들었다는 '수학의 다리'나 베네치아에 있는 다리 이름을 본뜬 '탄식의 다리' 등─밑을 지나가면서 유명 칼리지들의 아름다운 건물과 정원을 구경하고, 이곳 출신 명사들이 남긴 다양한 에피소드를 듣는 기회를 얻을 수 있다.

케임브리지만이 가지고 있는 매력적인 도시의 정취는 케임브리지 졸업생들은 물론 영국과 세계 각지의 우수한 인재들을 이곳으로 유인하는 문화적 힘이다. 이렇게 모여든 인재들 덕분에 케임브리지는 앞으로도 인류의 미래를 위한 연구와 실험을 계속해나갈 수 있을 것이다.

/ 강현수(중부대학교 도시행정학과 교수)

| 참 고 문 헌 |

• 강현수. 2002. 「옥스퍼드, 케임브리지: 전통과 미래가 공존하는 대학도시」. 강현수 외. 2002. 『세계의 도시: 도시계획가가 본 베스트 53』. 파주: 도서출판 한울.

• Castells, M. and Hall, P. 1994. *Technopolis of the World: The Making of Twenty First Century Industrial Complexes*. Routledge. 강현수·김륜희 옮김. 2006. 『세계의 테크노폴−21세기 산업단지 만들기』. 파주: 도서출판 한울.

• Sager, Peter. 2005. *Oxford & Cambridge*. London: Thames & Hudson. 박규호 옮김. 2005. 『옥스퍼드 & 케임브리지』. 서울: 갑인공방.

• Segal Quince Wicksteed. 1985. *The Cambridge Phenomenon: The Growth of High Technology Industry in a University Town*. Cambridge: Segal Quince Wicksteed.

• _____. 2000. The Cambridge Phenomenon Revisited.

• http://www.cam.ac.uk

• http://www.cambridge.gov.uk

• http://www.cambridgesciencepark.co.uk

문학이 재창조한 켈틱 타이거
더블린

Dublin

더블린 시내 전경

도시를 바꾸는 힘

글로벌 금융위기가 불어닥치기 전까지 IT산업으로 해외 자본과 산업을 유치해 국가경제를 부흥시킨 아일랜드의 수도 더블린Dublin은 변화와 성장으로 북적거렸다. 그 덕에 더블린은 개발의 성장통을 겪었다. 2000년에는 도시인구가 50만여 명에 불과했는데 2006년에는 100만 명에 육박했다. 1990년부터 2007년까지 연평균 6.5%를 넘는 경제성장률 덕분에 유럽에서 가장 높은 인구성장률을 기록하게 된 아일랜드의 수도 더블린 도처에서 개발의 요구가 거세졌다.

인구가 증가하면서 주거에 대한 수요가 높아져 도시 외곽지역에는 대규모 중저층 아파트단지가 들어서고 도시의 노후화된 블록은 복합개발이 이루어졌

다. 도시의 중앙을 가로질러 흐르는 리피Liffey 강의 하
구에 자리한 항만North Docklands Area은 국제금융서비
스지역으로 탈바꿈하기 위해 변신을 시도했다. 런던
의 도크랜즈Docklands 개발을 모델로 해 항만 곳곳은
재개발이 진행됐다. 리피 강을 따라 도시 깊숙이 자리
한 기네스 공장의 일부가 이제는 IT단지로 재개발될
예정이고, 전통적인 공장지대였던 제임스가든 일대
는 기존의 산업시설을 관광지화하면서 주거와 문화
의 복합단지로 재개발됐다.

개발과 성장 드라이브를 기반으로 더블린은 2007
년 국민 1인당 GDP 6만 달러에 달하는 급격한 경
제성장을 달성했지만, 그것만으로 '아이리시Irish'라
는 브랜드를 만들어낼 수는 없었다. 가난과 기근으
로 허덕이던 18세기 더블리너Dubliner에게 절실했던
것이 한 알의 감자였다면, 2000년대 켈틱 타이거Celtic
Tiger1)로서 경제부흥의 신모델을 개척한 현재의 아일
랜드인은 아일랜드 특유의 문화적 자존심과 문화의
다양성을 재창조하는 일에 관심을 쏟고 있다.

더블린 펍과 기네스 맥주 간판

위치 아일랜드 렌스터 주
면적 114.99㎢
인구 약 100만 명(2006년 기준)
주요 기능 정치·경제·문화

더블린의 자랑거리인 펍의 인상적인 외관

문학이 도시관광의 콘텐츠

더블린을 지탱하는 2개의 상징은 맥주와 문학이다. 기네스Guinness와 제임스 조이스 James Joyce로 대표되는 더블린에는 1000여 개의 펍Pub이 자리하고 있다. 그래서 제임스 조이스는 펍을 피해 도시를 활보한다는 것은 매우 어려운 퍼즐을 푸는 것이라고 얘기하지 않았던가. 도시 골목 어귀마다 서민들의 일상의 애환을 달래준 펍이 자리하고, 진한 거품이 일품인 기네스 흑맥주가 아일랜드인의 음악과 춤과 어우러져 아일랜드만의 일상을 자아낸다. 기네스와 펍으로 기억된 더블린이 이제는 제임스 조이스에 의해 문화도시화되고 더블린 도시 역사의 중심엔 문학과 예술이 자리하게 된다.

더블린 태생으로 윌리엄 버틀러 예이츠William Butler Yeats(1923), 조지 버나드 쇼George Bernard Shaw(1925), 사뮈엘 베케트Samuel Beckett(1969)에 이어 1995년 서정시인 셰이머스 저스틴 히니Seamus Justin Heaney가 노벨문학상을 수상했다. 시민 1인당 노벨상 수상작가의 비율이 세계에서 가장 높은 도시를 꼽으라고 하면 아마 더블린일 것이다. 더블린은 제임스 조이스의 『율리시스』를 따라 도시를 순례하는 전 세계 영문학도들의 발걸음이 끊이지 않는 도시, 문학이 문화가 되고 관광이 되는 사례를 보여준 도시, 유럽 최초로 작가박물관이 생긴 도시이기도 하다. 문학과 작가를 자산으로 1991년 유럽 문화도시로 지정된 더블린에서는 문화를 통해 도시의 가치를 재발견하려는 노력이 지속됐다.

더블린에서 개최되는 문화행사의 특징은 한마디로 도시 전체가 페스티벌을 통해 문화화된다는 점이다. 경쟁력 있는 문화공간 환경구축을 위해서 새로운 공간을 만드는 것과 갖고 있는 것을 활용하는 전략이 모두 필요했지만, 새로운 것을 만드는 것은 도시의 문화소외지역을 위해 극장이나 미술관을 짓는 일에만 국한됐다. 더블린은 문화 페스티벌을 치르면서 기존 공간을 최대한 재활용하고 각각의 문화공간을 기획된 콘텐츠를 통해 하나의 네트워크로 묶어줌으로써 최소의 비용으로 최대의 문화효과를 창조해냈다. 문학에서 다뤄진 장소와 거리에서 직접 이벤트를 개최하기도 하고, 행사의 성격에 따라서 도시에 흩어져 있는 박물관이나 도서관 등의 공공문화공간을 적절하게 활용했다. 이를 통해 시민들은 일상 생활 속에서 어디서나 행사에 접근할 수 있게 됐다. 도시가 얻는 또 다른 이점은 이들 문화적 거점공간이 주변의 관광명소나 펍과 같은 도시의 상업적 기능과 결합돼 직접적인 관광효과를 유발한다는 점이다. 아울러 더블린이 아일랜드 문화의 중심이 되고 문학과 예술이 도시문화와 관광의 경쟁력 있는 콘텐츠가 될 수 있었던 문

| 제임스 조이스 동상

화기획의 중심에는 2006년 당시 문화부장관이었던 도나휴의 식견과 추진력이 자리하고 있었다.

문학과 작가가 재창조한 도시

더블린에는 2개의 지도가 있다. 하나는 일반적인 도시지도이고 다른 하나는 제임스 조이스의 『율리시스』 맵이다. 도시가 한 작가의 작품에 의해 재구성되는 예다. 『율리시스』 맵을 따라 100년 전의 더블린을 찾아 나서면 문학 속에서 다뤄진 장소가 대부분 보존돼 있다. 보존된 장소는 일상생활 공간으로 사용되기도 하고, 작가와 관련된 문화적 공간으로 재활용되기도 한다. 더블린을 벗어나 바닷가에 위치한 『율리시스』가 시작되는 샌디코브Sandycove의 마텔로 타워Martello Tower는 조이스 박물관으로 조성됐다. 『율리시스』의 주인공 블룸의 행적과 관련 있는 도시의 길목에는 제임스 조이스 센터나 더블린 작가박물관과 같은 공간이 만들어졌다. 『율리시스』에 모럴 펍으로 묘사된 '데이비 번즈'라는 펍은 연중 관광객들의 발길이 끊이지 않는다고 한다.

더블린의 도시 정체성을 지키는 것은 IT산업이 아니라 문화다. 지금 더블린에서는 문학작품 속에 담긴 지나간 도시의 역사를 다시 끄집어내어 문화란 이름으로 재창조하는 작업이 한창이다. 작가가 도시의 관광콘텐츠가 되고 문학과 예술을 통해 문화가 도시민의 일상생활에 더 가깝게 가려는 노력이 경주되는 더블린의 자랑거리는 작가박물관이다.

조너선 스위프트Jonathan Swift, 토머스 무어Thomas Moore, 조지 버나드 쇼, 오스카 와일드Oscar Wilde, 윌리엄 버틀러 예이츠, 제임스 조이스, 사뮈엘 베케트. 열거한 세계적 대문호의 공통점은 모두 더블린 태생이라는 점이다. 1991년 유럽 문화도시로 지정되면서 더블린이 맨 처음 한 일은 이들을 기념하기 위한 더블린 작가박물관과 아일랜드 작가지원센터의 개관이었다. 유럽 최초의 작가박물관 건립은 문학이라는 무형자산을 통해 더블린만의 문화정체성을 확립하고자 하는 시도였다. 이를 계기로 작가가 도시를 대표하는 문화자원이 되고 작품에 묘사된 도시 곳곳이 관광상품화됐다.

네 명의 노벨문학상 수상작가를 배출한 더블린에서는 문학작품 속에 담긴 도시의 역

| '제임스 조이스와 율리시스' 전시회에 진열된 유품

사를 다시 끄집어내어 문화적 페스티벌로 재창조하는 작업이 한창이다. 더블린 시내를 흐르는 리피 강 남쪽 기네스 공장 내 기네스하우스의 옥상전망대에서 내려다보이는 더블린 시내의 전망은 '문학의 창을 통해 도시를 내려다보는 느낌'을 강하게 전달한다.

작가와 문학이 문화의 콘텐츠가 되고 관광객을 끌어들이기 위해서는 사람들이 즐길 수 있는 매력적인 콘텐츠가 필요했다. 그리고 문학을 문화로 이끌어내는 것도 강요보다는 참여와 흥미를 유발하는 방식이어야 했다. 따라서 시민들에게 책을 읽자는 캠페인을 하기보다는 책의 내용을 도시에 펼쳐놓아 즐길 수 있도록 하는 문화 페스티벌을 기획해 작가와 작품을 만나게 해주는 방식을 택했다.

더블린은 『율리시스』의 시간적 배경이었던 1904년을 다시 기리는 '리조이스 2004 페스티벌'과 노벨상 수상 거부로 더 유명해진 작가 사뮈엘 베케트의 '사뮈엘 베케트 탄생 100주년 기념 페스티벌'을 기획했다.

제임스 조이스의 소설 한 구절 한 구절을 음미하며 『율리시스』의 주인공 블룸의 하루 일과를 그대로 재현해보는 더블린 거리 걷기는 매년 6월 16일이 되면 '블룸스데이'란 이름으로 축제화됐지만, 작가와 작품이 온전한 축제 이벤트로 기획된 것은 '리조이스 2004 페스티벌'이 처음이었다. 문학을 콘텐츠로 도시의 거리와 장소를 활용해 벌이는 작가 페스티벌은 일반인들에게는 여전히 골치 아픈 문학작품을 시민들에게 보다 가깝게 다가가도록 하기 위한 노력으로, 문학 속의 에피소드를 도시적 이벤트로 만들어 시민들의 흥미를 유발했다.

2004년 6월 13일 일요일 아침, 더블린의 중심가인 오코넬 거리는 하루 동안 차 없는 거리가 됐고, 『율리시스』의 주인공 블룸의 아침식사를 각색해 기획된 1000명의 시민을 위한 길거리 아침식사 이벤트가 벌어졌다. 2004년 4월부터 5개월 동안 제임스 조이

▌ 더블린 중심가의 오코넬 거리

스와 관련된 크고 작은 80여 개의 문화행사가 더블린의 주요 문화예술공간에서 펼쳐졌다. 이 페스티벌에서는 문학만이 문화의 콘텐츠가 되는 것이 아니라, 작가와 관련된 영화, 음악, 시각예술, 사진 등이 다양한 행사로 기획돼 도시 곳곳에 있는 박물관, 미술관, 도서관과 극장에서 펼쳐진다.

'리조이스 2004 페스티벌'의 크고 작은 80여 개 문화행사는 대부분 기존의 문화공간을 재활용하고 이들의 가치를 새롭게 만드는 일에 집중됐다. 국립도서관에서는 조이스의 작품전시회가 열리고 국립콘서트홀에서는 작가와 관련된 음악회가 열리는 것이 이같은 맥락이다. 아일랜드 국립도서관의 지하공간에서는 '제임스 조이스와 율리시스'란 전시회가 열렸다. 이 전시를 위해 도서관의 지하공간을 리모델링해 보다 넓고 질 높은 전시공간을 마련했다. 더블린 시민회관의 지하공간 역시 더블린 사람들과 더블린의 역사를 보여주는 전시공간으로 탈바꿈했다.

2006년 4월부터 2개월 동안 더블린은 사뮈엘 베케트의 문화향기로 가득 채워졌다. 『고도를 기다리며』로 우리에게 익숙한 노벨상 수상작가의 탄생 100주년을 기념하는 행사가 기획됐기 때문이다. '리조이스 2004 페스티벌'의 무대가 도시의 일상적 거리나 장소였다면, 사뮈엘 베케트를 기리는 이 행사의 주 무대는 아일랜드가 자랑하는 극장공간이었다. 리처드 해리스^{Richard Harris} 같은 명배우를 배출한 에비 시어터나 1991년 처음으로 사뮈엘 베케트의 19개 작품을 모두 공연했던 게이트 시어터와 같은 유서 깊은 극장을 중심으로 그의 작품을 다시 만날 수 있게 됐다. 베케트의 작품을 공연하기 위해서 게이트 시어터나 에비 시어터와 같은 기존 극장들의 개보수가 이루어지고, 템플바^{Temple Bar} 지역에는 작은 실험극장들이 새롭게 들어섰다. 하지만 사뮈엘 베케트의 공연이 극장에서만 벌어지는 것은 아니다. 더블린의 길거리에서는 그의 주요 작품 중 인상적인 장면이 연출된다. 도시 곳곳이 무대가 되고 지나가는 행인의 발걸음이 멈추면 그곳이 바로 극장이 되는 셈이다.

'리조이스 2004 페스티벌'과 마찬가지로 '사뮈엘 베케트 탄생 100주년 기념행사'는 극장 공연만으로 이루어져 있지 않다. 그와 관련된 음악, 사진, 시각예술 등이 도시의 모든 문화공간을 통해 이뤄진다. 템플바의 국립 사진아카이브에서는 베케트와 관련된

| 리피 강으로 양분된 더블린 강남과 강북의 전경

사진전이 열린다. 밤이 되면 리피 강 주변에는 조명예술가인 제니 홀처Jenny Holzer가 베케트 작품의 이미지와 텍스트를 영상으로 쏘는 이벤트가 벌어진다. 작가를 배출한 트리니티대학에서는 전 세계의 베케트 전문가들이 모여서 학술 심포지엄을 연다. 도시의 모든 공간이 베케트의 페스티벌 장소로 활용되는 셈이다. 한편 베케트의 작품은 페스티벌 기간 동안 더블린의 게이트 시어터와 런던의 바비칸 센터에서 동시에 공연된다. 한 작가의 페스티벌을 통해 도시 간의 문화네트워크가 형성된 셈이다.

창의적인 기획을 통해 더블린이 갖고 있는 문학적 자산은 관광으로 직결된다. 하지만 도시가 제공하는 문화프로그램의 근본은 상업적 성공이나 관광객의 증가만을 기대하지 않고 문화가 시민들의 생활 속에서 즐길 수 있는 흥미로운 일상이 될 수 있도록 한다는 데 있다. 노벨상 작가와 작품을 명예와 자랑거리로만 머무르게 하지 않고 시민들이 향유할 수 있는 생활문화로 재창조하는 원동력이 바로 여기에 있다. '리조이스 2004 페스티벌'과 '사뮈엘 베케트 탄생 100주년 기념행사'의 기획자인 로라 번스는 "아일랜드를 대표하는 작가와 작품이 더블린 사람들에게 다시 한 번 기억되고 음미돼 문학이 도시민들의 생활문화가 되길 희망한다"고 했다.

템플바, 더블린 문화예술의 자치구

관광객을 유인하고자 하는 노력은 문화공간의 확충에만 국한되지 않는다. 문화와 직결된 관광의 명소를 개발하는 것도 중요한 과제다. 아일랜드 위스키의 대명사인 제머슨 Jameson의 증류공장이 관광명소로 탈바꿈하고, 기네스공장에 관광객을 위한 기네스박물관이 생겨 관광의 활력을 불어넣는다.

리피 강 주변의 템플바 지역이 가장 활력 있는 문화예술공간으로 탈바꿈한 것도 그런 사례다. 웨스트무어랜드 거리와 피샘블가 사이의 3개 블록을 일컫는 이곳은 문화와 주거, 상업 기능이 함께 어우러져 있는 복합문화지구다. 7개의 호텔, 22개의 아이리시 펍과 바, 그리고 다채로운 문화적 색깔을 띤 식당과 가게가 빼곡하게 들어차 더블린 시민들에게 다양한 문화기회를 제공한다.

템플바 지역은 원래 버스터미널로 재개발될 뻔했던 곳이다. 하지만 이 재개발계획은 지역주민들의 반대로 무산됐고, 그 대신 예술을 통해 지역을 활성화하는 개발계획이 수립됐다. 이 계획을 실현시키기 위해 1991년 유럽 문화도시의 선도 프로젝트로 약 113㎢에 해당하는 템플바 지역이 문화예술지구 정비사업에 지정됐다. 이 사업과 동시에 지역 상인들과 문화예술가, 그리고 시정부가 함께하는 템플바 커뮤니티가 형성됐다. 2001년 재개발사업이 완료되면서 이 지역은 영화, 음악, 공연, 디자인, 시각예술 등 다양한 문화 커뮤니티가 만들어내는 문화적 활기로 관광객의 발걸음이 끊이지 않는다.

템플바 커뮤니티는 또한 슬럼화된 지역의 주거지 재개발을 통해 도시 공동화를 막고 2500명의 지역주민이 다양한 문화기회를 함께 나눌 수 있도록 했다. 그리고 이 지역을 개발해 남는 수익은 모두 지역 내 14개 주요 문화예술공간의 운영과 다양한 문화예술활동을 지원하는 데 쓰인다.

커뮤니티를 바탕으로 형성된 템플바 지역은 더블린 문화의 숲이다. 숲이 맑은 공기를 제공하듯이, 이곳은 도시민에게 생활문화를 공급하는 펍과 극장, 미술관과 레스토랑, 극장과 댄스 시어터, 다양한 가게와 길거리 공연 등이 모여서 더블린의 새로운 도시 일상을 만들어내는 문화관광기지다.

/ **이영범**(경기대학교 대학원 건축학과 교수)

| 주 |

1 '켈틱 타이거(Celtic Tiger)'는 영국의 인근 지역을 지칭하는 켈틱의 호랑이란 뜻으로서 유럽의 작은 나라 아일랜드를 일컫는 별칭이다. 모건스탠리가 아일랜드의 경이적인 경제발전을 아시아의 한국, 타이완, 싱가포르, 홍콩 등 네 마리 호랑이에 비유해 표현한 것에서 유래한다.

| 참 고 문 헌 |

• 국토연구원. 2002. 『세계의 도시: 도시계획가가 본 베스트 53』. 파주: 도서출판 한울.
• 김종건. 1995. 『 제임스 조이스 문학』. 서울: 고려대학교출판부.
• 정종은. 2008. 「더블린의 문화 쿼터, '템플 바' 이야기」. ≪아트뷰≫. 8월호.
• 조이스, 제임스. 1999. 『더블린 사람들』. 김병철 옮김. 서울: 문예출판사.
• 한일동. 2008. 『아일랜드: 켈트인의 역사와 문화를 찾아서』. 서울: 도서출판 동인.
• http://www.visitdublin.com

창조도시로 도약하는 녹색항구
뒤셀도르프

뒤셀도르프 전경

뒤셀도르프Düsseldorf는 라인Rhein 강 중하류에 위치
한 독일의 내륙 항구도시다. 국제 컨설팅전문업체인
머서 휴먼 리서치 컨설팅MHRC에서 발표한 2007년도
생활의 질 평가에서 뒤셀도르프는 취리히, 제네바, 밴
쿠버, 빈에 이어 뉴질랜드 오클랜드와 함께 공동 5위
를 기록했다. 뒤셀도르프가 베를린, 프랑크푸르트, 뮌
헨, 함부르크 등 독일의 다른 대도시는 물론이고 런

던, 파리, 암스테르담 등 쟁쟁한 유럽의 도시보다도
생활의 질이 더 좋게 평가된 것은 쾌적한 라인 강 수
변공간과 도시녹지, 경쟁력 있는 산업경제 인프라, 풍
부한 문화역사 자원 때문이다. 뒤셀도르프는 세계의
기업인에게 기업하기 좋은 도시로, 시민들에게는 살
고 싶은 도시로 각광을 받고 있다.

뒤셀의 마을에서 라인-루르 대도시권의 심장으로

뒤셀도르프는 도시를 끼고 흐르는 42km의 라인 강 좌우에 걸쳐 펼쳐져 있으며, 대부분의 도시지역은 뒤셀Düssel 천이 라인 강과 합류하는 라인 강 오른쪽에 위치하고 있다. 도시의 이름은 바로 이 뒤셀에서 비롯됐으며, 뒤셀도르프라는 지명은 1135년에 Dusseldorp로 처음 사용됐다. 1288년 엥겔베르트 폰 베르크 백작에 의해 도시특권을 얻었으며, 1815년 프로이센에 편입됐다.

제1차 세계대전 후 뒤셀도르프에 서부 독일 철강산업연합이 결성돼 루르Ruhr 지역의 공업 및 탄광과 연계가 강해지면서 '루르 지역의 책상'이라는 애칭을 얻었다. 제2차 세계대전 중의 폭격으로 건물의 50%가 파괴됐으며 90%가 손상됐다. 1946년에 뒤셀도르프는 독일에서 가장 인구가 많은 노르트라인베스트팔렌Nordrhein-Westfalen 주의 주도가 됐다. 전후에 뒤셀도르프에는 많은 공장이 들어섰지만, 기업관리기능이 더 많이 입지했다. 1950년대 라인 강의 기적으로 일컬어지는 독일 경제부흥과 함께 뒤셀도르프 역시 경제가 발전해 1960년대 초에 절정에 달했다.

뒤셀도르프는 전후 독일 경제부흥의 원동력이었던 루르 지역의 서남쪽에 접해 있다. 공항, 항구, 철도, 증권거래소, 박람회장 등 뒤셀도르프가 가지는 산업경제 인프라, 독일에서 가장 큰 노르트라인베스트팔렌 주의 수도 입지, 그리고 주변 지역에 제공하는 쇼핑 등 중심기능으로 뒤셀도르프는 유럽 거대 도시권의 하나이자 독일 최대의 대도시권인 라인-루르 대도시권의 심장 역할을 하게 됐다. 유럽 전체적으로 보아

뒤셀도르프는 런던(영국) – 란드스타트(네덜란드) – 라인·루르 및 라인·마인 지역과 슈투트가르트(독일) – 취리히와 제네바(스위스) – 밀라노(이탈리아) 등을 서북에서 남으로 연결하는 유럽 최대의 도시권벨트이자 발전축(일명 바나나축)의 중심부에 자리 잡고 있다. 이러한 유럽의 중심적인 위치로 뒤셀도르프 반경 50km 이내에 900만 명, 150km 이내에 3000만 명, 500km 이내에 1억 4800만 명이 거주하고 있다.

위치 독일 서부 노르트라인베스트팔렌 주
면적 217㎢
인구 약 60만 명(2013년 기준)
주요 기능 국제업무, 금융·문화

┃ 쾨니히 거리의 야경(ⓒ Cowin, Andrew)

금융, 유행 그리고 도시축제의 중심지, 쾨니히 거리

뒤셀도르프의 가장 번화가이자 대표적인 명소이며 도시 쾌적성을 대변하는 장소는 '쾨Kö'라는 애칭으로 불리는 150년 이상의 역사를 가진 쾨니히 거리Königsallee다. 쾨니히 거리는 1851년 당시 프로이센 왕인 프리드리히 빌헬름Friedrich Wilhelm 4세에게 경의를 표해 명명됐다. 남북 방향으로 길이 1㎞의 '쾨'를 따라 32m 폭의 뒤셀 천이 흐른다. 도시의 가장 번화가 중심을 흐르는 뒤셀 천에는 백조와 오리가 놀고 있으며, 중간중간 다리가 놓여 동서로 '쾨'를 이어준다. '쾨'를 따라 서 있는 200여 그루의 서양밤나무와 플라타너스 등의 가로수는 거리의 대표적인 이미지를 만들고 있다. '쾨'의 서편은 은행가이며 동쪽은 전문상가, 특히 의류매장이 특화·고급화되어 있다. 의류매장 고객의 3분의 2가 뒤셀도르프 대도시권 이외의 지역에서 올 만큼 '쾨'는 그 자체가 여행 목적지이자 세계적인 고급쇼핑의 명소다. 도심 한복판의 물과 나무, 업무빌딩과 고급상가 그리고 세계에서 찾아오는 기업인과 관광객은 도시의 높은 경쟁력과 쾌적성을 명료하게 보여준다. 최근 '쾨'는 서점 순례, '쾨' 달리기, 카니발 그리고 지금까지 4회 개최된 '쾨' 페스티벌 등 다양한 행사로 축제마당이 됨에 따라 더 많은 시민과 관광객이 찾는 세계적인 명품거리가 되고 있다.

녹·청·황이 조화를 이루는 도시경관

뒤셀도르프는 라인 강 하안에 위치하고 있어 최고점이 165m일 정도로 대부분 평지이며, 라인 하류의 다른 지역과 마찬가지로 겨울이 춥지 않고 여름엔 덥지 않은 좋은 기후다. 뒤셀도르프에는 이러한 좋은 자연조건에 걸맞게 다양하고 풍부한 도시녹지가 서로 연결돼 녹지축을 이루고 있다. 특히 라인 강 변과 도시 내부에 들어서 있는 27개 이상의 공원은 도시를 남북으로 잇는 녹지축을 형성하고 있고, 도시녹지가 건물과 건물 사이를 연결하고 있다.

도시의 푸르름은 가로녹지를 통해 더해지고 있다. 뒤셀도르프에서는 통상적인 도시녹지인 대규모 공원과 라인 강 변 초지 외에 가로녹지를 체계적으로 조성하고 있다. 가로녹지는 가로 및 인도 변 소규모 녹지, 잔디, 덤불, 지표피복식물, 가로수 등으로 전체 도시녹지의 20%를 차지하고 있다. 전체적으로 뒤셀도르프 면적의 40% 이상이 녹지, 수변 및 수변공간, 농지 등이어서 녹·청·황이 조화를 이루는 도시경관을 만들어내고 있다.

시민의 품과 발로 되돌아간 라인 강 변

라인 강을 끼고 발달한 뒤셀도르프의 매력은 시민들을 위한 수변공간 조성에서도 찾아볼 수 있다. 라인 강을 따라 2㎞ 길이로 건설된 라인 강변터널은 도시 역사

▌라인 강 변

상 최대의 교통정온사업(차량 속도와 교통
량을 줄여 도로 소통을 원활하게 하는 사업)이
다. 터널 위는 산책로로 조성됐다. 1993년
터널 개통으로 자동차 행렬이 끊이지 않던
라인 강 변이 산책을 나온 시민과 자전거
나 인라인스케이트를 타는 사람들로 채워
져 라인 강이 다시 시민의 품과 발로 되돌
아갔다. 라인 강을 바로 옆으로 끼고 이어
지는 하늘색 바닥의 산책로, 600여 그루의
플라타너스 행렬, 120개 이상의 벤치, 운
동장 스탠드처럼 만들어진 계단은 뒤셀도
르프의 여름을 지중해의 어느 바닷가로 느
끼게 해준다.

하인리히 하이네의 흉상(ⓒ ref. owner)

　　라인 강변터널 건설이 처음 계획된 것
은 1976년이며 이후 10년의 논의를 거쳐
1987년 계획이 확정됐다. 3년간의 설계와 법적 절차 끝에 1990년 착공된 이 터널의 완공
은 1995년이므로 2km의 터널공사에 소요된 전체 기간은 20년이다. 이 기간 중에 시민들
의 합의는 물론이고 가장 최선의 건축과 시공을 해 세계적인 명물을 만든 셈이다. 라인
강 변 산책로는 성공적인 강변 개조사례로 독일 및 세계의 건축상을 여러 번 수상했다.

다양하고 풍부한 문화예술 공간과 체험의 제공

　　뒤셀도르프의 예술적 감성은 이 도시의 아들인 세계적 시인 하인리히 하이네Heinrich
Heine로 널리 알려져 있다. 하이네는 1797년 뒤셀도르프의 구도심에서 유대인 부모 밑
에서 태어나 유복한 유소년 시절을 보냈다. 하이네는 독일의 가장 유명한 민요인 「로렐
라이」의 작사자, 슈베르트와 슈만에 의해 가장 작곡이 많이 된 시들의 창조자, 낭만주
의 전통을 계승하는 동시에 파괴한 혁명적 시인 등으로 소개된다. 하이네는 유소년기

를 보낸 뒤셀도르프의 동화 같은 거리, 향토색 짙은 건물과 일상생활 그리고 역사적 사건들을 책에 담아내 아름다운 뒤셀도르프를 세계에 소개했다.

뒤셀도르프는 문화예술의 메카다. 20세기 및 21세기 예술품으로 특화된 노르트라인 베스트팔렌 주의 예술박물관, 20세기 미술품 위주의 전시회장, 시립 예술전시장, 오페라하우스, 콘서트홀, 명예의 전당 등은 뒤셀도르프 문화축의 핵심적인 요소다. 이것들을 포함해 뒤셀도르프에는 17개 이상의 박물관과 전시장, 16개 이상의 극장 그리고 11개 이상의 고성이 있어 시민과 방문객에게 고급 문화예술 공간과 체험을 제공하고 있다. 또한 예술대학과 로베르트 슈만 음악대학은 예술도시로서 뒤셀도르프의 명성을 더해주고 있다.

항구 재생을 통해 창조도시로 변모

뒤셀도르프는 라인 강의 기적과 함께 도시인구가 증가해 1962년 70만 5000명으로 최고에 달했다. 그러나 루르 지역의 석탄 및 철강 산업이 쇠퇴하면서 뒤셀도르프 경제도 구조조정에 들어갔다. 이후 뒤셀도르프는 박람회도시, 문화예술도시, 대학도시, 국제도시 등으로 발전했다. 2011년 현재 뒤셀도르프의 인구는 59만 명으로 독일 9대 도시에 해당한다. 뒤셀도르프에서 제공하는 일자리는 45만 개이며 그중 3차 산업이 84%를 차지한다.

최근 뒤셀도르프는 방송, 통신, 유행의 중심지로서 창조도시로 변모하고 있다. 광고업체의 매출액은 함부르크, 프랑크푸르트와 큰 차이를 보이며 독일에서 첫 번째로 꼽히고 있다. 방송·정보·통신 관련 부문에 4만 개의 일자리가 있으며, 이는 시 전체 고용의 10%에 육박한다. 뒤셀도르프가 방송, 광고 등 창조적인 도시로 발전할 수 있었던 것은 무엇보다도 뒤셀도르프 항구를 무역항에서 메디엔 하펜Medien Hafen(미디어 항구)으로 재생한 것이 결정적이다. 제2차 세계대전으로 대부분 파괴된 항구는 루르 지역의 공업이 발달하면서 1960년대까지 재건됐다. 그러나 1970년대 들어와 뒤셀도르프와 루르 지역의 산업생산이 급격하게 감소하고 서비스업도 약화됨에 따라 더 이상 활기를 띠지 못했다. 이에 따라 시는 1974년 항구를 일부 축소해 미래지향적으로 재생해 새로운 일자리

메디엔 하펜의 개성 있는 건물들[ⓒ ref. owner(왼쪽), Keute, Jochen(오른쪽)]

를 창출하기로 결정하고 이를 단계적으로 추진했다.

먼저 1970년대 말 1단계로 라인 타워(234m), 주의회 의사당, 서부독일방송WDR 스튜디오의 건설이 추진됐다. 라인 타워는 1982년에, 주의회 의사당은 1988년에, WDR 스튜디오는 1991년에 각각 완공됐다. 1980년대의 2단계에서는 방송시설 및 소규모 사무실(특히 창조적 직업), 문화시설, 화실, 수공예 작업실 등을 유치하기로 했으며, 주로 개별 건물들이 들어섰다. 3단계 및 4단계는 1990년대 초에 계획돼 추진 중에 있다. 이 외에도 슈타트토어Stadttor에 주 수상실 청사가 이주했다. 슈타트토어는 75m의 유리로 된 에너지 절약형 건물로 항만 남쪽의 랜드마크로 자리 잡았다. 이러한 일련의 항만 재생 사업을 통해 방송, 광고, 유행, 예술, 유럽 언론연구소, 주 영화진흥소, 건축사조합 등 창조적 영역에서 5500개의 일자리를 창출했다.

뒤셀도르프 항구의 일부분을 현대식 업무 및 주거공간으로 재개발한 것은 도시를 유럽의 중심도시로 자리매김하고, 광고, 예술 및 방송에 매력적인 지역으로 만든 중요한 도시계획적 사업이다. 특히 뒤셀도르프 항구는 방송 등 창조적인 분야에 요구되는 조건을 충족하기 위해 다른 도시에서 일반적으로 추진하는 전면적인 토지재생 대신에 개별 부지 단위로 계획을 세워 미래의 수요자에게 제공하는 수요자 중심의 개발이 이루어졌다.

메디엔 하펜에서는 획일화된 건축물 대신에 변화무쌍한 건축물이 창조적인 도시경관을 연출하고 있다. 구시가지의 역사적인 건축물들 앞에 세계적 명성을 가진 건축가들이 현대식 건물을 설계해 현대 건축의 순례가 가능하다. 특히 프랭크 게리Frank O. Gehry의 탑 모양 건물군 앞에는 항상 많은 방문자들이 쇄도하고 있다. 뒤셀도르프에는 485개의 광고 중개회사와 414개의 광고 관련 회사, 4000명 이상을 고용하고 있는 국제적으로 유명한 건축사 사무실들 그리고 160개의 출판사들이 입지하고 있어 창조도시의 진면목을 보여주고 있다.

기업하기 좋은 도시

뒤셀도르프의 기업 입지여건과 활동은 세계적이다. 무엇보다도 뒤셀도르프는 유럽 대도시권의 하나인 라인-루르의 심장부에 위치하고 있어 시장 접근성이 매우 좋다. 독일에서 세 번째로 큰 국제공항, 라인 강 수운, 고속철도ICE, 고속도로Autobahn 등 국제적 교통인프라, 프랑크푸르트에 이은 독일 제2의 은행 및 증권도시, 박람회장, 노르트라인베스트팔렌 주에서 가장 큰 대학교(하인리히 하이네 대학), 라인 강 및 뒤셀 강의 수변공간 그리고 도시 내 풍부한 녹지와 문화·예술·여가공간 등은 뒤셀도르프를 기업하기 좋은 도시로 각광받게 하고 있다. 도시의 신용도 높다. 무디스가 발표한 2005년도 신용등급은 가장 높은 Aaa 다음인 Aa1으로서 노르트라인베스트팔렌 주(Aa2), 도이체방크(Aa3), 코메르츠방크(A2) 등보다 높다.

뒤셀도르프의 좋은 기업 입지여건은 이 도시에 소재한 기업의 매출액이 유럽 도시 중 9위이고, 독일 도시로는 뮌헨 다음의 2위인 점에서 알 수 있다(연간 매출액 100만 유로 이상의 기업 대상, 2007년). 대형 판매점인 메트로Metro, 에너지 공급회사인 E.ON, 엘리베이터로 유명한 티센크루프ThyssenKrupp 등이 뒤셀도르프의 대표적인 대기업이다. 또한 독일 500대 기업 중 41개가 이 도시에 본사를 두고 있다. 특히 뒤셀도르프는 광고, 패션, 특허, 통신 및 기업컨설팅 부문에서 선도적 위치에 있다. 이에 따라 한국 기업 40여 개를 포함해 네덜란드, 영국, 스칸디나비아 국가, 일본, 중국 등의 기업 5000여 개가 입지하고 있으며, 유럽 내에서 가장 큰 일본인 정착지로서 '라인의 일본'으로 불린다. 뒤셀도르프는 도시경제력과 향후 성장전망으로 보면 독일에서 첫 번째에 꼽힌다.

| 게리 빌딩과 TV타워(© Keute, Jochen)

살 고 싶 은 도 시

　MHRC의 2007년도 평가결과와 같이 뒤셀도르프의 생활의 질이 세계적인 수준인 것은 도시가 가지고 있는 수변공간과 녹지, 공항과 항만 및 고속철도, 박람회장과 증권 거래소, 박물관과 극장 등 생활기반시설이 다양하고 풍부하기 때문이다. 2006년도 뒤셀도르프에서 시행한 생활의 질에 대한 시민설문조사 결과도 MHRC의 세계도시 비교 결과와 맥을 같이한다.

　이에 의하면 90%의 시민이 뒤셀도르프의 생활의 질에 만족하다고 응답했다. 1995년 설문조사 결과인 긍정적 평가비율 62%에 비해 만족도가 매우 높아졌다. 시민들은 뒤셀도르프의 이미지를 '세계적', '경제적으로 강한', '다양한', '삶이 재미있는', '매력적' 등으로 보았다. 또한 도시를 대표하는 것으로 박람회도시, 패션도시 등으로 많이 응답해 뒤셀도르프를 세계도시로 인식하고 있었다. 도시행정에 대해서도 전반적으로 만족하고 있었으며, 콘서트홀, 극장, 박물관 및 도서관, 의료서비스, 공원 및 녹지 등에 대한 만족도가 특히 높았다.

뒤셀도르프의 생활의 질은 통계적으로나 주관적으로 모두 높게 나타났다. 이는 모든 생활의 영역에서 뒤셀도르프가 제공하는 선택의 폭이 매우 넓고 다양해 시민들이 체감하는 삶의 질이 높기 때문이며, 뒤셀도르프가 살고 싶은 도시임을 말해주는 것이다.

• 사진 제공: 독일관광청, 이미지투데이

/ 이용우(국토연구원 선임연구위원)

| 참 고 문 헌 |

• Amt für Statistik und Wahlen Landeshauptstadt Düsseldorf. 2006. Bürgerbefragung zur Lebensqualität in Düsseldorf 2006. Beiträge zur Statistik und Stadtforschung, Heft 46.

• Kappler, A., etc.(eds.). 1995. Facts about GERMANY. Frankfurt a.M.: Societäts-Verlag.

• Tietze, W., etc.(eds.). 1990. Geographie Deutschlands. Berlin·Stuttgart: Gebrüder Borntraeger, 1990.

• http://www.duesseldorf.de/de/

• http://www.finfacts.ie/qualityoflife2007.htm

엘베 강의 피렌체
드레스덴

Dresden

드레스덴 전경(ⓒ Design&Systemtechnik Antoni, Andreas)

드레스덴Dresden의 생성과 거주 흔적은 석기시대까지 거슬러 올라간다. 하지만 도시형성의 기록은 1206년 작센Sachsen 왕의 거주지로 처음 언급되면서부터이며, 독일 도시들 중에서도 역사가 매우 깊은 도시다. 드레스덴이라는 이름은 고대 소르브어에서 '강변 숲 속에 사는 사람들'이라는 의미를 가지며, 베를린에서 남쪽으로 160km 지점의 엘베Elbe 강 유역에 자리 잡고 있어서 붙여진 이름이다. 이렇듯 왕의 거주지가 있어 화려한 예술과 문화가 번창했고, 자연과 함께 오랜 역사를 가진 도시로서 유럽에서도 가장 아름다운 도시 중 하나로 손꼽히고 있다.

모든 도시는 긴 역사 속에서 부귀영화와 침체의 시대를 거치면서 발전한다. 그러나 드레스덴만큼 그 부침의 정도가 심했던 도시도 없을 것이다. 드레스덴은

800여 년의 역사를 가진 작센 왕조의 수도로서 독일 동부지역의 문화, 예술, 산업, 정치의 화려한 중심지였다. 그러나 제2차 세계대전이 끝나가던 1945년 2월 연합군의 폭격으로 도심 대부분이 파괴되고 10만여 명의 민간인이 사망했으며, 이후 1990년 통일 때까지 공산치하에서 암울한 시기를 보냈다. 통일 이후에는 작센 주의 주도로서 도심재건사업 등을 통해 다시 과거의 영광을 회복하기 위해 노력하고 있으며, 전통적인 예술과 산업의 중심도시로서 고성 및 교회, 그리고 엘베 강의 조화로운 아름다움으로 '엘베 강의 피렌체'로 불리며 부활을 꿈꾸는 도시다.

파괴와 재건을 통해 발전한 도시

역사적으로 드레스덴은 체코, 폴란드 등 주변국과 접경한 변경도시로서 교역 및 군사적 중요도가 높은 도시였기 때문에 수많은 전쟁으로 인한 파괴와 재건을 반복하면서 성장이 이루어졌다.

재건의 역사를 살펴보면, 1491년 대화재로 인해 파괴된 후 재건되고 요새화됐으며, 1685년 불에 탄 노이슈타트Neustadt(신도시)를 재건하고, 1745년 슐레지엔 전쟁과 그 후의 7년 전쟁(1756~1763년) 등으로 다시 파괴되고 재건됐다. 1913년 나폴레옹 1세는 드레스덴 전투 등에서 군사적 중심지로 드레스덴을 활용했다. 이후 드레스덴은 제2차 세계대전 때 가장 처참하게 파괴됐는데, 1945년 2월 13일 연합군의 대대적인 폭격으로 유럽에서 가장 아름다운 도시 중 하나였던 드레스덴이 흔적도 없이 사라졌던 것이다.

그래서 현재 많은 관광객이 찾고 있는 건물들은 대부분 최근에 재건·복원된 것이다. 그럼에도 불구하고 바로크 건물양식이 주를 이루는 화려함과 웅장함은 도시 곳곳에서 찾아볼 수 있다. 이 건축물들 대부분은 아우구스투스 1세의 통치시대인 1755~1836년에 건설됐고, 그 전에 건설된 프라우엔키르헤Frauen-kirche(성모마리아 교회), 호프키르헤Hofkirche(호프 교회), 크로이츠키르헤Kreuzkirche(십자가 교회) 등 많은 교회도 보전·복원됐다.

이런 전쟁의 역사 속에서 건축물 복원과 도시재생은 드레스덴의 일상이 됐다. 예를 들어 가장 처참했던 제2차 세계대전 파괴 후 드레스덴은 도심 내 성을 중심으로 과거 유적들을 바로크식으로 복원하고 신도시를 도시 외곽에 건설하는 계획을 추진하면서 도시구조 개편을 도모했다.

위치 독일 남동부 작센 주
면적 328.31㎢
인구 529,781명(2011년 기준)
주요 기능 관광

프라우엔키르헤

도시 전체가 예술적 건물로 가득한 관광 중심지로 발전

드레스덴의 또 다른 모습은 예술도시라는 명칭에서 찾을 수 있다. 드레스덴은 바로크 도시로서 도시 전역이 바로크, 로코코 건축물들로 가득 차 있고, 많은 박물관과 화랑에는 귀중한 미술품과 예술품, 그리고 예술 사료들이 보관돼 있다.

미술 외에도 드레스덴은 오페라의 도시로 유명하다. 1878년에 세워진 오페라하우스는 베버Karl Maria von Weber, 바그너Wilhelm Richard Wagner, 리하르트 슈트라우스Richard Georg Strauss 등 유명한 작곡가들이 지휘와 초연을 했던 곳이다. 그 외에도 예술 관련 대학과 예술원이 있어 음악가, 미술가 등 예술가들을 양성하는 곳으로도 유명하다.

무엇보다도 앞서 언급했던 프라우엔키르헤, 호프키르헤, 크로이츠키르헤 등 3대 교회 외에도 30여 개가 넘는 역사적인 교회들이 도시를 아름답게 만들고 관광객들을 모

| 국립 오페라극장 젬퍼오퍼(© Photographie Pollak, Jrgen)

으고 있다. 또한 프리드리히 아우구스트Friedrich August가 만든 보물 저장고인 녹색의 둥근 천장Grünes Gewölbe을 비롯해 젬퍼오퍼Semperoper, 레지덴츠 궁전Residenzschloss, 츠빙거Zwinger 궁전 같은 기념비적 건축물과 많은 관광자원을 지녀 관광도시로서 그 명성도 함께 높아지고 있다.

이런 건축물들은 신도시 지역보다는 구도시 지역에 집중돼 있는데, 구도시 지역에는 프라우엔키르헤, 츠빙거 궁전, 크로이츠키르헤, 젬퍼오퍼, 레지덴츠 궁전 등이 있으며, 신도시 지역에는 일본궁, 드라이쾨니히스키르헤Dreikoenigskirche(3대 왕 교회) 등이 있다. 이러한 건축물들은 엘베 강을 따라 조화를 이루며 서 있어, 자연과 인공 건축물에 의한 아름다운 파노라마 사진과 같은 경관을 연출한다.

독일 철도의 전통적인 거점역이며 동부의 정치·산업 중심지

드레스덴의 면적은 약 328.31㎢에 달하며, 통일 전에는 5개 지역(중앙·동·서·남·북

지역)이었던 행정구역이 통일 이후 10개의 행정구와 9개의 도시외곽구로 개편됐다. 한편, 드레스덴은 20세기 초 독일에서 다섯 번째로 인구가 많은 대도시로 1933년 64만 2143명에 달했다. 그러나 제2차 세계대전과 교외화로 1995년에는 46만 9000명까지 감소했고, 최근 다시 상승세를 보이며 2011년 말에는 52만 9781명에 달했다.

드레스덴은 왕조가 거주하던 도시로 화려한 예술과 문화가 발전했으면서도 공업 중심지로서 중요성을 갖는 도시다. 공업지역의 발전은 무엇보다도 독일 전역과 체코로 연결되는 광범위한 철도 네트워크에 의해 가능했다. 드레스덴의 역사에서 빼놓을 수 없는 것이 철도의 역사다. 1847년 드레스덴–괴리츠Goelitz 간 장거리철도 개통으로 독일 초기 철도거점의 하나가 됐으며, 지금도 독일 20대 철도 거점역 중의 하나다. 드레스덴은 장거리철도를 통해 베를린, 라이프치히 등 독일 동부 3대 거점지역과 연결됐고, 주변 국가인 체코와도 유일하게 전철화 연계거점역 기능을 하게 되면서 산업이 발달했다. 또한 여객철도교통에서도 ICEintercity express(독일의 초고속 전기열차)의 동서 방향 종착역으로서 중요성을 가지고 있다.

주요 산업은 중공업보다는 경공업 중심으로 이루어져 있는데, 정밀전기·전자, 광학기기, 변압기·수력발전기, 의약·화장품, X-레이·사진촬영 기구, 기계류 등이 주요 생산품이며, 최근에는 나노기술이나 바이오기술 등에 집중적으로 투자하면서, 독일 내 10대 경제 중심지로 발달하고 있다. 그 외 야채 재배산업이 널리 이루어지고 있으며, 수출용으로 꽃과 관목을 재배하고 있다.

독일 및 동유럽으로 연결되는 광역교통망과 매력적인 도시 내 교통시설

앞서 언급한 철도망은 독일 내 주요 도시뿐 아니라 체코의 프라하, 오스트리아의 빈, 헝가리의 부다페스트, 그리고 스위스까지 연결되는 네트워크를 확보하고 있어 동독과 동구권 붕괴 이후 유럽 교통망의 연계중심에 놓여 있다.

철도 외에 3개의 아우토반 노선(A4, 13, 14)을 통해 에어푸르트, 베를린, 라이프치히 등과 연결되고, 유럽고속도로 55번(E55)으로 공용되고 있는 아우토반 17번(A17)을 통해

┃ 폭스바겐의 투명유리 공장(© Knobloch, Jochen)

체코의 프라하까지 연결되는 등 유럽 고속도로망의 주요 거점역할을 하고 있다. 그 외 광역교통망으로는 1935년에 개통된 국제공항과 엘베 강을 이용한 내륙주운이 함부르크와 체코까지 연결돼 있다.

시내교통망으로는 12개의 전철S-Bahn 노선과 30여 개의 버스노선을 운영해 도심과 주변지역 및 공항을 연결하고 있다. 시내 도로에서 주목할 만한 것은 도로명 표지판에 그 도로에 거주했던 유명한 사람을 소개하고 있는 것인데, 이는 관광객이나 시민 모두에게 많은 이야깃거리를 제공한다. 한편 최근 녹색성장과 함께 급부상하고 있는 자전거도로와 관련해, 아직 완벽하게 구축되지 않았지만 엘베 강 자전거도로Elberadweg가 2008년 ADFC(전 독일자전거클럽)에서 선정하는 '가장 사랑받는 장거리 자전거길'로 선정되기도 했다. 또 다른 주목할 만한 것으로 도시 화물전용트램CarGoTram이 있다. 이것은 폭스바겐Volkswagen에서 제작한 차량을 수송하기 위한 화물차의 운행으로 인해 도심에 교통부하가 발생하는 것을 막기 위해 운영되고 있는 시스템이다.

도시재생의 전형적인 모델

드레스덴 도시개발의 중요한 이슈 중 하나가 도시재생으로 매우 다양한 지원프로그램이 있다. 대표적으로 도시재정비지역 지원프로그램, '사회적 도시Social City' 지역지원프로그램, EFRE(유럽지역개발기금) 지원프로그램, 도시계획적 유적보호프로그램 등을 들 수 있다.

먼저 구도시 지역을 중심으로 11개 도시재정비지역을 지정하고, 건물 재정비에 특

드레스덴의 거리 풍경

히 집중적인 투자를 해 현재 약 50~75%의 재정비 수준에 도달했다. 또한 약 2500억 마르크를 투입해 공원 및 놀이터 조성, 도로 개설 등을 했는데, 이로 인해 거주환경이 매우 개선됐다.

두 번째 주목할 만한 것은 '사회적 도시Social City'로서 이것은 주민참여시범지역을 선정하고 지원하는 프로그램이다.

세 번째는 EFRE 지원프로그램으로 2009년 3월에 2개 지역을 선정하고 재정지원을 통해 인프라 및 도시개발, 커뮤니티 형성, 여가공간 조성 및 경제발전 등 종합적인 개선을 도모하고 있다. 또 다른 프로그램은 완전한 복원프로그램으로, 건물을 재건축하거나 재평가기법을 통해 거주환경의 매력도를 향상시켜나가고 있다.

끝으로 한국에서도 일부 시행하고 있는 도시계획적 유적보호프로그램은 일정 기준에 따라 도심지역의 유적을 보호하면서 재정비하는 것을 지원하는 것이다.

이렇듯 드레스덴은 다양한 도시재생프로그램을 통해 오래된 도심과 활기를 잃은 도시지역들의 매력도를 높이고 거주환경을 개선하는 노력을 지속적으로 하고 있다. 이는 드레스덴의 역사 속에서 언젠가 평가받게 될 또 다른 현대적 재생 노력이라고 할 수 있다.

도시는 변하고 발전해야 한다

앞에서 언급한 도시재생프로그램들 외에 전반적인 도시개발프로그램은 두 가지로 구분된다. 하나는 도시 전체에 대한 개발전략인 'INSEK Integrietes Stadtentwicklungkonzept (통합도시개발개념)'이고, 다른 하나는 '개별지역별 개발개념'이다. 이 중에서 INSEK은 드레스덴을 '유럽의 도시' 모델로 만드는 것을 목표로 한다. '유럽의 도시'란 효율적으로 기능하면서 매력적인 도심, 잘 정돈된 도시 실루엣, 즉 명쾌한 도시형태와 활발한 도시문화를 가지고 좁은 공간에 복합적으로 개발돼 있으며, 또한 자연과 함께하는 부드러운 도시를 의미하는데, 드레스덴은 이러한 도시를 목표로 유럽의 모델이 되고자 하고 있다. 그 외에도 INSEK은 경제적으로 국제경쟁력을 갖는 도시를 조성하고, 특히 장래 유럽연합의 동구권 확장개발을 활용할 수 있는 준비를 하고자 한다.

드레스덴은 긴 역사를 가진 도시이면서 시대에 맞게 재생과 부활을 반복하며 발전한 도시이고, 지금도 또 다른 부활을 위해 노력하고 있다. 예술도시, 군사도시, 교통거점도시, 공업도시, 관광도시, 유럽의 도시 모델 등이 드레스덴에 붙일 수 있는 이름이다. 한 도시가 이렇듯 여러 가지 이름을 가질 수 있는 것은 지속적으로 변화를 시도하고 주변 지역을 선도하는 기능에 충실했기 때문일 것이다. 이런 점을 감안할 때, 드레스덴이 우리에게 주는 메시지는 바로 '변화를 통한 발전'으로 정의할 수 있다.

• 사진 제공: 독일관광청, 이미지투데이

/ 김경석(국립공주대학교 건설환경공학부 교수)

| 참 고 문 헌 |

• http://www.dresden.de
• http://www.wikipedia.org

변화를 선도한 자유의 도시
라이프치히

Leipzig

▌ 라이프치히 전경(ⓒ Johannes Kazah, 위키피디아)

독일의 도시전문가들은 통일 이후 구동독의 도시들 가운데 라이프치히Leipzig의 발전상을 높이 평가하고 있다. 통일 직후만 해도 라이프치히에 거주한다는 것을 자랑스럽게 말하는 사람은 거의 없었다고 한다. 그러나 이제는 라이프치히 시민이라는 것을 당당히 말한다고 한다. 무엇이 라이프치히를 그렇게 만들었을까?

필자가 라이프치히를 처음 찾은 것은 1997년 2월이었다. 베를린에서 출발한 기차가 두 시간여 달려 닿은 중앙역은 여전히 공사판이었다. 당시 다른 구동독의 도시들처럼 라이프치히도 그렇게 변화의 한가운데 서 있었다. 2006년 6월에 다시 찾은 라이프치히는 축제의 도시였다. 10년 전에 두 시간이 걸렸던 베를린과 라이프치히 간의 열차 운행시간은 한 시간대로 줄어들었고, 중앙역[1]은 깨끗하게 변신한 모습으로 손님을 맞고 있었다. 월드컵 경기장 젠트랄 스타디온Das Zentralstadion[2]은 세계에서 모여든 축구팬들과 더불어서 변모한 라이프치히의 모습을 과시하고 있었다. 라이프치히는 2006 독일 월드컵 경기가 개최된 12개 도시 가운데 유일하게 구동독에 위치한 도시다. 2012년 말 기준으로 라이프치히는 인구 52만 명으로 인구 53만 명의 드레스덴Dresden과 함께 구동독의 핵심 도시이며, 라이프치히-할레Halle-비터펠트Bitterfeld로 이어지는 독일 남동부 대도시권의 중심도시다.

교역과 상업의 도시 라이프치히

라이프치히는 기원전 900년 슬라브계 민족의 작은 거주지로부터 시작됐고, 문헌상에는 1015년에 처음으로 'urbs Libzi'라는 이름으로 등장했다. 마이센Meissen이 가톨릭 교구였을 때 이곳에 법적 권한이 부여된 1165년이 도시로서의 출발점이라 할 수 있다.[3] 1268년에는 교역의 토대가 될 수 있는 특권이 부여됐고, 이를 통해 라이프치히는 세계에서 가장 오래된 무역도시 가운데 하나가 됐다. 1497년에 황제 막시밀리안Maximilian 1세가 교역법을 공포한 이후 수백 년 동안 이 도시는 국제교역의 중심지로 성장했다. 드레스덴이 중세 제국의 수도로서 정치의 중심지 역할을 했다면 라이프치히는 경제의 중심지가 됐던 것이다.[4]

월드컵 경기장 젠트랄 스타디온

위치 독일 작센 주 남서부
면적 297.60㎢
인구 약 52만 명(2012년 기준)
주요 기능 경제산업

▎매년 봄 국제도서전이 열리는 국제박람회장

문화와 시민의 도시 라이프치히

1764년부터 1768년까지 라이프치히에서 수학했던 독일의 문호 요한 볼프강 폰 괴테 Johann Wolfgang von Goethe가 라이프치히를 '작은 파리Kleines Paris'로 칭했을 정도로 이 도시는 문화와 예술의 중심지로서 성장했다. 1409년에 창설된 라이프치히대학은 독일에서 가장 오래된 대학들 중의 하나이며, 1650년 7월 1일에는 세계 최초로 1주일에 6일 발간되는 일간신문이 라이프치히에 등장하기도 했고, 요한 제바스티안 바흐Johann Sebastian Bach는 1723년부터 1750년까지 시 교회 음악감독으로서 「마태 수난곡」 등 명곡들을 탄생시켰다. 18세기 말부터 20세기 중반까지 라이프치히는 독일의 '도서 수도Buchhauptstadt'로 불렸는데, 출판박람회, 국립도서관, 주요 출판사, 교육기관 등이 이러한 명성을 얻게만들었다. 1943년 연합군의 폭격으로 주요 시설들이 파괴되면서 라이프치히는 이러한 명성을 접어야 했다. 전후 동서독의 분단 기간 동안에는 '도서 수도'라는 명성을 프랑크푸르트Frankfurt가 이어갔지만, 통일 이후 1991년부터 매년 봄 국제박람회장에서는 국제도서전Leipzig liest이 개최되고 있다. 이것은 가을에 프랑크푸르트에서 개최되는 국제 도서전과 함께 유럽의 주요 도서박람회로 자리 잡아가고 있다.

1989년 가을 동독정권을 붕괴시킨 촛불시위가 라이프치히의 니콜라이 교회Ni-koleikirche에서 시작됐다. 이 평화시위로 인해 독일뿐만 아니라 전 세계의 이목이 라이프치히에 쏠렸다. 라이프치히가 독재를 무너뜨린 자유와 민주주의의 성지로 각인된 것이다.[5]

통일 이후 동독 지역 도시들에서는 도시행정이 새로 구축되는 과정에서 행정 엘리트들의 대대적인 교체가 있었는데, 라이프치히의 경우 1989년 가을의 저항운동 영향으로 이러한 교체가 보다 집중적으로 이루어졌다고 한다. 자유와 민주주의에

▌1989년 동독정권을 붕괴시킨 촛불시위가 시작된 니콜라이 교회

대한 정치적 의지와 열정은 도시개발에도 나타나고 있는데, 1990년대 후반에 창설된 주택조합들이 도시개발계획에 근거해 적극적으로 도시개발에 참여한 것이 바로 그것이다. 이것이 라이프치히를 모범적 도시개발의 사례로 만드는 데 큰 기여를 했던 것이다.

두 번의 위기 – 나치스와 동독사회주의

교역과 문화의 도시로 발전해가던 라이프치히에 두 번의 위기가 있었는데, 그것은 1930년대의 나치스Nationalsozialistische Deutsche Arbeiterpartei: NSDAP 통치시절과 1950년대부터 1980년대까지 이어진 동독 사회주의 시절이었다. 나치스 통치시절 당시에 라이프치히에는 갈탄공업과 화학공업 그리고 군수항공산업이 입지하게 됐다.

구 라이프치히대학 건물(현재 중부독일방송국)

1950년대 동독 사회주의 시절에는 라이프 치히에서 석탄광업과 금속, 전기전자, 섬유, 인쇄업 등이 집중적으로 육성됐다.[6] 하지만 1980년대 이후 경제난으로 인해 도심 내 구 공업지대 생산시설들이 노후화돼 환경오염 등의 문제가 심각해졌다. 특히 도시 남부의 갈탄 채취지대로 인한 환경오염이 심화됐다. 열악한 주거환경은 당시 동독의 모든 도시가 안고 있던 문제였으나 특히 라이프치히는 환경오염이 가장 극심한 도시였다.[7]

사회주의 동독 시절 라이프치히의 도시개발에서 또 하나의 위기는 사회주의적 도시개발에 따라 역사적 도심경관이 변모한 것이다. 고속도로를 통해 라이프치히로 들어서면 가장 먼저 눈에 띄는 고층의 구 라이프치히대학 본관건물은 1968년 동독정권이 도심의 '사회주의적 정비'를 위해 카를 마르크스 광장Karl-Marx-Platz(현재의 Augustusplatz)의 파울리너 교회Paulinerkirche를 철거하고 건설한 것이다.[8]

통일이 가져온 새로운 도전들

1989년 동독 사회주의 정권이 붕괴한 이후 라이프치히는 새로운 도전과 기회 앞에 서게 됐다. 통일이 라이프치히에 가져온 가장 큰 변화는 인구감소와 산업구조 재편에 따른 대량실업이었다. 1990년부터 2000년 사이에 동독 지역에서는 약 100만 명의 인구가 감소했는데, 옛 행정구역 기준으로 라이프치히는 1990년부터 2003년 사이에 무려 9만 명이나 감소했다.

그리고 통일 이후 진행된 국영기업의 민영화와 기업정비로 인해 급속히 공업기반이 붕괴됐다. 특히 단일통화의 시행은 주로 수출을 해왔던 라이프치히의 섬유의복, 기계

RheinLand
VERSICHERUNGEN
Agentur Lydia Melnik

구시가지의 노후 건물과 정비된 건물

제작 부문 기업들에 큰 타격을 주었다. 이 때문에 20%에 가까운 높은 실업률이 현재까지도 지속되고 있다. 금융, 보험 부문에서 일자리가 새로 생기긴 했지만 공업 부문의 대규모 실업을 상쇄하지는 못했다. 장기적으로 볼 때 라이프치히는 도시인구가 감소할 것으로 전망되고 있다. 2001년부터 미세하나마 인구가 증가하는 추세를 보이고 있지만, 장기적으로 볼 때 인구감소는 대세라고 할 수 있다.

그럼에도 라이프치히는 동독 지역 도시들이 공통적으로 경험한 사회주의적 도시건설과 통일 이후의 혼란 그리고 시장경제하의 도시경제구조 전환과정에서 비교적 성공적인 도시개발을 이루어가고 있는 것으로 평가받고 있다.

라이프치히의 시가지는 중심의 구시가지와 구시가지를 둘러싸고 있는 주변의 신시가지로 구분된다. 대규모 아파트단지로 구성된 신시가지는 사회주의 시절인 1970~1980년대에 주택부족 문제를 해결하고자 건설됐다. 1946년부터 총 10만 호의 주택이 새로 건설됐다. 1975년 3월에 라이프치히의 서부지역에 착공된 그루나우Gruenau는 인구 10만 명을 계획인구로 했으며 베를린의 마르찬Marzahn 다음으로 큰 아파트단지였다. 통일 이후 라이프치히의 도시개발 가운데 중요한 부분을 차지한 것이 주거지 정비였다. 통일 직후의 조사에 따르면, 전체 주택 25만 7000호 가운데 19만 6000호가 정비를 필요로 하는 상태였고, 그 가운데 2만 5000호의 주택들은 이미 주거불능 상태였다.[9]

통일 이후 라이프치히는 동독 지역에 대한 대규모 조세감면 혜택과 국가 차원의 재정지원을 통해 폭발적인 건설 붐을 경험하게 됐다. 비록 인구는 지속적으로 감소했지만, 이러한 건설 붐을 통해 도시 자체는 발전의 기회를 얻게 됐다.

통일 이후 라이프치히를 미디어와 무역, 서비스의 거점으로 만들기 위한 여러 대형 건설프로젝트들이 1990년대 후반까지 추진됐다. 이러한 사업들로는 라이프치히-할레 공항의 건설, 독일철도와 독일우편의 물류센터 건설, 대기업 Quelle의 배송센터 건설, 미디어 도시Media-City[10] 개발 등이 있었다.

새로운 도시개발의 패러다임을 선도

전문가들이 라이프치히를 성공적인 도시개발 사례로 추천하는 데 주저하지 않는 것은 이 도시에서 새로운 도시개발의 패러다임을 창출하기 위한 노력이 선도적으로 이루어졌기 때문이다. 1990년대 후반부터 동독 지역의 도시개발에 새로운 화두로 제기되기 시작한 것이 인구감소와 도시축소였다. 과거 계획가들과 건축가들이 전형적으로 성장, 밀집, 블록건설 등을 추구해왔다면, 이제는 인구가 감소하는 '구멍 뚫린 도시'를 위한 새로운 혁신적 전략이 필요해진 것이다.

라이프치히는 동독 지역의 다른 도시들보다 먼저 신속하게 이러한 변화에 대응했다. 1998년부터 인구감소에 대응한 도시개발 프로그램들이 제기되기 시작했는데, 'Neue Gruenderzeit 프로그램'은 '더 많은 녹지와 더 작은 밀도mehr Gruen, weniger Dichte' 또는 '더 적어진 도시민들을 위한 더 넓은 도시mehr Stadt fuer weniger Buerger'11)를 모토로 해 구시가지 내 빈 주택의 철거와 용도전용 등을 모색했다. 'Stadtentwicklungsplan Grosssiedlungen'은 신시가지 내 빈 주택의 철거나 주거공간의 용도변경, 주택합병 등을 통해 아파트단지의 생활여건을 개선시키고자 했다. 이 계획에 따라 2010년까지 그루나우에서 1만 6000호의 아파트가 철거됐다.

통일 이후 새로운 도시개발의 패러다임이 등장하기까지는 민주화라는 정치적 변화도 큰 영향을 미쳤다고 할 수 있다. 과거의 중앙집중적 계획과 일방적인 지시가 아닌 '아래로부터의 계획'에 대한 시민들의 요구가 새로 등장한 젊은 행정 엘리트들의 리더십과 결합하면서 보다 유연하면서도 혁신적인 계획의 수립을 가능케 했던 것이다. 물론 이것은 다른 동독 지역 도시들에서 쉽게 발견하기 어려운 라이프치히 고유의 정치사회적 자산이 있었기에 가능했다.

전체적으로 라이프치히에서는 도시정비 오스트Stadtumbau Ost12)와 같은 연방 차원의 프로그램들이 구체적으로 수립되기 이전에 빈 주택 등의 문제에 대응하기 위한 움직임이 시작됐다는 점을 주목할 필요가 있다. 조기에 문제에 적극적으로 대응한 것이다. 물론 이것은 라이프치히가 이러한 문제의 심각성이 가장 두드러진 도시였다는 것에도 기인한 것이지만, 기본적으로 도시개발의 기획력과 추진력이 다른 도시들에 비해 앞섰기 때문이다.

통일 이후 라이프치히의 도시개발 과정은 우리에게 몇 가지 교훈을 주고 있다. 무엇

| 1997년 재개발사업을 완료한 라이프치히 중앙역

보다도 인위적으로 왜곡된 도시개발은 오래 지속될 수 없다는 것을 라이프치히는 보여주고 있다. 나치스와 동독 사회주의 시절 라이프치히를 공업도시로 개조하고자 하는 시도가 있었지만 결국 실패로 돌아가고 말았다. 이 도시가 가진 발전 잠재력은 공업이 아니라 교역과 문화 그리고 교육이었기 때문이다.

그다음으로 라이프치히가 기존 도시개발의 패러다임 전환[13]에 적극적으로 대응했다는 점을 들 수 있다. 인구감소라는 위기요소를 극복하고 새로운 여유공간 확보라는 기회요소를 활용하기 위해 라이프치히가 선도적으로 선택한 도시발전 전략은 통합적인 도시개발 전략이었다. 그리고 이것은 연방 차원의 도시정비 오스트 프로그램으로 발전했다. 한국의 경우처럼 도시개발 정책을 중앙정부가 선도하는 것이 아니라 지역의 혁신적 구상과 노력이 전국 차원의 프로그램으로 발전한 것을 주목할 필요가 있다. 마지막으로 라이프치히가 민주주의의 전통을 새로운 도시개발의 패러다임 창출로 이어갔다는 것을 주목할 필요가 있다. 새로운 도시개발정책을 만들어내고 실천할 수 있었던 것은 계획가들 및 젊은 공무원들의 창의성과 시민들의 적극적인 참여 없이는 불가능했을 것이다.

/ 이상준(국토연구원 선임연구위원)

| 주 |

1 1995년에 시작돼 1997년에 종료된 중앙역의 재개발사업은 이 역을 2만㎡의 매장면적을 가진 대규모 쇼핑센터로 변모시켰고, 이것이 계기가 돼 많은 상업 및 업무 시설의 도심 입주가 추진됐다.

2 좌석 10만 석의 젠트랄 스타디온은 독일에서 가장 큰 종합경기장이다.

3 http://de.wikipedia.org/wiki/Leipzig

4 2005년 기준으로 라이프치히는 12번째 인구규모를 유지하고 있다.

5 이미 1863년 5월 23일 독일에서 가장 오래된 민주 정당인 독일노동자연합(der Allgemeine Deutsche Arbeiterverein: ADAV)이 라이프치히에서 탄생한 바 있다.

6 사회주의 시절 정부는 주로 농촌지역이었던 북부지역에 새로운 공업단지와 주거단지를 건설했다. 그리고 작센 지역의 공업지대는 1930년대 수준의 구조와 생산규모를 유지시켰다. 당시 정부는 별로 발전의 전망이 없던 광업과 화학산업, 즉 갈탄생산 및 화학공단 조성을 할레, 비터펠트, 라이프치히 등에서 추진했다.

7 1991년에 시민들을 대상으로 실시된 설문조사 결과 응답자의 91%가 공기오염을 도시생활 불만족의 가장 커다란 요인으로 지목했다. Scholz, Carola und Heinz, Werner. Stadtentwicklung in den neuen Bundeslaendern: Der Sonderfall Leipzig. *Aus Politik und Zeitgeschichte* B 12/95. 17, Maerz 1995: 19.

8 2009년까지 건설될 새로운 대학건물은 철거된 당시 교회의 외관을 최대한 복원하기로 2004년에 결정했다.

9 Leipzig, Stadt. 2000. Stadtentwicklungsplan Wohnungsbau und Stadterneuerung: Rahmen-bedingungen, Teilplan Wohnungsbau, Teilplan Stadterneuerung. *Beiträge zur Stadtentwicklung* 30: 21.

10 이것은 중부독일방송(MDR)과 기타 방송시설의 입주로 2000년에 전체 구상의 일부가 실현됐다.

11 전체적으로 볼 때, 인구감소는 새로운 기회도 제공한다. 더 많은 광장과 민간 및 공공공간을 활용할 수 있기 때문이다. 1985년에 라이프치히에서는 1ha의 주거면적(Wohnbauflaeche)에 148인이 거주했다. 현재는 이것의 절반인 76인이 거주하고 있다(Stadt Leipzig 2004).

12 동독 지역 전체 주택의 13%인 100만 호의 주택이 공실상태에 이르고 이것이 도시경제에 커다란 부담으로 작용하자 만성적인 공실문제에 대해서 적극 대처해야 한다는 공감대가 형성됐다. 이에 연방교통건설주택부는 2001년 11월에 'Stadtumbau Ost' 프로그램의 실시를 결정했다. 이것은 통합적인 주

택 및 도시건설(integrierte wohnungswirtschaftliche und staedtebauliche Konzepte)이라는 기본개념을 토대로 한 것이었다. 즉, 주택 부문의 개발과 전체적인 도시개발을 통합적으로 추진하자는 것이 이 프로그램의 기본 화두다.

13 도시정책에서 지난 150년 동안 경제적 성장을 공간적으로 창출하는 것에 우선순위가 두어져왔다. 그러나 이제는 인구가 정체하거나 감소하는 상황에 맞는 도시정책이 필요하게 됐다.

▎참 고 문 헌 ▎

- Scholz, Carola und Werner Heinz. 1995. "Stadtentwicklung in den neuen Bundeslaendern: Der Sonderfall Leipzig." *Aus Politik und Zeitgeschichte* B 12 no.95. 16~26.

- Leipzig, Stadt. 2004. "Bericht zur Stadtentwicklung Leipzig 2004." *Beiträge zur Stadtentwicklung* 42.

- _____. 2000. Stadtentwicklungsplan Wohnungsbau und Stadterneuerung: Rahmenbedingungen, Teilplan Wohnungsbau, Teilplan Stadterneuerung. *Beiträge zur Stadtentwicklung* 30.

- http://de.wikipedia.org/wiki/Leipzig

다채로운 면모가 돋보이는 대도시
뮌헨

München

| 뮌헨 전경

　독일의 많은 도시 중 뮌헨München만큼 다양한 별칭을 갖고 있는 경우도 드물다. '심장을 가진 세계도시', '독일의 은밀한 수도', '삶의 즐거움이 있는 도시', '백만 인의 마을', '이자르Isar 강 변의 아테네', '학문과 예술의 도시' 등이 그것이다. 이런 말에는 뮌헨을 이상화한 면이 없지 않으며, 또한 현실의 밝은 측면들을 보여주는 것이라고 할 수 있다. 하지만 '독일 최대의 산업도시', '독일 전자산업의 메카', '독일공화국의 군수공장', '견본시장 및 컨벤션Messe의 도시', '미디어도시' 등과 같은 독일 남부 바이에른 주도州都에 관한 수사들은 동전의 또 다른 일면 ─ 그 발전 동태와 아울러 고민 ─ 을 나타낸다. 아무튼 뮌헨은 도시의 형성 및 발달과정에서 쌓아온 다채로운 면모를 지니고 있을 뿐만 아니라, 현대의 대도시로서 존립하기 위해 그 기반

이 과연 무엇이어야 하는가를 보여주고 있다.

도시의 역사

대륙을 동서로 가로지르며 유럽의 젖줄로 불리는 도나우Donau 강의 한 지류인 이자르 강 상류, 그리고 북부 알프스 전지前地 알펜포어란트 Alpenvorland의 평균 해발고도 530m에 위치한 뮌헨은 탄생 1000년을 훌쩍 넘긴 유서 깊은 도시다. 물론 뮌헨이라는 이름은 11세기경으로 거슬러 올라간다. 도시건설 당시 근처에 있던 베네딕트 수도원에서 유래한 '수도사bei den Mönchen'라는 뜻에서 비롯됐다. 하지만 도시가 본격적으로 발달하기 시작한 것은 12세기 중반에 들어와서였다. 1158년 도시를 통치하던 '사자공' 하인리히 Heinrich der Loewe가 당시 도시의 북쪽(오늘날의 프라이징 Freising)에 있던 이자르 다리를 불태우고, 그 대신 뮌헨 다리를 새로 조성해 이자르 강의 소금 및 상품 교역에 따른 통과세를 독점하면서부터였다.

1255년 뮌헨은 바이에른 지방을 관장하던 비텔스바흐Wittelsbach 왕가에 의해 오버바이에른의 지배 거점으로, 250년 후인 1505년에는 마침내 바이에른 공국의 수도가 됐다. 이후 뮌헨은 유럽 대륙을 휩쓴 30년전쟁으로 큰 피해를 입었다. 그러나 수공업을 육성하는 한편, 북부의 한자Hansa 동맹 도시들과 남부의 지중해 도시들을 연결하는 원격지 중개무역을 통해 막대한 부를 축적하면서, 오랫동안 독일 최고의 문화 및 예술의 도시로 황금기를 누렸다.

제1차 세계대전 이후 뮌헨은 혁명운동의 중심지가 됐다. 특히 히틀러A. Hitler가 뮌헨을 거점으로 나치스운동을 전개하면서 그 '아성'으로 불리게 됐을 뿐만 아니라 1938년에는 히틀러, 무솔리니B. Mussolini, 체임 벌린N. Chamberlain, 달라디에E. Daladier의 이른바 4거두 회담(뮌헨회담)이 개최되기도 했다. 제2차 세계대전 당시에는 뮌헨 역시 독일의 많은 도시들과 마찬가지로 커다란 피해를 입었다. 60여 회가 넘는 연합군의 공중폭격을 받아 도시 전체는 그야말로 폐허가 됐다. 하지만 전후 복구작업을 통해 구시가지가 옛 모습 그대로 훌륭히 재건됐다. 그뿐만 아니라 1972년 하계 올림픽을 계기로 각종 스포츠시설을 확충하는 한편, 지하철을 중심으로 도시교통을 재편했다. 또한 시가지의 재개발과 각종 가로 정비 사업, 도시 외곽의 환경친화적 신도시 건설 등으로 뮌헨은 현대적 면모의 메트로폴리스로 거듭났다.

위치 독일 바이에른 주
면적 310.43㎢
인구 1,378,176명(2011년 기준)
주요 기능 정치 · 행정

문화도시로서의 다채로운 면모

오늘날 뮌헨은 독일인들이 가장 살고 싶어 하는 도시로 손꼽히고 있다. 그것은 뮌헨이 지닌 찬란한 문화유산 이외에도 밝고 명랑한 시민생활, 그리고 주변의 뛰어난 자연풍광과 기후환경 때문으로 생각된다. 무엇보다도 뮌헨은 전통을 간직한 문화·예술의 도시로 유명하다. 특히 고딕, 르네상스, 바로크, 로코코 등 각 시대를 대표하는 고색창연한 건축물이 시내 곳곳에 많이 남아 있는 아름다운 도시다. 뮌헨에서 가장 역사가 깊은 페터스 교회, 고딕 양식의 프라우엔 교회, 르네상스 양식의 미하엘스 교회 등이 있으며, 독일에서 가장 웅장한 바로크 양식의 건축물로 마차 박물관이 있는 님펜부르크 성이 있다.

독일은 물론이고 유럽 전역에까지 명성이 자자한 큼직한 극장과 오페라하우스가 있을 뿐만 아니라, 세계적 수준의 박물관과 미술관, 그리고 300여 개가 넘는 사설화랑이 산재해 있다. 특히 14~18세기의 유럽 회화를 중심으로 뒤러Dürer, 렘브란트Rembrandt, 루벤스Rubens, 라파엘Raffaello, 엘 그레코El Greco 등의 작품을 전시하고 있는 알테 피나코텍Alte Pinakothek과 고흐Gogh와 마네Manet 등 유명 화가들의 19세기 말~20세기 초 회화작품 등을 전시해놓은 노이에 피나코텍Neue Pinakothek이 유명하다. 또한 독일박물관Deutches Museum은 뮌헨의 명성에서 빼놓을 수 없는 곳으로, 산업기술과 자연과학 박물관으로서는 유럽 제일이라는 평가를 받고 있다. 이자르 강의 하중도에 자리한 이 박물관은 1903년 건립됐으며, 라이트 형제의 비행기, 제2차 세계대전 당시의 전투기, 독일 최초의 잠수함

| 고딕양식으로 지어진 뮌헨 신시청사

┃ 프라우엔 교회

외에도 독일에서 생산된 온갖 모형의 자동차와 항공기가 전시돼 있다. 또한 뮌헨은 바그너Wagner와 음악의 도시이자 오페라의 도시이기도 하다. 바이에른 국립박물관, 국립 오페라극장 등이 있으며, 뮌헨 필하모니 관현악단과 바이에른 관현악단도 그 명성을 자랑하고 있다. 바그너와 모차르트의 음악 축제도 매년 열린다.

뮌헨은 이처럼 문화·예술의 도시로 알려져 있을 뿐만 아니라, 대학 및 연구도시로서도 높은 명망을 누리고 있다. 뮌헨은 주민 10명 중 1명이 대학생이라고 할 만큼 대학도시인 동시에, 시내 도처에 흩어져 있는 각종 교육기관들은 도시의 경관을 결정적으로 각인시키고 있다. 한 해 등록생만 8만여 명에 달하는 뮌헨대학LMU은 쾰른대학과 함께 독일 최대의 종합대학이며 의학, 경제학, 법학 분야의 수준이 매우 높은 편이다. 특히 대학도시로서 뮌헨이 가진 견인력 중 빼놓을 수 없는 것은, 전통적 농업 주인 바이에른을 현대적 공업 주로 탈바꿈시키는 데 선도적 역할을 한 뮌헨공대TUM이다. 뮌헨공대는 수학, 물리학, 화학, 생물학, 지구과학 분야 중심의 학과들로 구성돼 있다.

이밖에도 뮌헨에는 국방대학과 조형미술대학, 음악대학, 각종 전문대학과 바이에른 과학아카데미 등이 있으며, 또한 핵연구 원자로를 갖춘 플라스마 물리학의 막스 플랑크 Max Planck 연구소를 비롯한 수많은 연구개발기관들도 대학 및 학문연구의 중심지로 뮌헨의 위상을 뒷받침하고 있다.

그러나 뮌헨의 매력은 유형적인 면모만으로 한정될 수는 없다. 그것은 다름 아닌 오랜 전통과 독특한 생활양식에서 연유하는 것이자 '백만 인의 마을Millionendorf'로서 지닌 도시의 깊은 풍미 때문일 것이다. 북부 독일인들의 다소 우울한 분위기나 프로이센의 군국주의적 정서와 달리, 일견 가톨릭의 보수적 성향을 띠면서도 오래 사귀면 사귈수록 깊은 인간미를 물씬 풍기는 것이 남부 독일인, 그 가운데서도 뮌헨 사람들의 일반 정서다. 전통에 대한 이들의 사랑도 매우 깊다. 이것은 그들이 즐겨 입는 전통의상과 독특한 방언, 뮌헨 특유의 먹거리에서도 찾아볼 수 있다. 슈바빙Schwabing의 선술집에서 만날 수 있는 뮌헨 사람들은 자유스러운 분위기 속에서 쉽게 웃고 떠들고 즐기는 낙천적인 모습이다.

삶이 약동하는 이 도시를 이야기할 때 놓칠 수 없는 것은 맥주다. 독일인들의 술로 연상되는 맥주는 독일 전역에서 생산되지만, 그 중심지는 역시 바이에른의 뮌헨이다. 뮌헨은 우리에게도 낯익은 호프브로이Hofbräu나 뢰벤브로이Löwenbräu 등 세계적 명성을 지닌 브랜드의 맥주로 잘 알려져 있지만, 또한 이름 없는 수많은 하우스 맥주를 취향대로 맛볼 수 있는 곳이기도 하다. 무엇보다도 맥주의 본고장이라는 뮌헨의 명성은 매년 9월 셋째 주 토요일에 시작해 10월 첫째 주 일요일까지 계속되는 '10월 축제Oktoberfest'로 다시 한 번 빛난다. 이는 연인원 600만 명이 넘는 내국인들과 세계 각지의 관광객들이 모여드는 유럽 최대의 축제로, 경제적 파급효과 이외에도 뮌헨의 이미지 마케팅에 절대적으로 기여하고 있다.

나아가 뮌헨은 남부 독일 최대의 관광 및 여가의 거점이다. 이는 풍부한 문화적·역사적 유산을 간직하고 있기 때문이기도 하지만, 또 한편으로 어디에 내놓아도 손색없는 아름답고도 깨끗한 천혜의 자연환경을 주변에 끼고 있기 때문이다. 뮌헨은 만년설이 뒤덮인 알프스 고봉과 초원으로 이루어진 고원지대를 뒤로하고 있는 동시에, 빙하기를 거치면서 형성된 크고 작은 호수와 강이 어우러진 생태경관을 가까이 하고 있다. 독일의 최고봉인 추크슈피체Zugspitze(2962m)와 킴제Chiemsee, 쾨닉스제Köenigssee 등의 호수가 있는 알프스 전지, 국립공원으로 지정돼 있는 바이에른 숲과 슈타이거 숲, 프랑켄의 쥐라기 지대와 피히텔 구릉지, 그리고 슈페사르트의 아름다운 풍광은 도시민들에게 휴식과 관광의 공간일 뿐만 아니라 스키, 산행, 수영 등 각종 레포츠 활동의 기회를 풍부하게 제공하고 있다. 물론 아름다운 자연과 조화를 이루고 있는 퓌센Füssen, 슬라이스하임,

| 세계 최대 규모의 맥주 축제인 뮌헨 옥토버페스트

가미쉬-파텐키르헨Garmisch-Partenkirchen, 오버암머가우Oberammergau 등의 고성과 각종 문화
유적들도 관광 중심지로서 뮌헨이 가진 매력을 한껏 더 높이고 있다.

도시의 경제기반과 발전동태

뮌헨의 전체 인구는 2010년 현재 약 135만 명으로, 베를린(346만 명)과 함부르크(179
만 명)에 이어 독일 제3의 대도시다. 독일인들의 견지에서 '엄청난' 대도시에 속하는 뮌
헨은 자연히 이상과 같은 오직 생락生樂의 도시로서 구비한 매력만으로는 설명되지 않는
부분이 있다. 그것은 아마 도시민들의 생존을 뒷받침하는 동시에 생활의 공간으로서 도
시의 활력을 잃지 않도록 하는 또 다른 요인과 결부돼 있음을 암시한다.

우선 뮌헨은 제조업 고용자 수와 매출액으로 비교할 때 독일 최대의 산업도시다. 특
히 세계적으로 유명한 맥주 양조업을 비롯해 광학정밀기기, 전기, 자동차, 기계, 화학,
직물, 제지, 인쇄 등 다양한 공업이 발달해 있다. 이러한 발달은 1840년대부터 시작됐

지만, 제2차 세계대전 후 동독에 있던 적잖은 기업체들(대표적으로 지멘스그룹)이 뮌헨과 그 주변 지역으로 속속 이주해 오면서 본격화됐다. 뮌헨 북쪽의 산업단지를 중심으로 많은 제조업체들이 자리 잡고 있는데, 특히 군수산업 업체들이 많아 뮌헨은 그야말로 독일의 군수공장이라고 할 수 있다. 하지만 뮌헨의 가장 중요한 기능은 역시 남부 독일 첨단산업의 거점이라는 것이다. 이른바 '무니콘 밸리Municon Valley'를 이루고 있는 뮌헨과 그 인접 교외지역은 전통적인 성장산업인 기계(MTU)와 자동차(BMW와 MAN), 전자 및 컴퓨터(Siemens), 항공(DASA)산업을 비롯해 광학, 의료, 생명공학 등 새로운 지식 및 정보, 연구개발의 하이테크산업으로 무장하고 있다. 1960년대 말 이후 이들 산업을 중심으로 한 경제적 도약은 세계적 신산업지구의 하나로서 뮌헨 지역의 화려한 등장을 의미하는 것으로, 프랑크푸르트Frankfurt의 헤센Hessen, 슈투트가르트Stuttgart를 거점으로 한 바덴뷔르템베르크Baden-Württemberg와 함께 독일의 전통적인 공간구조인 남북 격차를 북남 격차로 일거에 뒤바꿔놓는 계기를 마련했다. 자연히 2010년 말 현재 4.2%대의 실업률은 독일 대도시지역 중 가장 낮은 수치이며, 5만 2000유로에 달하는 1인당 GNP는 산업구조 조정과정에서 뮌헨의 성공적 변신을 잘 대변한다.

뮌헨은 또한 굴뚝 없는 산업으로 도시경제의 활력을 담보하는 동시에 그 안정성을 유지하고 있다. 우선 뮌헨은 금융산업의 도시다. 뮌헨에는 100여 개의 은행과 유럽 최대의 종합보험회사인 알리안츠Allianz, 재보험업계의 선두주자인 뮌헨재보험Münchner Rück사를 포함한 20여 개의 보험사가 자리 잡고 있다. 또한 모토로라Motorola, DECDigital Equipment Corporation, IBM, Intel 등 다국적 기업의 독일 또는 유럽 본사가 입지하고 있을 뿐만 아니라, 독일은 두말할 나위도 없고 유럽 및 전 세계에서도 마그넷magnet을 가진 견본시장 및 컨벤션 산업도시로서 그 위상을 공고히 하고 있다. 이러한 면모는 연중 개최되는 일반 페어fair는 물론이고, 특히 전자, 생산기계, 레이저-광학 시스템 등 전문 분야의 엑스포로 세계적 명성을 유감없이 발휘하고 있다.

이처럼 국내는 물론 국제적으로도 중요한 산업도시로서 뮌헨이 굳건한 토대를 닦을 수 있었던 것은 뮌헨이 지닌 다양한 이점, 특히 연성적weich 입지요인 때문으로 판단된다. 먼저 대도시인데도 비교적 쾌적한 주거 및 교육 여건, 아름다운 생태환경, 다양한 문화적 체험기회, 높은 관광 및 여가 가치 등은 도시의 이미지에 대단히 긍정적으로 작용하고 있다는 것이다. 또한 뮌헨이 현대적 산업 및 경제 지역으로 성장하는 데 원동력이 된 양질의 풍부한 고급 노동력을 손쉽게 구할 수 있을 뿐만 아니라, 역량 있는 대학 및 연구기관과의 원활한 산학협동, 그리고 주정부의 공격적인 투자 및 지원정책 때문으로 생각된다. 나아가 법률, 광고, 금융 등 다양한 생산자서비스를 독일의 그 어느 도시보다 손쉽게 얻을 수 있다는 점도 뮌헨의 역동적 경제발전에 중요하게 작용하고 있다. 물론 뮌헨은 남부 독일 철도교통의 요지이며 3개의 고속도로Autobahn가 교차하고 있는 결절지이자, 이미 1980년대 말부터 21세기를 내다보고 건설하기 시작한 세계적 규모의 국제공항 — 오랫동안 바이에른 주 수상을 지낸 슈트라우스의 이름을 가진 뮌헨 공항 — 을 끼고 있다. 그야말로 뮌헨은 국내 및 국제적 교통 중심지이자 요충지이며, 중부 유럽 항공교통의 중심지로서 동부 유럽과 남서부 유럽을 잇는 관문에 위치해 있는 것이다.

문화 및 교육의 도시로서 가지고 있는 뮌헨의 분위기 또한 오늘날 뮌헨의 경제기반을 굳건히 하고 있다. 이는 뮌헨에 위치한 5개의 기업체 중 하나가 미디어 부문에 해당할 정도로 방송 및 미디어 도시로 성장하고 있는 데서도 찾아볼 수 있다. 바이에른 주 방송국을 비롯한 다수 민간 방송국의 본사와 지점도 뮌헨에 자리 잡고 있으며, 300여 개에 달하는 기업체가 영화 및 필름 제작과 그 임대업에 종사하고 있다. 정확히 도시 전체 취업자 중 25%에 달하는 약 17만 6000명(2010년 현재)이 텔레비전, 라디오, 기타 커뮤니케이션 서비스산업에 종사하는 것으로 파악되고 있다. 이와 더불어 뮌헨은 출판업이 매우 발달해 있으며, 매년 신간 타이틀만 수만에 달할 정도로 또 다른 독일의 출판도시인 슈투트가르트나 프랑크푸르트 등의 추종을 불허하고 있다.

도시의 미래

현대 대도시의 주된 특성 중 하나는 다기능성multi-functionality이라고 할 수 있다. 이런 의미에서 뮌헨은 현대 도시로서의 다양한 면모를 갖고 있을 뿐만 아니라, 이를 통해 경제 메트로폴리스의 역량 또한 유감없이 발휘하고 있다. 그것은 우선 오랜 역사와 문화적 전통, 입지적 여건 등에서 비롯된 것이지만, 근자에 들어와서 서로 다른 이해관계를

세계적 자동차 회사인 BMW의 공장과 자동차 박물관(© Jochen Knobloch)

가진 사회집단의 참여와 협력, 경쟁을 통해 새로운 경제성장과 도시발전을 일구어낸 점에서도 그 원인을 찾아볼 수 있다. 물론 이러한 다채롭고도 건실한 현대적 메트로폴리스로 뮌헨이 성장하는 데에는 지난 세기 초의 역사적 실수를 떨쳐 버리겠다는 시민들의 깊은 자성도 큰 몫을 했다.

지난 세기 영욕을 모두 경험한 성공에도 불구하고, 생활과 생존과 생략의 거점으로서 뮌헨의 장래가 꼭 낙관적인 것은 아니다. 우선 1950년대 이후 꾸준한 인구증가와 산업활동의 성장으로 도시는 포화상태에 다다르고 있을 뿐만 아니라, 각종 녹지공간이 크게 줄어들어 독일에서도 가장 높은 밀도의 도시로 전락하고 있다는 것이다. 지속적인 도시발전을 위해 필요한 용지공급이 한계를 보이면서 지가도 꾸준히 상승하고 있으며, 각종 하부구조의 원활한 공급에 갖가지 제약이 뒤따르고 있는 실정이다. 이미 독일 도시 중 생활비가 가장 많이 들고, 그래도 여전히 부족한 주택과 사무공간으로 인해 인구 및 경제활동의 교외화 추세가 뚜렷한 데다, 교통혼잡 문제도 점차 심화되고 있다.

┃ 알리안츠 아레나 축구 경기장(ⓒ GARP Hnel, Gerald)

　　그렇다면 21세기 뮌헨의 준비 또는 그랜드디자인은 무엇일까? 뮌헨 사람들은 현대
대도시의 미래가 어쩔 수 없이 시민들의 삶의 질을 담보할 수 있는 거주, 교통, 환경, 여
가 등 제 조건을 쾌적하게 유지하는 동시에 사회적 통합을 제고하고, 또한 세계화 시대
를 맞이해 점점 더 격화되는 도시지역 간 입지경쟁에서 승리할 수 있는 활력 있는 경제
기반을 굳건히 갖추는 데 있다고 본다. 이를 위해 지난 세기 후반의 성공 신화가 큰 자
산이 되겠지만, 가시적인 지표에 너무 집착한다면 실패를 맛볼 수 있음을 경계하고 있
다. 역시 뮌헨의 장래를 풀어나가는 실마리는 오랫동안 쌓아온 역사적·문화적 전통만
큼 그 속에서 터득해온 개방성에서 찾아야 함을 강조하고 있다. 뮌헨이 세계를 향해 이
념 및 피부색과는 상관없이 누구에게든 열려 있는, 다시 말해 따뜻한 마음을 가진 세계
도시Weltstadt mit Herz로서의 품격을 진정 키워낼 수 있어야 한다는 것이다. 그뿐만 아니라
남과 동으로 확대되고 있는 유럽통합의 지경학적 상황 속에서 정보화의 시대적 흐름을

활용하는 동시에 남부 독일의 거점으로서 외부경제를 강화하며 도시의 혁신역량을 다시 한 번 결집할 수 있어야 한다.

• 사진 제공: 독일관광청, 이미지투데이

/ 안영진(전남대학교 지리학과 교수)

| 참 고 문 헌 |

• Biehler, H. et al. 1995. *Standort Muenchen − Soziooekonomische und raeumliche Strukturen der Neo-Industrialisierung*. Muenchen: IMU.

• Geipel, R. et al. 1987. *Muenchen − ein sozialgeographischer Exkusionsfuehrer*. Kallmuenz: Verlag Michael Lassleben.

• Ude, C. ed. 1993. *Muenchner Projekte − Die Zukunft einer Stadt*. Muenchen: Piper.

• Zimmermann, C. 1996. *Die Zeit der Metropolen − Urbanisierung und Grossstadtentwicklung*. Frankfurt am Main: Fischer.

지속가능한 녹색도시로 새로 태어난 공업도시
겔젠키르헨 *Gelsenkirchen*

전원형 생태주거단지 셴켈베르크의 전경. 광산지역의 전형적인 옛 주거건축과 새로운 주거단지가 조화를 이루고 있으며 석탄동산에서는 도시 전체를 한눈에 볼 수 있다.

1992년 리우Rio 선언 이후 공간계획 분야에 등장한 '지속가능성, 또는 지속가능한 발전'이라는 개념은 오늘날 공간계획 분야뿐만 아니라 정치, 경제, 사회 분야에서도 더 이상 피할 수 없는 수식어가 됐다. 특히 독일은 친환경적 목적을 중심으로 환경문제를 경제적·사회적 문제와 함께 고려하고, 또한 우리의 미래세대를 위한 지속가능한 발전방향과 목적을 실천하기 위한 다양한 프로젝트, 그리고 이를 지원하는 정책들을 활발하게 추진하고 있는 대표적인 나라다.

그중 탈화석에너지 도시를 구현하기 위한 노력의 일환으로 재생에너지 분야가 가장 눈에 띄며, 특히 태양에너지나 바람에너지를 이용한 건축 및 사업, 우수관리를 고려한 친환경 건축 및 주거단지 건설 등이 이에 속한다. 또한 이러한 환경과 에너지 관련 산업은 정보화 사회의 등장과 더불어 신첨단산업 분야와 함께 도시·경제발전 분야에서도 활발히 이루어지고 있다.

최근에는 독일의 산업화를 이끌어왔던 루르Ruhr 지역을 중심으로 신산업단지 및 친환경 주거단지 건설, 태양에너지 주거단지 프로젝트, 기후변화 적응단지 프로젝트 등 크고 작은 다양한 프로젝트가 추진되고 있어 독일의 지속가능한 발전의 실천적 가능성을 보여주고 있다. 또한 루르 지역에서 추진하고 있는 프로젝트는 지금까지의 폐쇄적인 도시 차원 계획이 아닌 개방적·혁신적 지역계획 차원에서 연방정부와 주, 시, 기업 등이 협력체계를 이루어 공간계획 분야에 새로운 방향과 모델을 제시하고 있다. 그중에서도 루르 지역 서-동 축의 중심부를 흐르는 엠셔Emscher 강을 중심으로 1999년까지 10년 동안 추진됐던 '엠셔 공원Emscher Park'이라는 지역발전 모델은 지속가능한 지역발전모델 분야에서 세계적인 모범 사례가 되고 있다. 그리고 최근 들어 기후변화와 에너지문제 해결을 위한 대표적인 도시 중 하나로 꼽히는 곳이 바로 겔젠키르헨Gelsenkirchen 시다.

위치 독일 노르트라인베스트팔렌 주
면적 104.84㎢
인구 264,765명(2007년 기준)
주요 기능 환경·생태

경제적 위기와 구조변화

루르 지역 중심부에 위치한 겔젠키르헨 시는 석탄 및 철강 도시이자 유럽에서 오랜 역사를 자랑하는 프로축구팀 'FC 샬케Schalke 04'의 도시로 유명하다. 이 도시는 중세시대부터 종교행사 기능을 담당한 소위 교회마을Kirchdorf이었으며, 1875년 자체 도시법을 갖게 되면서 도시 역사가 시작됐다. 2007년 현재 약 27만 명의 인구가 살고 있는 겔젠키르헨은 유럽 최고의 공업지역이자 밀집도시지역인 루르 지역 16개 도시와 그 성장을 함께했다. 하지만 150년 이상 독일의 석탄 및 철강 산업을 이끌어왔던 루르 지역은 1950년 말부터 중심산업인 석탄 및 철강 산업이 몰락하기 시작해, 1986~1987년에 이르러서는 에센Essen 시와 도르트문트Dortmund 시의 탄광이 마지막으로 폐쇄됐다. 이후 겔젠키르헨 시뿐만 아니라 루르 지역 전체의 실업률이 급속도로 증가해 1950년 말 50만 명이었던 종사자가 1990년대 말에는 9만 명으로 감소했다. 이처럼 실업률의 급속한 증가와 공업화로 인한 도시의 공간적 질, 즉 환경오염 등은 결국 1961년부터 루르 지역의 인구를 지속적으로 감소시키는 원인이 됐고, 이러한 현상은 현재까지 나타나고 있다. 겔젠키르헨 또한 1972년 약 32만 명이었던 인구가 2010년에는 약 26만 명으로 지속적인 인구감소 현상을 나타내고 있다.

이러한 경제적·사회적·환경적 문제를 극복하기 위해 루르 지역과 노르트라인베스트팔렌Nordrhein-Westfalen 주정부, 기업 등이 협력해 1989년 10년 장기 프로젝트를 시작했다. 이것이 바로 국제 건축박람회 엠셔 공원Internationale Bauausstellung Emscher Park(1989~1999)이라는 지속가능한 지역발전 프로젝트다. 이 프로젝트는 루르 지역 서부 뒤스부르크Duisburg에서 동부 도르트문트에 이르는 엠셔 강과 길이 70km, 면적 320㎢의 지역 녹지축을 중심으로 주변 도시들(17시, 2군)이 공동으로 추진한 지역협력체계 기반 지속가능한 도시개발 프로젝트다. 프로젝트의 핵심 분야로는 공업화로 인한 환경오염지역의 조경 및 자연공간 재생, 엠셔 강과 주변 지역의 생태 복구, 라인헤르네Rhein-Herne 운하 주변의 자연녹지와 여가기능 공간 창출, 폐쇄된 옛 공장건물의 산업문화재화, 노동주변공간의 변화('공원에 노동'), 친환경적 주거단지와 주거건축, 태양에너지 발전시설 및 건축, 사회적·문화적 기능 향상, 길이 230km의 자전거도로 개발 등 환경적·경제적·사회적·문화적 목적과 방향을 설정하고 추진했다.

친환경 도시

겔젠키르헨 시는 더 이상 탄광도시, 공업도시가 아닌 친환경 도시, 솔라Solar 도시(태양에너지산업을 중점적으로 추진하는 도시)로 탈바꿈하기 위해 노력하고 있는 대표적인 도시다. 엠서 공원 프로젝트와 함께 최근 추진한 친환경 모델들은 다른 도시에 모범사례가 되고 있다. 대표적인 모델은 비스마르크Bismarck 솔라 주거단지, 비스마르크 기독교종합고등학교, 쿠퍼스부슈Kueppersbusch 단지, 셴켈베르크Schenkelberg 단지 등이다.

■ 비스마르크 솔라 주거단지

이 주거단지는 주정부에서 추진하고 있는 '50 태양에너지 주거단지' 프로젝트이자 루르 지역에 첫 번째로 건설된 태양에너지 주거단지이며, 물과 도시를 함께 고려한 지속가능한 주거단지 모델이다.

옛 탄광지역이었던 이 주거단지는 현재 약 4ha 면적에 태양에너지 생산과 절약을 고려해 대부분 남향구조의 71개 연립주택형으로 건축됐다. 각각의 주택건축물에는 $5m^2$ 면적의 집열기Solarcollector를 설치하고, 온방에 필요한 에너지는 최소에너지 절약기준에 따라 35~45%로 규정했으며, 에너지 절약형 건축을 위해 16개의 주택은 석조형, 그리고 22개의 주택은 목재건축양식으로 건설됐다.

겔젠키르헨 시가 솔라 도시로 새롭게 태어나기 위한 대표적인 모델 중 하나인 이 주거단지는 앞으로 약 $1000m^2$ 면적에 주거단지(12ha), 산업단지(11ha)와 녹지, 물이 함께 조화를 이루는 자연공간(50ha)

| 비스마르크 솔라 주거단지

▌녹지 지붕, 우수 및 태양에너지 건축으로 된 비스마르크 고등학교

을 계획하고 있으며, 약 5000개의 새로운 일자리 창출을 기대하고 있다. 그 외에 1951년 탄광 종사자를 위해 1만 2069㎡ 면적에 건립된 옛 주거단지를 솔라 건축으로 리모델링한 린덴호프Lindenhof 주거모델은 겔젠키르헨 시뿐만 아니라 연방정부 재생에너지 정책의 재개발 단지 사례지역의 대표적 예로 평가되고 있다.

■ 비스마르크 고등학교와 주변 생태주거단지

생태건축학교 모델인 비스마르크 학교 건물은 독일의 건축가 페터 휴브너Peter Huebner에 의해 건물 전체가 생태건축으로 설계됐으며, 특히 녹지 지붕과 우수관리 시스템, 태양에너지 시설 등으로 구성된 독일의 대표적인 에너지 절약형 생태건축이다.

특히 비스마르크 솔라 주거단지의 반대편에 개발된 생태주거단지는 사회 중산층의 주택 마련을 위해 건축 시공에서부터 완공에 이르기까지 입주자가 직접 건설에 참여하게 해 건설비용을 절감할 수 있도록 했으며, 건축자재 또한 재활용 건축자재를 사용해 설계된 하나의 건축비 절감형 생태주거단지로 공간계획 분야에 좋은 사례지역으로 알려져 있다.

■ 쿠퍼스부슈 생태주거단지

도시 외곽에 위치한 이 지역은 옛 전자제품을 생산하는 쿠퍼스부슈 회사가 있던 지역을 생태주거단지로 재개발한 곳이다. 1990년에 국제공모전을 시행했으며, 이 공모전에는 다수의 건축가 및 단체가 참여해 코발스키Kowalski팀의 작품이 작품을 실현했다. 주거단지 형태는 친환경적 건축양식과 다양한 가족구성원이 입주할 수 있도록 사회적 기능도 함께 고려해 설계됐다. 특히 단지 내에 건립된 유치원은 장애자와 건강한 어린이가 함께 생활할 수 있도록 했다. 생태적 측면에서는 가능한 한 도로포장을 막는 대신 녹지와 산책로를 건설하고, 단지 전체에 우수관리 시스템을 설치해 단지 중앙에 건설된 연못으로 연결했으며, 녹지 지붕과 에너지절약형 건축재료 등을 이용해 에너지를 최대한 절감할 수 있게 했다.

■ 센켈베르크 주거단지

이 주거단지는 원래 1970년대 탄광에 종사하는 노동자들을 위해 건축된 하나의 전원도시형 주거단지였다. 그러던 이 지역이 1990년 스위스 건축가 롤프 켈러Rolf Keller에 의해 건물의 리모델링 단지와 기존의 광산지역에 있던 옛 주거건축물이 조화를 이룬 새로운 친환경 주거단지로 개발된 것이다. 특히 새로운 녹지와 조경 등을 고려해 주거공간의 질을 향상시킨 모델로 새롭게 재개발됐으며, 1903년부터 생성된 주거단지는 문화재보호와 에버니저 하워드Ebenezer Howard의 전원도시 아이템을 살린 새로운 전원형 주거단지 모델로 다시 태어났다.

일하기 좋은 경제적 솔라 도시

겔젠키르헨 시의 친환경 정책은 주거 및 학교뿐만 아니라 도시경제 발전 분야, 미래지향적 경제정책에도 영향을 미치고 있다. 그동안 노르트라인베스트팔렌 주는 독일

의 석탄 및 철강 산업을 이끌어온 루르 지역을 중심으로 독일 전체 에너지 생산량의 약 3분의 1을 차지해왔으며, 이제는 재생에너지 분야, 특히 태양에너지 분야에서 선도적 역할을 담당하기 위해 적극적인 정책을 추진하고 있다.

무엇보다도 겔젠키르헨 시는 유럽 최대 규모의 화력발전소 E.ON 등과 함께 에너지산업을 이끌어온 대표적 도시지만, 이제는 태양에너지산업 분야의 성장으로 독일뿐만 아니라 유럽의 솔라 도시가 되기

Shell Solar 공장과 태양에너지 정보센터

위해 노력하고 있다. 그 예로 현재 루르 지역의 'Solar-dreieck(태양에너지 삼각지)'라 불리는 세 곳 중 두 곳이 겔젠키르헨 시에 위치하고 있다.

그 첫 번째는 세계에서 가장 큰 규모와 가장 현대화된 시설을 갖춘 Shell Solar 독일 공장과 태양에너지 정보센터Photovoltaik Informations-Zentrum: PIZ다. 특히 Shell Solar 생산공장은 1시간당 1200solar cell의 생산능력을 가지고 있으며, 겔젠키르헨 시는 이를 통해 연간 약 100MW의 에너지를 생산하고, 약 20%의 에너지 비용을 절감하고 있다.

두 번째로 태양에너지 연구, 마케팅과 생산을 할 수 있도록 설립된 Wissenschaft-spark(학문공원)라는 첨단산업단지가 겔젠키르헨 시에 위치하고 있다. 이곳은 1816년 라인엘베Rheinelbe 탄광이 설립돼 석탄산업과 철강산업의 발전을 이끌어오다가 1995년에 첨단산업단지로 재개발됐다.

또한 혁신적·건축적 특성을 고려한 태양에너지 건축으로 건립된 겔젠키르헨 시가 미래 경제발전을 위해 투자하고 있는 곳이 Technology Center다. 이는 에센, 보훔Bochum, 도르트문트 대학들과 밀접하게 연결돼 있는 지리적 입지조건을 이용해 연구 및 실험 등 학문적 분야의 서비스 관련업과 재생에너지 관련 생산, 바이오기술 분야를 중점적으로 발전시키기 위해 설립됐으며, 2003년에 연구소 등 6개 분야의 약 33개 업체가 입주했

다. 센터건물 지붕은 세계적 규모의 태양열발전시설로 4가구(4명 기준)가 1년 동안 필요로 하는 에너지를 대체할 수 있는 규모다.

세 번째는 겔젠키르헨 시와 밀접하게 위치한 헤르네Herne 시의 태양에너지 교육을 위해 옛 탄광지역에 목재와 유리 태양광 모듈Glass Fotovoltaik Module로 설계된 아카데미 몽세니Akademie Mont-Cenis가 있다. 이곳은 교육시설, 시민강당, 시립도서관과 주거단지, 조경 및 녹지단지 등으로 구성돼 있다. 이와 같이 겔젠키르헨 시는 석탄산업과 철강산업의 몰락으로 인한 경제적 위기를 극복하기 위해, 1차 에너지산업에 대한 오랜 경험을 토대로 최근 미래산업으로 중요시되고 있는 재생에너지산업, 특히 태양에너지산업에 적극적으로 투자하고 있다. 또한 그들의 정책과 노력이 아직은 뚜렷한 결과를 보여주지 못하고 있지만, 친환경 건축과 주거환경을 개발해 도시의 공간적 질을 향상시킴으로써 도시의 경제적 전망을 밝게 해주고 있다. 그 예로 지난 2003년 알렌스바흐Allensbach 여론조사 연구소가 독일의 25개 도시에 입주한 업체들을 대상으로 '독일에서 가장 일하기 좋은 도시'를 조사한 결과 라이프치히Leipzig, 브레멘Bremen, 카를스루에Karlsruhe 다음 순위를 차지하기도 했다.

문화 및 녹색 도시

겔젠키르헨 시의 북부에 위치하고 있는 조경공원인 Nordsternpark는 1868년 당시 주정부의 석탄정책에 따라 노르트스테른Nordstern이라는 이름으로 건설된 탄광지대였다. 100ha 면적의 이 탄광지대는 1993년에 폐쇄됐다가 1997년 연방정원전시회Bundesgartenschau(BUGA)를 계기로 재개발됐다. 이 공원은 독일에서 옛 탄광지대에 연방정원전시회가 처음 시행된 곳이며, 지역정책에서도 의미 있는 모델이다.

특히 이 프로젝트는 엠서 강과 라인헤르네 운하를 중심으로 남북으로 분리해, 북부단지에는 옛 탄광지대의 공장건축물 모습을 최대한 보존해 과거 광산업을 산업문화재로 발전시켰다. 도시의 공업화에 대한 역사적 묘사(예를 들어, 석탄 언덕, 지하 탄광현장 보존관리 등)를 통해 도시 역사의 자부심을 갖게 하고, 또한 일자리 창출을 위해 새로운 서비스업을 중심으로 한 신산업단지로 개발하기 위한 것이다. 특히 노르트스테른 단

태양에너지 연구와 생산을 목적으로 건립된 Wissenschaftspark 첨단산업단지

지는 동서를 연결하는 지역녹지축과 남북을 연결하는 도시녹지축을 함께 고려해 계획
됐으며, 엠서 강과 라인헤르네 운하가 흐르는 남-북 축의 중앙에는 'Amphitheater'라는
운하 야외무대와 정원, 주차시설 등이 위치하고 있다. 단지 남쪽은 어린이 놀이터와 생
태조경공원 등 자연녹지공간을 창출해 시민을 위한 새로운 도시의 문화 및 여가기능을
담당할 수 있도록 사회적·환경적 기능으로 개발돼 시민들이 가장 즐겨 찾는 시민공원
의 역할을 하고 있다.

내일의 도시 – 지속가능한 도시

　　루르 지역은 이제 더 이상 환경오염지역으로 불리는 것을 원치 않는다. 특히 루르 지
역의 중심부에 위치한 겔젠키르헨 시는 탄광도시, 석탄도시가 아니라 솔라 도시, 에너
지기술 및 연구도시, 문화 및 지역의 여가기능을 담당하는 창조적 미래형 녹색도시로
이미지를 바꾸어가고 있다.

무엇보다도 도시발전과 경제적 활성화를 위해 추진하고 있는 정책은 도시외곽 개발에 의한 도시팽창을 억제하고, 오랜 공장 및 산업 지역 등 도시의 공간적 질과 기능을 상실한 지역을 중심으로 친환경 건축 및 주거단지, 산업단지, 조경 및 녹지지역으로 재개발해 도시의 공간적 질과 도시민의 삶의 질을 향상시키고 있으며, 또한 도시의 미래를 밝게 해주고 있다.

150년 이상 독일의 공업화를 이끌어온 루르 지역과 겔젠키르헨 시는 이제 더 이상 산업화 이전의 원래 모습으로 되돌아갈 수는 없다. 지금 그들이 할 수 있는 것은 '내일의 도시, 지속가능한 도시'로 가는 것이다. 엠셔 공원 프로젝트나, 이를 더 구체적으로 발전시키고자 현재 다시 주정부, 지방정부, 기업, 시민단체 등이 협력체계를 이루어 추진하고 있는 '프로젝트 루르Project Ruhr' 등과 같은 혁신적·협력적 도시 및 지역 발전 정책과 계획 등이 그 일환이다. 그리고 하워드의 전원도시를 발전시킨 새로운 전원도시, 산업화 사회의 몰락으로 인한 중심도시의 기능 상실과 정보화 사회에 따른 새로운 공간구조에 따른 도시, 즉 토마스 지버츠Thomas Sieverts가 주장한 'Zwischenstadt(사이도시)'와 같은 새로운 도시 모습을 그려가야 할 것이다.

/ 김정곤(LH 토지주택연구원 도시재생연구실장)

| 참 고 문 헌 |

• Henry Beierlorzer, Thorsten Kankowski, Internationale Bauausstellung Emscher-Park(Gelsenkirchen), Internationale Bauausstellung Emscher Park GmbH. 1996. *Architektur fuer den Strukturwandel.* Internationale Bauausstellung Emscher Park.

• Kommunalverband Ruhr. 1995. Wege, Spuren.

• Projekt Ruhr GmbH. 2004. Masterplan Entwurf Emscher Landschaftspark.

• Reicher, Christa. 2008. Internationale Bauausstellung Emscher Park. Klartext-Verlag.

• Sieverts, Thomas. 2001. *Zwischenstadt - zwischen Ort und Welt, Raum und Zeit, Stadt und Land.* Birkhäuser Verlag.

• Wendelin Strubelt, Dr. Hans - Peter Gatzweiler. 1999. *Projektorientierte Planung - das Beispiel IBA Emscher Park.* Bundesamt fuer Bauwesen und Raumordnung.

코발트빛 바다를 품은 프로방스의 항구도시

마르세유

Marseilles

마르세유 비외 포르와 도심지 전경

마르세유^{Marseilles}는 파리에서 남동쪽으로 약 770km, 리옹에서 약 310km, 니스에서 200km 떨어져 있으며, 남쪽으로 지중해와 북쪽으로 중앙산지인 마시프상트랄^{Massif Central} 사이에 위치하고 있다. 마르세유는 소설이나 영화에서 흔히 볼 수 있는 프랑스 남부를 연상하게 하는 도시다. 작열하는 태양, 넓고 비스듬히 내려오는 산맥자락에 삐죽삐죽 솟아오른 잘 마른 프로방스 허브, 연황색의 기와집 등 지중해의 독특한 정취를 느낄 수 있는 도시로, 오늘의 유럽으로 성장하게 한 지중해 문명의 중심항구도시다.

다른 지중해 도시와 마찬가지로 올리브가 늘어진 초원 옆 작은 공원에서 녹색 파스티스를 한잔 걸친 초로의 노인들이 페탕크라는 쇠구슬치기를 하는 풍경, 전통 음식인 생선수프 부야베스를 먹으면서 핑크와

인을 곁들이는 커플들의 모습, 또 다른 문명을 전달해줄 것 같은 코발트색 지중해 물결, 옛 항구 비외 포르Vieux Port에 정박되어 있는 요트들의 돛 넘어 바닷물이 증발하면서 만들어낸 얇은 안개 사이로 보이는 고건축들의 행진, 이것이 마르세유 도시의 이미지다.

마르세유의 여객항구

지중해에서 가장 오래된 항구도시

기원전 600년경 포카이아Phocaea의 그리스 선원들이 만들어 포카이아인의 도시라고 불렸던 마르세유는 2600년의 역사를 지닌 도시다. 기원전 49년 로마의 율리우스 카이사르에 의해 두 번 침공을 받은 후 함락되어 로마의 나르보내즈Narbonnaise 지방에 귀속된 후 5세기까지 로마제국의 항구상업도시로 발전해 왔다. 중세시대 마르세유는 십자군 원정의 전진 항구기지로서, 북아프리카 진출을 위한 주요 항구로 성장했다.

그러나 14세기 중반 페스트가 마르세유 항구를 통해 들어와 전 유럽이 황폐화되기도 했고, 18세기에 퍼진 페스트로 인해 마르세유 인구의 거의 절반이 사망하기도 했다. 19세기에는 식민지 개척항구로 수에즈 운하 개통과 더불어 항구상업도시로 번성하면서, 인구가 19세기 말 30만 명에서 제2차 세계대전 직전에는 60만 명으로 늘어났다. 1839년부터 1854년까지 물 부족 문제를 해결하기 위해 뒤랑스Durance 강에서 마르세유까지 80㎞의 운하가 건설되기도 했다.

위치 프랑스 프로방스 코트다쥐르 주
면적 240.62㎢
인구 약 98만 명(2012년 기준)
주요 기능 관광

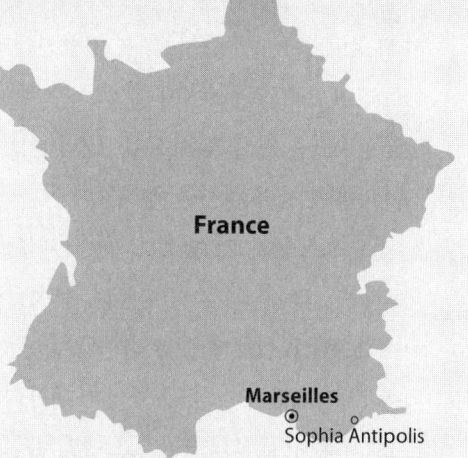

France

Marseilles
Sophia Antipolis

▌ 뒤마의 소설 『몬테크리스토 백작』의 배경이 된 이프 섬

몽테크리스토 백작의 숨결이 느껴지는 이프 섬

마르세유 앞바다에는 알렉상드르 뒤마Alexandre Dumas의 소설 『몬테크리스토 백작』의 배경이 된 이프If 섬이 있다. 일반인에게 마르세유보다 더 잘 알려져 있는 이프 섬은 1500년대 초 포르투갈인들이 리스본Lisbon에서 로마Roma로 코뿔소를 운반하면서 잠시 머물렀던 곳이며, 프랑스 르네상스의 아버지라 불리는 프랑수아Francois 1세는 코뿔소를 보기 위해 이곳을 찾아올 정도였다.

이후 프랑수아 1세에 의해 지어진 이프 성城은 마르세유 최초의 왕가王家 성으로 기록되고 있다. 그러나 1540년경부터 이 성은 정치범을 가두는 감옥으로 사용됐고, 열악한 위생환경으로 이곳에 갇힌 죄수들이 평균 9개월 만에 사망하여 악명이 높은 감옥으로 기록됐다. 악명이 높던 이 돌섬은 뒤마의 스토리텔링에 의해 마르세유의 명소로 거듭나 전 세계에서 '몬테크리스토 백작'을 찾는 관광객으로 연일 붐비고 있다.

갱 영화와 코미디 영화의 배경도시

긴 역사를 지닌 항구도시로 또 산업도시로 번성을 거듭했던 마르세유는 제2차 세계대전과 프랑스 식민지의 독립, 수에즈 운하의 소유권 이전 등을 통해 산업활동이 약화됐다. 그러나 긴 역사를 통해 다양한 인종이 함께 사는 마르세유는 전체 인구의 4분의 1이 아랍과 아프리카에서 이주해 온 외국인으로, 때로는 보이지 않는 긴장이 발생하기도 하고 때로는 다양한 문화에 의해 삶의 리듬을 변화시키고 있다. 끝이 없는 듯 밋밋한 영화, 갱을 다룬 영화, 엉터리 같은 이야기가 이어지고 또 이어지는 코미디 영화 등 다양한 장르의 프랑스 영화에는 마르세유가 배경으로 자주 등장하는데, 그 이유는 마르세유의 다양한 문화와 긴 역사가 풍부한 소재를 제공하기 때문이다.

르코르뷔지에의 빛나는 도시 실험무대

마르세유는 세계적인 건축가이며 도시계획가, '빛나는 도시계획'으로 잘 알려져 있는 르코르뷔지에Le Corbusier로 유명하다. 프랑스 정부는 제2차 세계대전 이후 파손된 마르세유의 주택문제를 해결하기 위한 방안으로 집합건축물을 구상했다. 이 당시 르코르뷔지에는 빛나는 도시의 이론을 실천하기 위해 기둥 위에 지어진 수직 형태의 337개 가구가 있는 집합주거건물을 설계했는데, 그것이 마르세유 뤼니테 다비타시옹L'unite d'habitation de Marseille이다.

이 집합건물에 식료품점, 제과점, 카페, 식당 등 각종 서비스시설과 사무실이 입주할 수 있도록 했고, 일반인들이 출입하도록 설계한 테라

▌옛 항구인 비외 포르

스 지붕에는 유치원, 체육관, 수영장, 옥상정원을 설치했다. 이러한 복합건축물에 대해 좁고 비위생적이며 정신병자 수용소 같은 건물이라고 악평하는 등 프랑스 내 반대 여론으로 인해 건축이 불가능할 정도였으나 결국 1952년에 완공이 됐고, 오늘날 프랑스 근대 건축문화재로 등록되어 세계인이 찾는 명소가 됐다.

프로방스의 중심지, 마르세유의 도시공동체

프랑스에는 3만 6000여 개의 크고 작은 기초지방자치단체가 있다. 이렇게 세분화되어 있는 행정구역은 프랑스 국토관리 및 운영 차원에서 많은 장애가 되기 때문에 지난 1966년 12월 31일 법으로 같은 도시권 기초지방자치단체의 행정구역과 행정업무를 통폐합하여 국토관리 효율성을 높이는 도시공동체 제도를 도입했다. 이 법이 제정된 이후 리옹Lyon, 릴Lille, 스트라스부르Strasbourg는 도시공동체를 설립하고 도시체계를 개선했다. 기존 마르세유를 포함한 18개의 기초지방자치단체도 지난 2000년에 도시공동체를 설립하고, 도시기반시설 확충과 도시서비스 현대화로 지역경제를 활성화하는 정책을 펼쳐나가고 있다.

도시공동체를 설립하기 이전에는 마르세유가 프랑스에서 파리 다음의 주요 도시임에도 불구하고 도시면적과 인구규모 면에서 기타 도시공동체 도시보다 뒤떨어졌다. 마르세유 도시공동체의 인구는 현재 약 160만 명으로 프랑스에서 세 번째로 주요한 도시권으로 발전했다.

마르세유 도시공동체는 도시발전종합계획의 일환으로 도시이동계획Le Plan de Deplacement Urbains: PDU을 마련했다. 이 중 괄목할 만한 것은 도심에 트램웨이를 설치하여 시민들에게 보다 편리한 공공교통 서비스를 제공하고 또 외부 방문객들이 보다 쉽게 접근하여 관광을 즐길 수 있도록 하는 것이다. 또한 공공교통의 확충으로 기존 도심과 외곽을 연계하여 도시 전체의 균형발전을 도모하는 것이다.

마르세유의 재도약을 위한 유로 메디테라네 프로젝트

마르세유가 지중해의 중심항구도시라는 과거의 영광은 20세기 후반을 지나면서 점

┃ 마르세유 도심의 트램웨이

차 퇴색했다. 리옹이나 릴 그리고 스트라스부르에 비해 파리와 지리적으로 먼 곳에 위치해 있다는 측면도 있지만, 마르세유가 쉽게 과거의 영광을 찾을 만한 계기도 없었다. 그러나 도시공동체 구성과 더불어 유럽연합에 의한 지역개발정책이 활성화되면서 마르세유는 새로운 모티브를 얻게 됐다. 마르세유 도시공동체 종합발전계획으로 마르세유의 구시가지 정비계획인 유로 메디테라네Euro Méditérranée를 마련하면서 새로운 변화와 발전을 시도하기 시작한 것이다.

　유로 메디테라네, 즉 마르세유 유럽·지중해 중심 도시계획은 프랑스 최대의 도시 재정비 사업이며, 유럽과 지중해의 문화와 경제 교류를 위한 공간 프로젝트다. 유로 메디테라네는 '지중해 지역 공동번영 존'의 일환으로 마르세유를 첫 번째 시범도시로 지정하여 그 사업을 지원하고 있다. 프랑스 중앙정부는 마르세유의 역사·지리적 위치로 인해 그 중요성을 인정하고, 마르세유를 유럽과 지중해를 연결하는 중심지로 발전시키기 위해 유럽연합과 지중해 국가 간의 협조를 받아 지중해 문화와 문명의 이해와

유로 메디테라네 프로젝트 대상지(http://www.euromedite
rranee.fr/districts/introduction/le-projet-urbain.
html?L=1)

대화, 경제교류와 지식개발을 위해 유로 메디테라네 특구를 설치한 것이다.

1996년부터 진행되어온 유로 메디테라네 프로젝트에는 자하 하디드Zaha Hadid, 장 누벨Jean Nouvel, 이브 리옹Yves Lion, 마시밀리아노 푹사스Massimiliano Fuksas, 루디 리시오티Rudy Ricciotti, 장폴 비귀에Jean-Paul Viguier 등 세계적으로 잘 알려져 있는 수많은 건축가들이 참가하여 마르세유의 새 얼굴을 디자인하고 있다. 또한 이 프로젝트에 Difa, Axa Reim, Oppenheim, BNP Paribas, Starwood, ING, Lonestar 등 세계적인 기업들이 투자하고 있으며, 일부는 인프라 구축을 위한 공사를 진행하고 있다.

유로 메디테라네의 라 졸리에트 구역은 국제업무지구로 개발하고 있으며, 현재까지 16만㎡의 건물이 신축됐고, 2012년까지 30만㎡가 추가로 건축될 예정이다. 이곳에 세계 수자원자문위원회를 비롯하여 Ubifrance, Anima, la Mission Iter, IAFD 등의 국제기구가 설치되며, CMA CGM, Compass Group, Telecom Italia, NYK, BNP Paribas, DHL 등의 기업들이 진출할 계획이다.

국제업무서비스를 지원하기 위해 7만㎡의 유로메드센터가 건립되며, 이곳에 컨벤션센터, 뤼크 베송Luc Besson 멀티플렉스, 4성급 호텔 등을 배치할 방침이다. 그리고 유럽과 지중해 문명박물관, 2200석 규모의 연극 및 뮤지컬 공연장, 테라스 항구 등을 설치하여 새로운 지중해 해양도시 경관을 구현한다.

특히 'Le Pole Media Belle de Mai'에는 2만 6000㎡의 공간에 영화 및 멀티미디어를 상

영할 수 있는 시설 등을 설치하여 문화산업의 새로운 기술발전을 통해 경제 활성화를 도모하고 있다. 마르세유의 19세기 문화재 중 생 샤를 역, 마조르 대성당 및 산업문화유산 등 역사문화유산에 대한 재가치를 부여하고, 해양센터를 설치하여 해양과 관련된 과학자료 및 전시장으로 활용한다.

유로 메디테라네 프로젝트에는 마르세유–프로방스 지방의회, 마르세유–프로방스 상공회의소와 지중해 상공회의소, 프랑스 개발공사와 경제·재정 및 은행 교육센터, 지중해 연구소, 유로 메디테라네 투자협력공사, 세계은행 연구소, 지중해 신용금고, 세계 기업개발원, 유로 메디테라네공사 등이 참여하고 있다. 여러 참여기관 및 기업 중, 유로 메디테라네공사가 마르세유 도심 재개발 프로젝트를 수행하는 주요 업무는 다음과 같다.

첫째, 마르세유 시가 국제중심도시로 발전하도록 이에 필요한 문화, 경제, 교육 분야에 필요한 시설을 확충하고, 바다에 대한 접근성, 녹지공간, 공공시설, 이동시설 등을 포함한 도시정비를 통하여 도시의 삶의 질을 높인다. 둘째, 지중해 지역에 지속된 고용문제를 해결하기 위해 일자리를 창출한다. 셋째, 사회계층의 통합과 주거환경 개선을 위해 주택 신축프로그램을 계획하며, 사회통합 차원에서 사회약자에게 주거를 제공하도록 한다. 넷째, 일반 시민으로부터 관심이 멀어진 공공공간의 재가치 부여를 통해 과거의 명소의 명성을 되찾는 프로그램을 계획한다. 다섯째, 오래된 학교의 재건축과 탁아소, 유치원, 어린이집 등 공공시설을 확충해 오랫동안 슬럼화됐던 지역에 활력을 불어넣는다.

유로 메디테라네 프로젝트의 주요 목적 중 하나는 프랑스 및 국제기업의 진출을 도모하며, 이외에 생활구역의 삶의 질을 개선할 수 있는 자유업, 가내수공업, 주거 주변 소규모 상업, 중소기업들의 진출도 지원하고 있다. 그 결과 1997~2007년 기간 동안 800여 개 회사의 창업과 진출로서 약 1만 9000명의 일자리를 창출했다.

메디테라네 중심지 재개발 계획으로 옛 항구인 비외 포르와 아랜 사이에 위치한 메디테라네 중심지를 새로운 개념으로 재개발한다. 이곳에 긴 역사 동안 중첩되어 있는 항구시설 내에 문화, 교육, 과학, 서비스 등의 시설을 입지시켜, 슬럼화된 지역에 새로운 활력을 되찾아 마르세유가 유럽과 지중해에서 문화와 경제 교류의 주요한 역할을 하도록 한다.

지중해의 항구도시에서 세계 경쟁력의 도시로

지난 20세기에 유럽 대부분의 항구도시가 겪었던 것과 같이 마르세유도 산업활동의 퇴조와 파업 등으로 활력을 잃어버리고 쇠락한, 빛이 바랜 역사도시였다. 그러나 20세기 후반부터 도시공동체를 구성하고 함께 발전하고 변화하는 공존 시스템 정책을 펼쳐나가면서 새로운 돌파구를 마련하고 있다. 쓸모없이 비어 있던 독dock과 항구 부지를 유로 메디테라네 프로젝트로 새로운 역동성을 찾아내고 있다. 그리고 유럽연맹의 지원에 힘입어 과거 지중해 중심 항구도시에서 세계 경쟁력이 있는 도시로 발전을 꾀하고 있다.

여기서 우리에게 시사점을 주는 것은 지방자치단체가 스스로 공동이익을 위해, 또 변화를 모색하기 위해 공동협력체계를 추진했다는 점이며, 이에 프랑스 정부와 유럽연합이 지원하는 유럽공동체계가 존재한다는 점이다.

• 사진 제공: 에트왈프랑스

/ 홍석기(서울연구원 연구위원)

| 참 고 문 헌 |

• A. Hermary, H. Tréziny éd. 2000. *Les cultes des cités phoceennes, actes du colloque international, Aix-en-Provence, Marseille*. Marseille: Edisud.
• Lionel HEINIC. 1998. Marseille. Rennes: Ouest-France.
• http://fr.wikipedia.org/wiki/Marseille
• http://www.euromediterranee.fr
• http://www.marseille.fr/vdm/jsp/index.jsp

과학과 경제, 예술의 첨단산업지구

소피아앙티폴리스

소피아앙티폴리스 도심 전경(© Shakti, 위키피디아)

소피아앙티폴리스Sophia Antipolis는 프랑스 남부 지중해의 코트다쥐르Côte d'Azur 해안의 이탈리아와의 접경지역에 소재하고 있다. 이곳은 영국의 케임브리지Cambridge와 함께 유럽 최대의 첨단산업단지로 인구 약 30만 명에 가까운 해안 관광도시 니스Nice에서 12km 떨어진 지점에 위치하고 있다. 소피아앙티폴리스의 면적은 2400ha(약 726만 평)인데, 이는 하나의

독립된 행정구역이 아니고 앙티브Antibes, 비오Biot, 발본Valbonne, 발로리스Vallauris, 무쟁Mougins 등 5개의 코뮌commune(기초자치단체)에 걸쳐 있으며, 26개 레지옹région(광역자치단체) 중에서 프로방스알프코트다쥐르 Provence-Alpes-Côte d'Azur: PACA에 속해 있다.

소피아앙티폴리스라는 명칭은 피에르 라피트Pierre Laffitte 상원의원이 지은 것으로 '소피아Sophia'는 그리

스어로 '지혜'를 의미하는데, 이는 1960년대 초부터 오늘날까지 지속적으로 소피아앙티폴리스의 조성사업을 추진해온 라피트 의원 부인의 이름이기도 하다. '앙티폴리스Antipolis'는 5개의 코뮌 중 가장 잘 알려진 앙티브에 '도시'란 의미의 '폴리스Polis'가 합쳐진 명칭이다.

소피아앙티폴리스의 성장과정

소피아앙티폴리스는 라피트라는 한 개인의 의욕적이고 지속적인 노력의 결과로 조성됐다. 라피트 의원은 소피아앙티폴리스로부터 얼마 떨어지지 않은 생폴드방스Saint-Paul-de-Vence 출신으로 1960년대 초부터 파리 국립광산학교École Nationale Supérieure des Mines de Paris의 교수로 재직하고 있었다. 그는 1960년대 초 ≪르몽드Le Monde≫에 기고한 "들판의 라틴구역Le Quartier latin aux champs"이란 글을 통해 과학과 문화, 도시가 어우러진 새로운 개념의 삶과 일의 터를 조성할 것을 제안했다. 그는 파리 국립광산학교의 부학장을 거쳐 상원의원에 당선됐으며, 80세가 넘은 지금에 이르기까지 전 생애를 소피아앙티폴리스를 위해 헌신적으로 일해왔다.

라피트는 정부와 대학, 의회의원 들을 접촉·설득해 1969년 소피아앙티폴리스 협회Association Sophia Antipolis라는 조직을 결성했고, 그 이듬해에는 이 조직이 주체가 돼 5개의 코뮌에 '개발유보지역Zone d' Aménagement Différé'을 만들도록 유도했다. 1972년에는 2400ha에 달하는 이 지구의 개발계획을 정부부처 간 합의로 승인하게 했으며, 부지조성 및 입주회사의 유치 등과 같은 실질적인 사업을 추진하기 위해 발본 정비시설혼합조합Syndicat Mixte pour l'Améagement et l'Equipement du Plateau de Valbonne: SYMIVAL을 설립했다. 이 조합은 1972년 개발예정 부지에 대한 토지이용계획을 확정해 전체 면적의 3분의 1을 혁신기술, 주택 등을 위한 지역으로 개발하고, 나머지는 그린벨트로 지정해 자연과 환경이 공존하는 첨단산업 집적지로 조성하기 시작했다.

위치 프랑스 남부 코트다쥐르 주
면적 240만㎡
인구 약 39,000명(2008년 기준)
주요 기능 경제산업

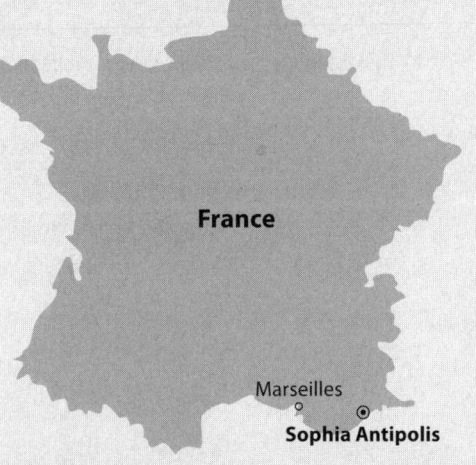

France

Marseilles

Sophia Antipolis

소피아앙티폴리스의 입주업체들

소피아앙티폴리스의 근처에는 1960년대 초부터 전통적 의미의 산업단지가 있었다. IBM은 라고드La Gaude 코뮌, 텍사스 인스트루먼트Texas Instruments는 빌뇌브루베Villeneuve-Loubet 코뮌에 각각 입주해 생산활동을 하면서 유럽 진출의 전초기지로 성장하고 있었다. 이어서 1965년에는 니스에 니스대학이 설립됐고, 1970년에는 국립농학연구원INRA 등과 같은 과학기술 관련 실험시설 및 연구기관이 그라스Grasse, 라투르비에La Turbie, 앙티브 등과 같은 인접 코뮌에 입주하기 시작했다.

소피아앙티폴리스는 1970년대부터 서서히 성장하기 시작했다. 1974년 이후 1980년대 초반까지 입주한 기업으로는 오늘날 300명을 고용하는 연구개발회사로 성장한 프랑스 정유회사의 자회사 FRANLAB가 대표적이며 1974년에 입주했다. 또한 스위스의 롬앤하스Rohm & Hass가 1975년 입주했다. 라피트가 재직했던 국립광산학교의 분교 역시 1976년 소피아앙티폴리스로 확장·이주했다. 1976년에는 프랑스 최대의 국립과학기술원CNRS, 1977년에는 프랑스의 대표적 항공사인 프랑스항공Air France의 예약센터, 그리고 세계 굴지의 컴퓨터 관련 회사인 디지털 이퀴프먼트Digital Equipments의 유럽지사(1980) 등이 잇달아 소피아앙티폴리스에 입주했다.

소피아앙티폴리스의 성과

소피아앙티폴리스에는 아마데우스 사스Amadeus SAS와 같이 종업원 1100명가량의 대기업, 종업원 750명의 톰슨 말코니 소나Thomson Marconi Sonar 등이 입주하고 있다. 그 외에도 컴퓨터 제어 및 3차원 이미지 관련 기술을 연구·개발·설계하는 국립정보처리자동화연구원INRIA이 700명의 종업원을 보유하고 있다.

소피아앙티폴리스는 전자, 로봇, 전자통신 분야의 연구개발 활동이 주류를 이루고 있고, 생명 및 의료과학, 화학 등을 중심으로 하는 다국적 기업과 프랑스 기업, 그리고 소규모 파생기업들이 있다. 그 외에도 첨단과학기술과 무관한 연금보험 관리공단, 단지 관리를 책임지고 있는 소피아앙티폴리스 혼합경제회사Société Anonyme d'Economie Mixte Sophia Antipolis: SAEM, 초중등학교, 그리고 각종 지원시설 및 주택단지 등이 대학, 연구소 등과 공존하고 있다.

주거단지의 경우 1981년과 1988년 사이 총 1300세대가 건설돼 단지 내 거주인구가 6000명 정도 되는 것으로 파악된다. 지원시설로는 200개 정도의 점포, 식당, 서비스기관, 용역회사, 전문가협회 등이 있으며, 이들의 지역 내 혹은 국제적 교류를 활성화하기 위해 각종 기관과 단체 및 협회가 활발하게 활동하고 있다.

2004년 현재 소피아앙티폴리스는 총 1227개의 업체에 2만 5900명의 종업원을 수용하는 세계 굴지의 첨단산업단지로 성장했다. 그 회사

▌소피아앙티폴리스 입주업체 안내도

들 가운데에는 148개의 외국 회사가 있으며, 종업원 가운데에는 총 4000명의 고급 연구 인력이 있는 것으로 파악된다. 소피아앙티폴리스는 이와 같이 자연과학, 전자, 로봇, 전자통신 분야의 연구개발 활동이 주류를 이루고 있고, 생명과학, 의료과학, 화학 등을 중심으로 계속 성장하고 있다.

소피아앙티폴리스에 대한 평가

　1970년대는 국제적인 경기침체로 유럽과 북미의 선진국들이 전반적으로 많은 어려움을 겪었다. 그러나 이러한 전반적인 경기침체하에서도 미국의 실리콘밸리, 독일의 바덴뷔르템베르크Baden-Württemberg, 이탈리아의 에밀리아로마냐Emilia-Romagna, 영국의 케임브리지 등은 국지적으로 첨단과학 혹은 숙련기술을 중심으로 역동적인 지역경제를 유지하고 있었다.

　첨단산업 집적지로 계획된 소피아앙티폴리스는 조성을 시작한 지 20년이 지난 1990

년대 전반에도, 개발된 부지가 대부분 분양될 만큼 기업의 유치에는 성공했으나, 입주기업에 의한 지역경제에의 파급효과가 크지 않았고 단지 내 혁신적인 환경이 조성되지 못했다. 입주기업들은 프랑스가 갖는 국가적 이미지와 리비에라 해안이라는 지역의 이미지를 활용해 소피아앙티폴리스를 단순히 유럽 진출의 교두보로 활용하는 것에 관심이 있었고, 단지 내 다른 입주기업이나 주변지역의 경제와 깊은 관계를 형성하지는 못하고 있었다. 즉, 소피아앙티폴리스에는 서로 다른 분야의 기업들, 서로 협동을 요하지 않는 기업들이 집적돼 있어서 지역혁신의 핵심적인 개념이라 할 수 있는 연구인력 간, 연구기관 간 교류를 통한 시너지 효과가 나타나지 않았다.

그러나 1990년대 후반부터 소피아앙티폴리스의 환경에 변화가 일어나기 시작했다. 이때부터는 국립정보처리자동화연구원INRIA, 국립과학기술원CNRS 등과 같은 대규모 연구기관으로부터 파생기업이 출현했고, 각종 전문가, 기업가 단체의 출현으로 단지 내 기업 간, 연구기관 간 역동성이 발생했으며, 각종 국제적 교류도 일어나기 시작했다. 소피아앙티폴리스 재단Fondation Sophia Antipolis 등과 같은 재단이 전문가 단체의 결성을 권장했고, 단지 내 근무자와 거주자의 삶의 질을 향상시키기 위해, 혹은 교류의 활성화를 위해 각종 문화행사를 개최했다. 그 결과 소피아앙티폴리스는 유럽 최고의 첨단산업 집적지로 정보통신 및 전자, 의학 및 생명과학, 화학 및 에너지 부문의 과학과 기술의 발전에 중요한 역할을 담당하게 됐다.

소피아앙티폴리스는 결국 단지를 계획적으로 조성해 대규모 국제적 혹은 국가적 연구소, 대학, 기업체 등을 유치하는 데 성공했고, 이들로부터 파생기업이 출현하기 시작했다. 또 단지 내 다양한 단체와 협회 등의 활동으로 이들 간의 활발한 교류가 발생해 혁신적 환경도 조성되기 시작했다. 이제 그 부지를 확장하지 않으면 안 될 만큼 수요가 늘어나고 있으며, 과거 소피아앙티폴리스에 관여하지 않았던 주변의 코뮌조차 이 사업에 참여할 것을 요청할 만큼 긍정적으로 평가되고 있다.

소피아앙티폴리스가 주는 이론적·정책적 시사점

소피아앙티폴리스의 성장과정, 그리고 최근의 변화가 지역혁신체제론적 측면에서 시사하는 바는 무엇일까? 지역혁신체제와 관련된 중요한 논란거리 중의 하나는 계획적으로 조성된 첨단산업지구에서도 역동적인 혁신환경이 형성될 수 있는가 하는 것이다. 소피아앙티폴리스의 사례는 그것이 가능하다는 것을 증명했다고 본다. 비록 1990년대 중반까지는 소피아앙티폴리스에 대한 비판적인 시각이 주를 이루고 있었지만(Castells and Hall, 1994; Longhi and Quere, 1993 참조) 그 후 긍정적인 변화가 발생하고 있고, 그러한 소피아앙티폴리스의 변화는 인위적으로 조성을 시작한 첨단산업 연구단지를 통해 기대했던 효과를 거둔 실례를 제공하는 것으로 판단된다.

소피아앙티폴리스의 이러한 경험은 첫째, 첨단산업 집적지를 조성하기 시작한 지 20년은 지나야 기대했던 효과를 볼 수 있다는 것을 입증하고 있다. 또한 계획적으로 첨단산업 집적지를 조성하는 데에는 헌신적인 혁신가가 필요하다는 것을 보여준다. 소피아앙티폴리스는 라피트 의원의 아이디어에서 출발했고, 이후 라피트 의원이 지속적이고 열성적인 노력을 경주했으며, 40년이 지난 지금까지도 그는 소피아앙티폴리스 재단의 이사장으로 있으면서 내부적 발전은 물론 국제적인 연계를 활성화하기 위해 노력하고 있다. 과연 라피트 의원의 노력이 없었다면 오늘날의 소피아앙티폴리스가 있을 수 있었는지 의심하지 않을 수 없다.

둘째, 첨단산업지구에서 혁신환경이 형성되는 데에는 입주한 기업과 연구기관의 역할이 크다는 것이다. 이는 두 가지 차원에서 설명될 수 있는데, 하나는 입주기업과 연구기관으로부터 파생기업이 나타나는 것이고, 다른 하나는 연구기관 혹은 교육기관이 주변기업에게 기술을 지원해주는 것이다. 소피아앙티폴리스 내에서 창업한 리얼비즈 Realviz와 같은 기업의 경우 창업자가 소피아앙티폴리스 소재 국립정보처리자동화연구원의 과학자와 공동으로 창업한 사례로, 창업 후에도 국립정보처리자동화연구원과 지속적인 관계를 유지함으로써 기술적 도움을 받고 있어서 전자를 뒷받침하는 증거가 된다(신동호, 2004, 2005 참조).

셋째, 각종 단체 및 협회의 역할이 중요하다는 것이다. 소피아앙티폴리스의 혁신환경이 조성되는 과정에서 국립정보처리자동화연구원과 같은 대규모 연구소들은 기술이 전을 장려하고 파생기업을 창출할 수 있도록 여건을 조성했다. 그리고 정부에서도 창업 보육센터를 마련하는 등의 역할을 했다. 그러나 이러한 공식적인 노력 외 각종 전문가 단체, 협회, 재단 등 비정부 조직의 역할도 중요하게 작용했다. 소피아앙티폴리스 재단, 소피아앙티폴리스 창업 클럽Sophia Start-up, 첨단기술 클럽Hi-tech Club, 텔레콤밸리Telecom Valley 등의 출현이 소피아앙티폴리스 내에서 혁신환경이 조성되는 데 중요한 역할을 한 것으로 파악된다(신동호, 2004, 2005 참조).

넷째, 문화의 역할이다. 타 첨단산업 집적지와 달리 소피아앙티폴리스의 성장을 지원하는 수단으로 문화가 동원됐고, 그를 통해 상당한 성과를 나타내고 있다는 것이다. 사실 프랑스는 문화적으로 앞선 나라이고, 정치, 경제, 사회 전반에서 문화가 차지하는 영역이 큰 나라다. 소피아앙티폴리스는 초기단계부터 과학과 경제에 문화가 조화된 첨단산업지구를 추구했고, 이러한 아이디어는 오늘날까지도 이어져 문화행사를 통해 교류의 장을 조성하고 그로부터 혁신환경을 만들어내려는 노력이 호응을 받고 있다. 이런 점에 착안해 한국도 각종 경제 및 과학정책의 추진과정에 문화활동을 가미한다면 국민들의 문화적 욕구를 충족시키면서 정책의 목표도 달성할 수 있지 않을까 생각된다.

다섯째, 단지 내 기업, 지원기관, 전문가 등이 참여하는 단체와 협회는 물론 일반 시민단체 등도 소피아앙티폴리스 내 혁신환경이 조성되는 데 기여하고 있다는 것이다. 이는 계획적으로 조성된 첨단산업단지에서 혁신환경을 형성하기 위해서는 단체 및 협회 활동이 필요하다는 것을 시사한다. 소피아앙티폴리스에는 순수 민간협회가 있어서 과학자 가족의 정착을 지원하고 있다.

결론적으로 소피아앙티폴리스는 조성이 시작된 이후 1990년대 초까지 한국의 대덕 연구단지나 일본의 쓰쿠바연구학원도시처럼 입주기업이나 연구기관 간 활발한 교류, 파생효과, 시너지효과 등이 나타나지 않았다. 그래서 마누엘 카스텔Manuel Castells이나 피터 홀Peter Hall과 같은 많은 학자들로부터 비판의 대상이 되곤 했다(Castells and Hall, 1994). 그러나 앞에서도 언급했듯이 최근에 와서 다소의 변화가 발생하고 있다. 비록 그 변화의 정도가 획기적인 것이 아니고 역동성의 정도도 아직은 미약하지만 변화가 시작됐다는 측면에서 의미가 있고, 관광산업만이 희망이었던 프랑스 남부지방의 황무지에 유럽 최대의 첨단산업지역을 조성했다는 사실만 확실하다면, 이를 긍정적으로 평가하지 않을 수 없을 것이다.

/ 신동호(한남대학교 도시부동산학과 교수)

| 참 고 문 헌 |

• 고석찬. 2004. 『지역혁신이론과 전략』. 서울: 대영문화사.

• 박동. 2004. 『세계의 지역혁신체제』. 서울: 국가균형개발위원회.

• 신동호. 2005. 「프랑스 소피아앙티폴리스의 중소기업과 혁신환경: 기술집약적 기업의 성장과 각종 단체 간 연계활동을 중심으로」. 《지역연구》, 21권, 2호: 53~75.

• _____. 2004. 「프랑스 소피아앙티폴리스의 지역혁신환경: 입주기업, 지원단체 및 기관의 역할을 중심으로」. 《국토계획》, 37권, 2호: 301~316.

• Camagni, Roberto. 1995. "The Concept of Innovative Milieu and Its Relevance for Public Policies in European Lagging Regions." *Regional Science* 74, no.4: 317~340.

• Castells, Manuel and Peter Hall. 1994. *Technopoles of the World: The Making of the 21st Century Industrial Complex London*. London: Routledge.

• Cooke, P. 1998. "Introduction: Origins of the Concept." in H. J. Braczyk; P. Cooke; and M. Heidenreich, eds. *Regional Innovation Systems*. 2~25. London: UCL Press.

• Longhi, Christian and Michel Quéré. 1993. "Innovative Networks and the Technopolis Phenomenon: The Case of Sophia-Antipolis." *Environment and Planning C: Government and Policy* 11, 3: 317~330.

전통이 살아 숨 쉬는 문화유산의 도시
베른

| 베른 전경

스위스의 수도이자 베른 주의 주도인 베른^{Bern}은 면적 약 51.6㎢, 인구 약 12만 8000명(2012년 말 기준)으로 스위스에서 다섯 번째로 규모가 큰 도시다. 주민의 대다수는 신교도^{Protestant}로 독일어를 사용한다. 기후는 비교적 사계절이 뚜렷하며, 5월부터 여름이 시작되고 여름 평균기온은 약 20~25℃다. 시의 중심이 되는 구시가지는 아레^{Aare} 강에 둘러싸여 있고

강의 수면보다 약 400~500m 높은 언덕에 위치하고 있으며, 강 오른쪽의 신시가지와는 많은 다리로 연결돼 있다.

도시의 기원과 형성

베른은 1191년 도시 건설자로 유명한 체링겐 ^{Zähringen}가의 베르톨트^{Berchtold} 5세가 군사적인 요

새로 쓰기 위해 건설한 것이 기원이다. 이렇듯 베른의 구시가지는 군사적인 의도하에 계획적으로 만들어진, 전 세계적으로 몇 안 되는 예다. 강가의 옛 요새에서 출발해 마치 한 손의 손가락들처럼 서쪽을 향해 뻗은 대로는 시가 생기면서 바로 건설됐다. 대로가 도시 성벽에서 끝나는 도시계획의 기본 틀은 지금까지 유지되고 있다. 14세기부터 17세기까지 여러 차례 화재가 일어났지만 베른의 근본적인 모습은 바뀌지 않았다. 이같이 중세시대의 도시계획이 앞을 내다보는 혜안을 지니고 커다란 변동 없이 계획에 따라 꾸준히 건설됐음은 베른의 중앙로에도 잘 나타나 있다. 중앙로의 너비는 약 25m에 달하는데 오늘날의 고속도로 너비와 비슷하다. 15세기에는 양쪽 길가의 집들이 아케이드Arcade로 연결됐는데, 이를 통해 상인들과 수공업자들의 일터와 가게가 기상변화의 영향으로부터 안전하게 보호될 수 있었다.

▌ 구시가지를 둘러싸고 흐르는 아레 강(ⓒ Benutzer: Amstuzmarco)

위치 스위스 베른 주
면적 51.6㎢
인구 약 128,000명(2012년 기준)
주요 기능 관광

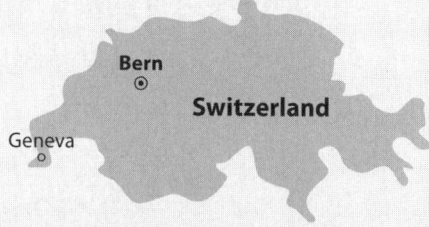

┃ 베른 마르크트 거리(Marktgasse)

도 시 의 역 사 및 산 업

　베른은 1220년에 자유도시가 됐고, 1353년에는 스위스연방에 가맹해 연방 내에서 취리히Zürich와 함께 주도적 입장을 취하는 위치에 있었다. 그러다가 1798년 프랑스혁명 전쟁 때 나폴레옹에 의해 점령당해 프랑스의 통치를 받게 됐다. 베른 주는 1803년 새로운 스위스연방 출범 시 나폴레옹의 영향을 받은 6개의 연방직할주 중 하나였다. 이후 1831년 베른 시가 주도가 됐고, 1848년 연방의 수도로 정해졌으며, 1893년 주 헌법이 제정됐다.

　베른은 도시규모는 작지만 루소Jean-Jacques Rousseau, 아인슈타인Albert Einstein, 헤세Herman Hesse 등이 머물면서 많은 역사적 자취를 남긴 곳이다. 게다가 스위스의 중앙에 위치해

베른의 분수대(왼쪽)와 시계탑(오른쪽)

교통이 편리하고 각 지방과도 철도로 한나절 내에 연결되기 때문에 정밀기계·섬유·화학·약품·초콜릿·인쇄 등의 공업이 발달했다. 또한 만국우편연합, 국제철도교통사무국 등 국제적 기구의 본부가 있어 국제적인 활동장소이기도 하다.

도시 전체가 세계문화유산

'유럽에서 가장 오래된 아름다운 도시'로 꼽히는 베른은 도시 전체가 하나의 문화유산이다. 고전적인 멋이 있는 베른 구시가지는 1983년 유네스코UNESCO에 의해 세계문화유산으로 지정됐다. 12세기에 건축된 도시 기반을 최대한 살리면서 현대적인 도시로서의 기능을 훌륭히 융합시키고 있다는 점이 세계문화유산 인정 심사에서 높이 평가됐다. 특히 베른 중앙역에서 구시가지 중심부로 들어서면 유럽 특유의 고풍스러운 건축물들과 유구한 역사를 자랑하는 시계탑, 11개의 독특한 분수 등 중세시대의 모습을 볼 수 있다. 또한 구시가지를 한눈에 내려다볼 수 있는 장미정원에 서면 발아래로 아래 강

▌ 라우벤 거리의 인테리어 상점에 전시된 물품들

과 스위스 최대 성당인 베른 대성당이 그 위용을 드러낸다. 세월의 흐름만큼 건축물에서도 진한 중세의 향기가 배어나와 도시가 하나의 거대한 박물관처럼 느껴진다.

베른의 명물, 슈피탈 거리

베른의 가장 유명한 관광명물은 슈피탈 거리Spitalgasse에서 시작해 게레히티흐카이츠 거리Gerechtigkeitsgasse까지 구시가의 중심도로를 따라 6km에 걸쳐 있는 16세기의 석조 아케이드다. 고풍스러운 건물의 1층에는 라우벤Lauben이라고 하는 아치형 아케이드 전체가 하나의 긴 복도처럼 이어져 있어 날씨에 구애받지 않고 시내를 활보할 수 있다. 이 아케이드에는 고급의상실과 보석가게, 골동품가게, 카페가 들어서 있어 활력이 넘치는 도시를 연출한다. 또한 상점이 문을 닫은 저녁시간에도 쇼윈도의 조명을 켜놓아 하나의 파노라마처럼 상점에 진열된 각종 상품들을 구경하는 것만으로도 유명한 관광상품이 됐다.

특히 울퉁불퉁한 좁은 골목길을 따라 전차가 덜컹거리며 운행하는 모습은 이 거리의 낭만적인 분위기를 더한다. 고전적인 전차를 타고 유구한 역사를 자랑하는 구시가지를 돌아다니다 보면 세계문화유산인 도시의 가치를 새삼 느끼게 된다.

한편 거리 곳곳에는 다양한 모양의 분수가 있는데, 이 분수들은 모터를 사용하지 않고 자연적인 수차와 압력을 이용해 만든 것이 특징이다. 분수의 가운데는 16세기에 만들어진 다양한 모양의 동상이 장식하고 있다. 백파이프Bagpipe 연주자의 분수, 베른의 영광을 그린 사자의 분수, 그리고 이 도시를 만든 체링겐가의 베르톨트 5세가 투구를 쓰고 곰과 함께 있는 분수 등이 중세도시의 정취를 물씬 풍긴다.

슈피탈 거리의 또 하나의 대표적 관광명소는 시계탑이다. 스위스 하면 유명한 시계가 연상되듯 시계산업이 발달한 이곳은 마을 교회마다 시계가 있을 만큼 독특한 문화를

보여준다. 1530년 만들어진 슈피탈 거리의 시계탑은 매시 57분이 되면 시계 밑의 인형
들이 춤을 추며 시간을 알려준다.

각지로 이어지는 사통팔달의 교통

베른은 항공 및 철도, 도로 등 광역연계 교통망이 잘 갖추어져 있다. 베른 중심부에
서 약 20분 거리(9km)에 위치한 베른-벨프Belp 국제공항은 유럽 전역의 주요 도시들과 연
결돼 있다. 특히 취리히 국제공항으로 이동하는 데 74분이 소요되는 철도가 30분 간격
으로 운행되고 있으며, 제네바Geneva와도 1시간 간격의 철도노선(약 100분 소요)으로 연
계돼 있다. 또한 베른은 3개의 고속 철도망 TGV, ICE, 치살피노Cisalpino가 유럽의 주요
도시들로 연계돼 있어 철도 이용의 편리성이 높다. 한편 도로망은 유럽장거리고속도로
망인 E4와 기타 국가간선망이 연계돼 있어 도로 접근성이 양호하며 뢰치베르크Lötschberg
터널, 심플론 고개Simplon Pass나 베르나르Bernard 터널을 경유해 스위스 남부와 이탈리아
로 이동할 수 있다.

베른 구시가지의 중앙역을 중심으로 철도, 노면전차(트램Tram), 버스 등 다양한 대중
교통이 베른 시내 및 일부 근교지까지 연결되어 있다. 특히 베른모빌Bernmobil이라고 하
는 트램과 버스 네트워크
가 도심과 인근지역을 잘
연계하고 있다.

한편 베른 시에서는
관광객의 대중교통 이용
및 관광지 이용의 편의성
을 높이기 위해 베른카드
를 발급하고 있다. 24시
간 기준으로 성인 1인당
20CHF(15유로)인 이 카드
로 베른과 인근지역 대중

| 베른모빌

교통수단을 무제한으로 이용할 수 있다. 또한 박물관, 도서관, 공원 등에서 열리는 27개 상설전시회의 무료입장, 각종 시티투어 상품 할인, 박물관과 호텔 등에서의 사용이 가능하다.

베른도 유럽의 일부 도시에서 시행하는 자전거 무료대여 시스템을 갖추고 있다. 역광장 및 초이크하우슈 거리Zeughausgasse의 대여소에서 신분증과 함께 보증금 20CHF(15유로)을 내면 무료로 자전거를 대여할 수 있다. 또한 1999년부터 베른 롤스Bern Rolls를 통해 여름 휴가기간에는 시내 이용 자전거뿐만 아니라 전기자전거, 스쿠터, 스케이트보드 등의 무료대여 서비스도 실시하고 있다. 이 밖에 관광객의 편의를 도모하고자 목요일에서 토요일까지 문라이너Moonliner라는 심야버스를 운행하고 있다. 베른 중앙역 광장에서 각 지역으로 18개의 노선이 출발하며, 이동거리에 따라 차이가 있긴 하지만 5CHF(4유로)이면 도시 전역을 이용할 수 있다. 이처럼 잘 발달된 도심의 대중교통체계 덕분에 베른 시내의 교통상황은 그다지 혼잡하지 않다. 승용차를 이용해 여행하는 외지인들에게는 제한된 주차지역인 블루 존Blue Zones에 최대 1시간 30분까지만 주차를 허용해 대중교통 이용을 유도한다. 이러한 대중교통체계와 강력한 주차정책 등 적극적인 교통수요 관리가 베른을 진정한 보행자 도시Pedestrians' city로 만드는 것이다.

다양한 볼거리가 있는 베른

베른의 명소로는 곰 공원이 있는데, 이곳에서는 체링겐 공이 처음으로 사냥해 잡은 동물이 곰이었다는 일화와 함께 도시 이름 베른의 유래가 된 곰을 사육하고 있다. 또한 스위스 최대 규모를 자랑하는 후기 고딕양식의 걸작인 베른 대성당이 있다. 베른 대성당의 정문에는 〈최후의 심판〉과 파이프오르간, 스테인드글라스 등 볼거리가 많다.

구도심에 위치한 국회의사당 건물인 분데스하우스Bundeshaus는 주의회의 의사당과 중앙 돔으로 이루어진 건물이다. 가이드 투어가 있어 내부 견학이 가능하며, 특히 의사당 앞의 광장은 아름다운 분수와 조명이 어우러진 야경으로 유명하다.

또 하나의 볼거리는 로젠가르텐Rosengarten(장미 정원)이다. 이곳은 약 220종류에 달하는 1만 8000송이의 장미와 아이리스, 철쭉, 벚꽃 등이 사계절 피는 공원이다. 한편 구시가지의 시계탑에서 약 200m 떨어진 곳에는 아인슈타인의 과학적 탐구에 관한 여러 자료를 보관하고 있는 아인슈타인 하우스Einstein Haus가 있다. 이곳에서 아인슈타인이 특수 상대성이론을 완성했다고 한다.

베른 미술관Bern Kunstmuseum에는 스위스 화가들의 미술작품과 14~16세기에 활동한 이탈리아 거장들의 회화작품, 그리고 19세기와 20세기 프랑스 화가들의 작품이 소장돼 있다. 본관 건물은 1879년에 지어졌고, 1935년에 별관이 새롭게 증축됐다. 전시품 중에는 초기 르네상스 회화의 거장인 니클라우스 마누엘 더치Niklaus Manuel Deutsch 등 스위스 거장들의 작품이 있으며, 19세기 회화로는 칼 스타우퍼Karl Stauffer, 페르디난드 호들러Ferdinand Hodler 등의 작품이 전시돼 있다.

파울 클레 센터Zentrum Paul Klee는 반생을 베른에서 지낸 파울 클레의 작품 약 40%에 해당하는 4000점 이상을 소장한 대규모 미술관이다. 1940년 클레가 사망한 이후 그의 작품은 여러 곳에 나뉘어 보관돼 있었으나 파울 클레 센터가 완성됨에 따라 이곳에 모아졌다고 한다. 건물 설계는 이탈리아의 유명 건축가 렌초 피아노Renzo Piano가 했으며, 유리와 강철을 주재료로 한 건물과 3개의 파도무늬 지붕이 매우 특징적이어서 멀리서도 쉽게 알아볼 수 있다. 또한 이곳은 단순한 미술관의 역할뿐만 아니라 데이터베이스 라이브러리, 어린이 박물관, 음악 홀 등의 기능을 겸비한 종합문화센터로서 다양한 이벤트와 세미나가 열린다.

이 밖에 유럽 최대 규모의 투시화로 본래 서식환경을 재현한 곳에 포유류와 조류의 박제를 전시해놓은 자연사박물관, 베른 주의 역사를 중심으로 약 25만 점의 전시물을 소장한 베른 역사박물관, 스위스 우편통신의 역사적 사료 및 전 세계에서 수집한 오래된 편지와 50만 점에 이르는 진귀한 우표 등을 간직한 커뮤니케이션박물관, 알프스의 자연과 역사, 문화 등을 소개하는 스위스 알프스 박물관 등 많은 전시관과 박물관이 있다.

유네스코가 지정한 세계문화유산 도시답게 베른은 그 자체가 하나의 문화재다. 중세 유럽의 전통을 잘 보존한 건물에서 느껴지는 옛 정취, 좁은 골목과 거리가 품고 있는 수많은 사연 등. 한편으로는 고풍스러운 도시의 모습과 어색함 없이 어울리는 현대적이면서 국제적인 면모를 갖춘 도시……. 이처럼 전통과 현대가 어우러진 명품도시를 만들고자 하는 도시계획가들은 베른을 꼭 한번 방문하길 권한다. 베른에서는 수많은 관광객이 마치 미술작품 속의 등장인물이 된 듯 여유로움과 운치를 느낄 수 있다.

• 사진 제공(일부): 이미지투데이, 한고은

/ 고용석(국토연구원 연구위원)

| 참 고 문 헌 |

• http://www.berninfo.com/en
• http://www.myswitzerland.co.kr
• http://www.bfs.admin.ch
• http://www.meteoschweiz.admin.ch
• http://ko.wikipedia.org/wiki
• http://www.encyber.com
• http://www.flickr.com

세계평화의 산실, 국제도시
제네바

Geneva

▌제네바 전경

제네바Geneva라는 도시 이름은 켈트족의 거주지란 의미를 담고 있다. 제네바란 이름(라틴어로는 'Genua') 은 율리우스 카이사르Julius Caesar의 『갈리아 전기Commentarii de Bello Gallico』에 처음 등장한다. 처음 제네바란 이름은 그 위치적 특성을 고려해 '각진 곳angle', 혹은 '무릎knee'을 의미하는 '제누아Genua'에서 비롯됐다고 한다. 이곳이 사통팔달의 교통요충지라서 일종

의 결절을 이루기에 좋은 조건을 가지고 있음을 고려해 이같이 부른 듯하다. 또한 탄생을 뜻하는 'gen-'은 호수로부터 시작되는 강의 탄생을 특징적으로 나타낸다. 즉, 제네바란 이름은 '물의 발원지'를 의미하기도 한다.

9세기에 제네바는 부르고뉴Burgundy 공국의 수도가 됐고, 이후 부르군트족과 프랑크족, 신성로마제국

의 각축장이 됐다. 하지만 실제로는 제네바가 종교 개혁으로 공화국이 될 때까지 영주이면서 동시에 주교이기도 한 Prince-Bishop들에 의해 다스려졌다. 장 칼뱅Jean Calvi과 같은 종교개혁가들의 활동 때문에 제네바는 종종 '신교도the Protestant 로마'로 불리곤 했다. 16세기 제네바는 칼뱅교도의 중심지가 됐는데, 지금은 구시가지로 불리는 성 피에르 성당이 장 칼뱅 자신의 교회였다. 영국에서 신교도들이 탄압을 받을 때 신교도 학자들이 제네바로 대거 들어왔는데, 그들 중에는 '제네바 성경' 번역을 주도한 윌리엄 휘팅엄 William Whittingham, 마일스 커버데일Miles Coverdale, 크리스토퍼 굿맨Christopher Goodman, 앤서니 길비Anthony Gilby, 토마스 샘프슨Thomas Sampson 등이 끼어 있었다.

제네바의 도시 역사에서 가장 중요한 사건 중의 하나는 '레스칼라드Escalade', 즉 '벽 오르기'다. 제네바 사람들에게 레스칼라드는 제네바 독립의 상징이다. 이는 16세기에 걸쳐 제네바를 합병해 알프스 산맥 북쪽의 수도로 삼으려 했던 사부아Savoie 사람들의 마지막 제네바 습격을 나타낸다. 사부아 사람들의 마지막 제네바 습격은 1602년 12월 11일 밤에 이루어졌다. 이를 기념하기 위해 매년 구시가지에서는 다양한 집회가 열리고, 당시 복장으로 무장한 군인과 대포 및 말의 행진이 이어진다.

'제네바 공화국 및 캔턴Canton & Republic of Geneva'은 1815년 스위스 주Canton로 귀속됐다. 첫 번째 '제네바 국제협약Geneva Convention'은 전쟁 시 부상자를 보호하기 위한 것으로 1864년에 체결됐다. 이러한 제네바의 역사 흐름이 제네바를 평화의 도시로 만들고 '제네바 정신Spirit of Geneva'이라는 말을 탄생시켰다.

위치 스위스 제네바 주
면적 15.93㎢
인구 189,033명(2012년 기준)
주요 기능 관광

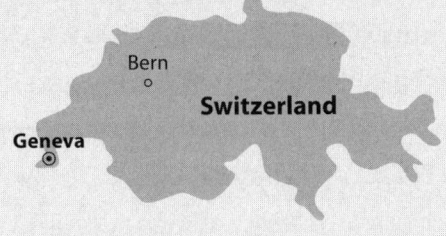

레만 호와 제토 분수

호반의 도시, 제네바

    제네바 시는 알프스Alps 산맥과 쥐라Jura 산맥 사이, 제네바 호수의 남서 끝단에 자리 잡고 있다. 제네바 시의 면적은 약 15.93㎢로 매우 작은데 제네바 주의 전체 면적은 282 ㎢다. 제네바 주의 경계선의 총길이는 107.5km인데 이 중 약 103km가 프랑스 국경과 접해 있다. 스위스의 보Vaud 주와는 불과 4.5km만 접해 있는 정도다. 흔히 레만Leman 호라 불리는 제네바 호의 일부가 제네바에 속하는데, 론Rhône 강과 아르브Arve 강이 제네바를 흐르고 있어서 일찍부터 서유럽의 교차로 역할을 했다. 제네바에서 항공기로 파리나 밀라노까지는 1시간, 그리고 런던, 로마 혹은 마드리드까지는 2시간이 채 안 걸린다.

    제네바 시의 토지이용은 매우 집약적이다. 즉, 전체 면적의 91.8%가 건물 및 도로용으로 사용되고 있고, 약 3.1%에 해당하는 면적이 삼림, 또 같은 비중의 면적이 강과 호수 등 내수면, 1.5%가 농업용이고, 나머지 0.1%에 해당하는 면적이 미활용 잡종지에 속한다. 따라서 제네바는 전체 제네바 주 중에서 도시화가 집약된 중심도시를 이루고 있다. 제네바는 위원회형 지방정부 구조를 가지고 있는데, 5명의 선출직 집행위원이 5개

부서를 책임지고 있으며 위원의 임기는 4년이다. 이와는 별도로 시의회가 구성돼 있는데, 모두 80명의 선출직 시의원으로 구성돼 있고 시의원은 명예직으로 출석에 따른 수당을 지급받을 뿐이며 임기는 4년이다.

전체 시민의 절반이 외국인으로 구성된 국제도시

제네바 시는 1870년대까지만 해도 스위스에서 인구가 가장 많은 도시였으나 이후 취리히Zürich에게 인구규모 1위 도시 자리를 넘겨주었다. 제네바 시의 인구는 2000년 12월 5일 센서스 결과 17만 7964명이고, 2010년 12월 말에는 18만 7470명, 2012년 말에는 18만 9033명으로 추산됐다. 제네바 주의 전체 인구는 2000년 12월 5일 센서스 결과 41만 3673명이었고, 2010년 말에는 45만 7715명, 2012년 말에는 46만 3101명으로 추산됐다. 또한 인근 스위스 보 주와 인접 프랑스 지역을 포함하는 교통거리 30분 이내의 제네바 대도시권Great Geneva의 인구는 2012년 91만 5000명으로 추산된다. 제네바 주에는 제네바 시 외에 베르니에르Vernier(2012년 인구 3만 3744명), 랑시Lancy(2012년 2만 8909명), 메이린Meyrin(2012년 말 2만 1718명) 등 모두 11개 도시와 34개의 소도읍commune이 포함돼 있다.

┃ 평화를 염원하는 UN 유럽지역본부 앞의 조형물

제네바 주는 스위스에서도 외국인이 가장 많이 살고 있는 도시로, 180여 개 국가로부터 약 17만 명(이는 스위스에 거주하는 외국인의 45%에 해당함)의 사람들이 들어와 살고 있다. 이와 같이 제네바 주는 세계인종박물관과 흡사하다. 특히 제네바 시 거주인구의 54.4%(이중국적을 포함)가 외국여권 소지자다. 이러한 현실이 국제도시의 다양성을 창출해낼 수 있는 제네바의 저력이다.

제네바는 또한 문화예술도시로 명성이 높다. 수많은 박물관, 도서관, 오페라극장,

| UN 유럽지역본부

교향악단 등이 제네바의 이러한 명성에 기여했다. 제네바는 도시 주변이 전원풍경으로 둘러싸여 있어서 공원도시로도 불린다. 제네바에는 라그랑주La Grange, 레오비브Les Eaux-Vives, 몽레포Mon-Repos 등 유명한 공원들이 자리 잡고 있고, 공원면적은 모두 310ha에 달한다.

1872년 제네바에서 이른바 앨라배마 중재Alabama arbitration가 타결돼 미국과 영국 간의 분쟁이 평화적으로 해결됐다. 1919년 파리에서 열린 국제연맹League of Nations 회의에서는 국제연맹 본부를 제네바에 두기로 결정했다. 이후 제네바에는 각종 국제기구가 설치돼 고도의 정치적 국제회의가 자주 열렸다. 인류운명을 중재하고 갈등을 해소하기 위한 다양한 평화적 수단이 제네바에서 창안돼 '제네바 정신'을 이어갔다. 제2차 세계대전 막바지에 제네바는 국제연합기구United Nations Organization: UNO의 유럽본부 입지로 결정됐다. 이후 제네바에 본부 혹은 사무소를 설립하는 정부 간 국제기구와 비정부조직이 늘어났다. 제네바에는 20여 개의 국제기구 본부와 170여 개의 비정부조직 본부가 입지해 있고 150여 개 유엔 산하조직이 활동하고 있다. 국제도시로서 제네바의 위상은 도시에 입주한 국제기구를 보면 잘 알 수 있다. 이들 국제기구에 종사하고 있는 근로자만 해도 2010년 현재 거의 3만 명에 달한다.

서비스산업 위주의 경제구조

제네바의 경제활동은 주로 서비스산업 위주로 구성돼 있다. 우선 제네바는 비밀이 보장돼 있는 약 1조 달러의 사금융private banking 거점역할로 유명했었다. 하지만 이러한 사금융의 비밀보장이 다른 나라의 정부부패 및 범죄조직과 연결될 개연성에 대한 국제 여론의 비판으로 점차 제한적으로 무너지고 있는 추세이다. 최근 제네바는 국제교역을 뒷받침하는 금융도시로 부상하고 있다. 유명한 다국적 기업의 본사 혹은 유럽사무소가 제네바에 위치해 있다. 제네바는 또한 각종 세공기술로도 유명한데, 그중에서도 시계 산업은 오랜 세월을 두고 세계적 명성을 쌓아오고 있다. 또한 국제공항과 인접한 대규모 컨벤션센터인 팔렉스포Palexpo에서 개최되는 제네바 자동차 쇼는 세계적으로 가장 유명한 자동차 관련 쇼에 속한다.

제네바의 교통체계는 스위스와 프랑스를 관통한다. 코인트린Cointrin 제네바 국제공항으로부터 운행되고 있는 전철은 스위스 철도와 프랑스 철도로 연결된다. 도로교통망도 스위스와 프랑스로 연결돼 있다. 대중교통수단도 다양해서 버스, 트롤리 전기버

| 제네바대학교에 위치한 종교개혁의 벽

제네바의 꽃시계

스, 전차가 제네바 시뿐만 아니라 제네바 주 전역을 관통하고 있고, 일부 대중교통수단은 프랑스 안으로 연결돼 있다. 보트를 이용한 대중교통도 레만 호와 주변 지역을 연결하고 있고, 니옹Nyon, 이부아르Yvoire, 토농Thonon, 에비앙Evian 등 먼 지역까지 운행되고 있다.

제네바에는 1559년 칼뱅이 설립한 제네바대학교가 위치하고 있다. 또한 세계에서 가장 오래된 국제학교가 제네바에 위치해 있다. 국제연맹과 함께 제네바국제학교가 1924년 제네바에 설립됐고, 미국정부로부터 정식 인가된 웹스터대학교Webster University가 제네바에 캠퍼스를 두고 있다. 제네바에는 특히 국제관계 관련 학교가 많다. 1903년 설립된 랑시국제연구소Institut International de Lancy, 그리고 레만 호를 바라보며 자리 잡고 있는 외교 및 국제관계 제네바대학교The Geneva School of Diplomacy and International Relations는 사립이다. 제네바 주에는 공립학교뿐만 아니라 다양한 사립학교가 있다.

제네바의 명물은 꽃으로 장식한 대형 시계, 종교개혁의 벽Reformation Wall, 생 피에르 성당St. Pierre Cathedral, 그리고 18세기 유럽의 전형적인 시가지 모습을 그대로 담고 있는 제네바 구시가지 등 일일이 열거하기 어려울 정도로 많다. 무엇보다도 제네바의 명물은 140m 높이로 솟아오르는 제네바 호의 제토 분수다. 이 분수는 거의 모든 제네바 시가지에서 볼 수 있다. 2000년 제네바는 건축물을 잘 보전한 공로로 바커상the Wakker Prize을 수상했다.

도시정책기조: 사회적 지속가능성 확보

제네바의 자연환경, 인문환경은 지속가능한 도시발전에 하등의 문제점이 없어 보인다. 그러나 제네바의 바로 이 점이 새로운 '지속가능성'을 필요로 하고 있다. 경제적 성장과 환경적 건전성만을 고려한 '지속가능성'에 부가해, 현재의 영예를 다음 세대까지 물려주기 위한 새로운 '지속가능성'을 고려하기 시작한 것이다. 이는 경제논리나 환경논리만으론 확보될 수 없다. 이러한 관점에서 제네바는 사회적 지속가능성을 확보하기 위한 새로운 도시관리 패러다임을 시험하고 있다. 즉, 제네바는 1995년 유네스코 UNESCO에 의해 시작된 사회변동 관리프로그램Management of Social Transformations: MOST에 가입해 세계의 다른 10개 도시와 유용한 도시관리의 국제비교 지식기반을 구축하는 데 동참하고 있는 것이다.

유네스코가 1995년 세계 12개 도시(제네바, 볼티모어, 부다페스트, 케이프타운, 리옹, 마이애미, 몬트리올, 나이로비, 산살바도르, 상파울루, 토론토, 위트레흐트)를 연계해 시작한 사회변동 관리프로그램은 사회과학 연구의 국제비교를 촉진하기 위한 것이다. 이 프로그램은 주로 대규모, 장기적 연구를 지원하고 그 연구에서 밝혀진 것과 자료를 정책 결정자들에게 전달하도록 설계돼 있다. 이 프로그램의 연구주제 중 하나는 가속화된 사회변동 영역에서 도시를 조망하는 것이다.

사회변동 관리프로그램팀은 1995년 결성돼 지속가능한 도시관리를 촉진하기 위한 사회적, 공간적 정책을 고려하기 시작했다. 이 프로그램의 목적은 세 가지로 요약될 수 있는데, 첫째는 중요 지역정책을 분석하는 것이고, 둘째는 공간계획과 사회적 관점을 함께 고려하는 일이며, 셋째는 도시정책 경험을 비교하고 도시의 사회적 지속가능성을 증진시키기 위해 구체적인 단계와 지침을 제공하는 것이다. 유네스코의 이러한 사회변동 관리프로그램은 한마디로 대도시권 정책과 그 지방적 효과를 비교함으로써 다양할 수밖에 없는 도시관리기법의 지속가능성을 확보하자는 데 그 목적이 있다. 이 프로그램의 커다란 의의 중 하나는 이제까지 도시관리에서 등한시되어온 사회적 측면을 고려하기 시작했다는 점이다.

지속가능한 발전을 확보하기가 어려운 이유 중의 하나는 발전과 지속가능성과의 상반된 논리에 근거한다. '발전'은 변화의 맥락에서, '지속가능성'은 변화를 거부해야 하는 맥락에서 잉태된 패러다임이라는 것이다. 변화를 거부할 수는 없지만 변화를 관리할 수 있다는 생각이 인류의 미래를 낙관적으로 예측하고 있는 근거다. 그러나 정작 변화를 관리하기 위해 필요한 실천수단은 극히 제한돼 있다. 인류가 직면하고 있는 위기는 현상일 뿐이고, 이러한 현상을 지배하고 있는 요인들은 초인류적이기 때문이다.

제네바 도시관리정책의 시사점

상대적으로 아무런 문제가 없어 보이는 제네바가 유네스코의 사회변동 관리프로그램에 참여하며 사회적 지속가능성을 확보하려는 노력은 우리의 도시행정 현실에 많은 정책적 시사점을 제공하고 있다. 현재 드러난 도시문제에 대중적으로 대처하는 일도 제대로 해내지 못하는 수많은 도시정부가 관심을 기울여야 할 새로운 주제. 사회적 지속가능성을 확보하기 위한 제네바의 도시관리기법이 시사하는 바는 다음과 같이 요약될 수 있다.

첫째는 현재 드러난 문제에만 집착하다 보면 미래를 대비할 수 없다는 점이다. 제네바는 현재의 번영과 영예를 미래의 위협요소로 삼고, 이를 기회로 삼기 위한 장기적 정책 패러다임을 스스로 만들어가고 있는 셈이다. 미리 예측한 변화는 더 이상 위협요소가 아니다. 미리 예측한 변화에 대처하려는 노력은 미래의 논리를 구축하게 되고, 이러한 논리는 도시가 시대흐름을 선도하게 해준다. 다시 말해 스스로 환경에 맞는 논리를 개발하지 않는 도시는 미래를 대비할 수 없다.

둘째는 지속가능한 발전은 경제적 관성력이나 환경·생태계의 복원가능성만으론 확보될 수 없다. 제네바는 경제적 능력과 환경·생태적 여건을 뛰어넘는 사회적으로 지속가능한 역량을 제고하기 위해 공간활용의 사회적 측면을 고려하고 있는 것이다. 여건을 조성하는 일 못지않게 여건이 어떻게 인간활동과 연계되고 사회적 영향을 미치는지에 대한 관심 또한 도시행정의 핵심주제다. 도시개발이 도시관리로 전환해야 하는 이유가 여기에 있다.

셋째는 지리적 경계를 초월한 공간기능분담을 통해 지속가능한 발전을 확보할 수 있다는 새로운 패러다임의 구축이다. 지방분권 혹은 지방자치가 자칫 지리적 경계만을 고집할 경우 자원의 낭비를 초래하고, 이는 곧 지속가능한 발전의 가장 큰 장애요인이 될 것이다. 제네바는 광역적 연계계획을 통해 국경까지도 초월한 공간기능 분담권을 도출해, 인접 프랑스 도시와도 협조할 수 있는 국제도시의 역량을 키워가고 있다.

결론적으로 제네바는 장기적, 광역적, 다각적 측면의 제반 요소를 고려해 현세대와 미래세대를 위한 지속가능한 발전을 스스로의 논리로 이끌어내고 있는 셈이다. 이러한 제네바의 도시관리 역량은 물리적 조건이나 자본의 힘만으로는 축적될 수 없다. 새로운 도시 거버넌스를 가능케 하는 힘은 신뢰, 네트워크 공통기반, 참여 등 소위 사회적 자본social capital의 축적 정도에 의존한다. 유동인구 혹은 철새 거주민이 많은 제네바가 구성원 간 네트워크를 창출하고, 다양한 집단 간 공통관심사를 도출하며, 주민들에게 신뢰와 미래에 관한 기대를 충족시킬 수 있는 이유는 다음 세대를 배려하고 보이지 않는 구석을 챙길 줄 아는 세심한 행정마인드가 뒷받침되고 있기 때문이다.

이러한 제네바의 도시정책이 시사하는 바는 열린 공간이 주변지역을 포괄할 수 있다는 점이다. 즉, 통제될 수 없을 것 같은 커다란 흐름을 적극적으로 수용하고 자신의 여건에 맞게 활용할 수 있기 위해서는 주변지역과의 조화와 균형을 고려해야 한다. 다문화, 다민족 삶의 방식을 수용할 수 있는 능력이 곧 사회변동을 관리해 미래세대까지도 배려할 수 있는 '사회적 지속가능성'을 확보하는 가장 확실한 도시정책 패러다임인 것이다.

• 사진 제공(일부): 이미지투데이

/ 소진광(가천대학교 행정학과 교수)

┃ 참 고 문 헌 ┃

• 소진광. 2001. 「도시정책개발 모형 연구」. 《한국지역개발학회지》. 13권, 3호: 45~64.

• _____. 2003. 「사회적으로 지속 가능한 제네바의 도시관리전략」. 《지방자치》. 173호: 69~74.

• _____. 2004. 「사회적 자본의 측정지표에 관한 연구」. 《한국지역개발학회지 》. 16권, 1호: 89~117.

• _____. 2004. 「지속 가능한 도시개발패러다임 논고」. 《사회과학 연구 》. 11집: 101~112.

• Bailly, Antoine S., Philippe Brun, Roderick J. Lawrence and Marie-Claire Rey. eds. 2000. *Socially Sustainable Cities: Principles and Practices*. ECONOMICA.

• Thorns, David C. 2002. *The Transformation of Cities: Urban Theory and Urban Life*. Houndmills: Pal-grave macmillan.

• http://www.ville-geneve.ch

• http://www.wikipedia.org

• http://www.myswitzerland.co.kr

세계 평화와 정의의 도시
헤이그

Hague

┃ 비넨호프(ⓒ BotMultichill)

역사의 현장, 헤이그

인천국제공항에서 네덜란드 스키폴Schiphol 공항까지 12시간, 여기서 렌터카로 A4 고속도로를 타고 약간 서쪽으로 치우친 남쪽으로 20~30분, 우리에게 '헤이그 특사'라는 역사적 사건으로 익숙한 네덜란드의 덴하흐Den Haag('헤이그'의 다른 이름)는 오늘날 이렇게 가깝고 손쉽게 갈 수 있는 곳이다.

그러나 1907년 제2차 만국평화회의International Peace Conference가 열리던 그해 이준, 이상설, 이위종, 세 분의 특사에게 헤이그Hague는 얼마나 먼 길이었을까. 이미 1899년 제1차 만국평화회의가 열렸던 곳, 모든 나라가 한자리에 모여 세계의 평화와 정의를 논하는 자리에서 일본의 대한제국에 대한 침탈을 고발하고 조국과 민족의 자주독립을 세계만방에 선언하고자 했던 그분들은 만주와 시베리아를 돌아 2개월이 넘게 먼 길을 가면서 얼마나 초조하고 격앙됐을까. 마침내 헤이그에 도착하고서도 일본의 방해와 당시 열강들의 외교적 역학관계에 의해 대한제국의 특사로 인정받지 못하고, 결국 불귀의 객이 될 수밖에 없었던 이준 열사는 얼마나 원통했을까.

헤이그 중앙역에서 멀지 않은 곳에 이준 평화박물관[1]이 있다. 네덜란드 융성기인 1620년대에 지어진 이 건물은 800년 역사를 자랑하는 헤이그의 옛 건축물 중의 하나로서 1907년 당시 이준 열사 등이 체류하던 곳이다. 이곳은 지난 370년 동안 가정집, 상가, 극장, 호텔, 당구장 등으로 사용돼오다가 1995년 8월 5일을 기해 '이준 평화박물관'으로 다시 태어났으며, 이준 방, 만국평의회 자료실, 평화의 방 등 7개의 전시실로 이루어져 있다.

이곳에서 우리의 아픈 역사를 되새기다 보면 국제사법재판소International Court of Justice와 평화궁전Peace Palace[2]이 있는 '평화와 정의의 도시' 헤이그가 단순히 세계 평화와 정의의 상징만은 아닐 것이라는 생각이 든다. 우리에게 헤이그는 평화와 정의가 무조건적인 규범으로 주어지는 것이 아니라, 그 의지를 관철할 수 있는 국력과 그 의미가 명분을 얻을 수 있는 국제정세에 의해 쟁취되는 것이라는 현실을 아프게 일깨워주는 역사의 현장인 것이다.

위치 네덜란드 서부 자위트홀란트 주
면적 98,2㎢
인구 473,941명(2007년 기준)
주요 기능 역사 · 문화

Hague
Netherlands

평화와 정의의 국제도시

헤이그는 네덜란드 국회의사당, 각국 대사관, 국제사법재판소 등 국제기구들의 소재지로서 자위트홀란트Zuid-Holland 주의 주도이며, 인구는 약 47만 명이다. 네덜란드의 수도는 암스테르담Amsterdam이지만 역사와 정신적인 측면에서 실질적인 수도는 헤이그라고 볼 수 있다. 이처럼 헤이그는 네덜란드의 역사, 문화, 정치의 중심지로서 작은 규모임에도 '평화와 정의의 국제도시'라는 평판을 쌓아왔다. 1899년과 1907년의 만국평화회의는 이를 상징적으로 보여준다.

19세기 이후 서구 열강의 관점에서, 또한 오늘날 선진 유럽사회의 관점에서 헤이그는 역사상 최초로 국제적 분쟁을 해결하는 기구Permanent Court of Arbitration: PCA(상설중재재판소)를 창설한 곳으로 기억되고 있다. 즉, 1899년과 1907년의 제1, 2차 만국평화회의 결과 국제분쟁조정재판소가 창설됐고, 강철왕 카네기가 헌납한 자금으로 평화궁전이 건립됐으며, 뒤를 이어 국제사법재판소의 전신인 상설국제사법재판소Permanent Court of International Justice가 설치됐다. 우리의 역사는 헤이그에서 열린 '만국평화회의'의 의미를 '그들만의 평화와 정의'로서 아프게 기억하고 있으나, 적어도 근대 서구사회에서 헤이그는 국제평화와 정의를 상징적으로 대표하는 도시가 된 것이다.

| 이준 평화박물관

네덜란드의 정치적 수도

헤이그는 네덜란드의 왕궁인 비넨호프Binnenhof, 국회의사당, 기사당이 소재한 역사와 정치의 도시이기도 하다. 헤이그는 1248년 홀란트Holland 백작 빌럼Willem 2세가 지금의 호프베이버르Hofvijver 숲에 기사

의 궁전을 세운 데서 유래하는데, 이 지역
이 나중에 네덜란드 의회와 정부가 들어
선 비넨호프가 된다. 네덜란드는 1800년
대 초반에서야 비로소 군주제를 받아들였
지만 16세기 중반부터 당시 홀란트와 제
일란트Zeeland, 위트레흐트Utrecht 등 오늘날
네덜란드 일원의 영주인 오라네 가문The
Royal House of Orange이 실질적인 군주 역할을
해왔다. 헤이그는 20세기의 브뤼셀Brussel
이 그렇듯이 17세기에 들어와 유럽 외교
의 중심무대가 됐고, 나폴레옹 정복전쟁
후에는 네덜란드 왕국의 수도가 됐다.

헤이그 특사 이준, 이상설, 이위종(사진 왼쪽부터. 이
준 평화박물관)

헤이그가 네덜란드의 정치적 수도로 간주되는 것은 여왕이 머무는 도시라는 이유도
있지만 비넨호프가 있기 때문이기도 하다. 비넨호프는 '내성內城'이란 의미로 헤이그 중
심가에 있으며 13세기 네덜란드 백작의 성이었던 곳이다. 해자로 둘러싸인 비넨호프는
현재 정부 청사, 수상 집무실, 국회, 총리실 등의 중앙관저로 쓰이고 있다. 한국으로 치
면 경복궁이나 창덕궁이 정부청사로 쓰이는 셈이다. 비넨호프 안뜰의 2개의 탑이 있는
리더잘Ridderzaal('기사의 성관'이라는 의미)은 헤이그에서 가장 오래된 건물로서, 13세기에
빌헬름 2세의 수렵관으로 건축됐고 지금은 국회의사당으로 사용하고 있다. 비넨호프
앞의 광장에는 네덜란드 건국의 아버지로 추앙받는 빌럼 1세의 동상이 서 있고, 비넨호
프 바로 옆에는 여왕의 집무용 궁전이 있다. 매년 9월 세 번째 화요일에는 여왕이 호위
병을 동반한 황금마차를 타고 와 이곳에서 의회의 개회를 선언하는데, 이 퍼레이드를
보기 위해 많은 관광객이 몰려든다고 한다.

비넨호프 외에도 크고 작은 30여 개의 성이 시내 곳곳에 자리 잡고 있다. 헤이그는
정치적 수도답게 거리 이름에도 남다른 격이 있는데, 우리 식으로 표현하자면 '왕의 거
리', '왕비 운하', '사열병 거리', '왕자 교차로' 등과 같은 식이다. 또한 헤이그는 암스테

르담, 로테르담Rotterdam에 이은 네덜란드 제3의 도시로, 구식민지였던 인도네시아에서 철수한 부유한 상인들이 거주하는 곳이기도 해 고급스럽고 깨끗한 분위기로 발전해왔다. 특히 17세기 네덜란드가 세계의 바다를 지배할 때부터 상인들과 자본가들이 네덜란드 정치의 중심지인 헤이그에 거처를 두고 상류층 세계를 형성했는데, 지금도 헤이그 북단에는 바세나르Wassenaar라는 네덜란드 최고의 부유층 거주지가 위치하고 있다.

공원 속 도시, 헤이그

헤이그는 정치와 역사의 도시이면서 또한 문화의 도시이기도 하다. 헤이그는 우선 전체적인 분위기가 울창한 숲으로 둘러싸여 있어 공원 속의 도시 같은 느낌을 준다. 그러면서도 다른 한편으로는 아름다운 스카이라인을 형성하는 현대적 빌딩과 조화를 이루는 도시다. 앞서 얘기한 비넨호프 앞으로는 호프베이버르 호수가 있는데 이는 공원 같은 헤이그의 분위기를 상징적으로 보여주는 도심 속 휴식처. 비넨호프 해자와 호프베이버르 호수에는 백조나 오리 같은 물새들도 시민들과 섞여 점심을 먹고 일광욕을 즐기는 듯 매우 평화로운 풍경을 이룬다.

행여 간식거리라도 생길까 싶어 사람들이 모여 있는 호숫가로 다가오는 백조들을 보면 네덜란드의 명물인 풍차를 떠올리게 된다. 이웃 독일에서는 네덜란드의 풍차를 백조swan라고 부른다. 풍차는 원래 배수 하천으로부터 더 큰 운하로 물을 빼내는 기능을 하는 물건이 아닌가. 밖에서 볼 땐 한없이 우아한 풍경을 이루지만 사실 물 밑에서는 끊임없이 두 발을 움직이는 백조와 풍차는 닮은꼴인 것이다. 네덜란드 사람들의 국민성도 어쩌면 이와 유사한 것 같다. 바다를 막아 영토를 만든 근면성실함이 가슴 깊이 자리 잡고 있지만, 거대한 해자로 둘러싸인 비넨호프 옆의 공원에서 네덜란드의 명물인 절인 정어리 샌드위치와 정어리 튀김을 점심으로 즐기는 헤이그 시민들의 모습은 여유롭기 그지없다.

고전과 현대의 조화

비넨호프를 중심으로 하는 귀족적인 구시가지를 벗어나면 비록 다른 대도시들에 비

카네기가 헌납한 자금으로 건립된 평화궁전

해 크지 않지만 놀랍도록 세련된 디자인의 건물이 아름다운 스카이라인을 만들어내는 현대적 다운타운이 있다. 고전과 현대의 조화는 서구 유럽 도시들의 일반적인 특성이지만 헤이그는 그중 빼어남을 자랑한다. 다른 어떤 유럽 도시보다 화려한 궁전과 저택이 즐비하지만 사실상 제2차 세계대전 중 독일군과 연합군 측의 폭격으로 시내의 상당 부분이 파괴됐고, 전후 가장 현대적인 감각의 건물들이 그 자리를 채워왔다. 결국 오늘날 헤이그는 전통과 현대의 멋이 잘 어우러져 있는 도시로 다시 태어난 것이다.

또한 문화의 도시답게 헤이그에는 규모는 크지 않지만 훌륭한 소장품을 보유한 알찬 미술관이 많이 있다. 고흐Gogh, 렘브란트Rembrandt, 페르메이르Vermeer 같은 걸출한 화가를 배출한 나라이면서 델프트 블루Delft Blue 도자기를 만들어낸 뛰어난 예술적 역량을 가진 국민들답게 예술과 문화를 즐길 줄 아는 도시인 것이다. 대표적으로는 오라네 왕가의 미술품을 소장하고 있는 마우리트하위스 왕립미술관Mauritshuis Museum과 근대미술 중심의 헤이그 시립미술관Haagse Gemeentemuseum 등이 있다.

스헤베닝언의 De Pier

헤이그가 자랑하는 또 하나의 명물은 북해를 마주 보는 스헤베닝언Scheveningen 해변의 풍경이라고 할 수 있다. 이곳은 헤이그 북서쪽 5㎞에 위치한 해안 휴양지로, 원래는 평범한 어촌이었으나 현재는 네덜란드를 대표하는 여름 관광지가 됐다. 여름에는 전 유럽에서 사람들이 모여들어 일광욕을 즐기는데, 해안에는 청어요리가 유명한 레스토랑과 호텔, 카지노가 유명한 퀴르하우스Kurhaus가 있어 그들을 맞이하고 있다.

스헤베닝언 해변 풍경에서 특히 관심을 끄는 것은 '더 피어De Pier'라고 할 수 있다. 운하의 나라로 알려진 네덜란드의 다른 일면에는 물에 대한 투쟁의 역사가 자리 잡고 있다. 헤이그는 네덜란드 안에서도 고지대에 속하기 때문에 운하는 발달하지 않았지만 광대한 북해에 위치한 항구도시로서 또 다른 물에 대한 역사를 써나가고 있다.

'더 피어'는 헤이그 북서부 해안에 길이 500m의 거대한 피어(잔교)와 부속시설을 건설해 작은 해양도시와 같은 시설물을 건설하는 사업으로, 1940년대부터 꾸준히 추진돼 오고 있는 사업이다. 이 지역은 원래 한적한 어촌이었으나 '더 피어'와 더불어 호텔, 카페, 레스토랑 등이 들어서고, 공인 카지노를 유치하는 한편, 각종 스포츠 시설을 풍부하게 제공하면서 네덜란드 최고의 여름 휴양관광지가 됐다. 이 같은 개발사업은 꾸준히 주민의견을 청취하고 장기간에 걸쳐 환경영향을 조사·분석하면서 이루어지고 있어 개발속도를 중시하는 한국의 도시계획 현실에 비추어볼 때 커다란 교훈을 주고 있다.

네덜란드 번영의 상징

인구가 채 50만 명도 되지 않는 작은 도시, 헤이그를 둘러보는 데 그다지 오랜 시간이 걸리지는 않을 것이다. 비넨호프, 평화궁전, 미술관 몇 개와 스헤베닝언 해변, 한국 사람들에겐 이준 평화박물관이 추가되는 정도일까. 그러나 헤이그의 무게는 그리 단순

한 것이 아니다. 1600만 네덜란드 국민들의 정신적 고향이면서 전 세계에 평화와 정의의 도시로 알려져 있는 곳, 우아하고 화려한 역사 유물과 가장 근대적인 개발사업이 공존하는 도시. 헤이그는 도시의 화려한 외관 속에 자유와 평등을 도모하고 평화와 정의를 살아 숨 쉬게 하기 위한 투쟁의 역사를 간직한 매우 역동적인 도시이면서, 네덜란드의 그 어느 도시보다도 역사의 깊이를 풍기는 아름다운 도시다.

　에스파냐의 압제, 공화주의파와 왕당파 간의 극한 대립, 프랑스의 지배, 독일의 강점 등과 같은 긴 역사의 그늘 아래에서도 헤이그는 네덜란드 왕국의 자긍심으로서 생존했고, 또한 그 바탕 위에서 지속적으로 발전하고 있는 도시다. 어쩌면 헤이그는 열악한 자연조건과 싸워야만 하는 작은 나라였던 네덜란드가 근대화 시기 유럽 열강의 각축 속에서 어떻게 하나의 독립국으로 살아남아 오늘날 번영의 토대를 이루어나갔는지를 보여주는 상징이 아닐까 싶다.

- 사진 제공(일부): 이미지투데이

/ 문정호(국토연구원 연구위원)

| 주 |

1 이준 평화박물관은 이준 열사가 순국하기 직전에 묵었던 드용 호텔을 한국인 부부가 사재로 구입해 운영하고 있다. 주소는 Wagenstraat 124/124A, The Hague, 전화: 31-70-3562510.

2 평화궁전에는 국가 간 분쟁을 조정하는 국제사법재판소가 있으며, 또한 국제법에 관한 가장 완벽한 장서를 자랑하는 평화궁전 도서관(The Peace Palace Library)이 운영되고 있다.

비넨호프 앞 호프베이버르 호수

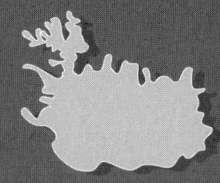

II. 북유럽·동유럽·남유럽

Portugal

España

기업하기 좋은 이벤트도시
고텐부르크(예테보리) *Gothenburg*

| 고텐부르크 도시 전경

고텐부르크 지역에 사람이 살던 자취는 8000년 전으로 거슬러 올라간다. 오래전 해상교통이 중심일 때, 고텐부르크의 관문에 해당하는 예타엘브Göta Älv 강 하구는 바이킹들이 자주 이용한 통로로 12세기부터 무역의 거점으로 이용됐다. 12세기 이후에는 외침으로부터 안전을 보장받기 위해 점점 상류에 시가지가 형성되기 시작했다. 1603년 칼Karl 9세가 이곳을

고텐부르크Gothenburg라고 명명하고, 국제교역의 중심지로 만들기 위해 통행료와 세금을 20년간 면제했으며 자체적으로 쓸 수 있는 화폐를 주조했다. 또한 외국인의 상업활동을 장려했는데, 특히 네덜란드 상인들의 정착을 도모했다. 공식적으로 고텐부르크는 1621년 구스타브 2세Gustav II Adolf에 의해 창건된 것으로 소개되고 있으며, 2012년 정도 400년을 맞았다.

2012년 말 현재 고텐부르크의 인구는 약 53만 명이며 지속적으로 늘어나고 있다. 고텐부르크 광역권의 인구는 약 95만 명이며, 이 중에서 22% 정도는 이민자들이다. 이들은 대개 전 유고공화국, 이란, 이라크, 핀란드 등에서 왔다. 고텐부르크는 영어식 표현으로는 'Gothenburg', 스웨덴 말로는 'Göteborg'라고 쓰며 '예테보리'라고도 부른다.

제조업 중심도시

조선업과 산업도시였던 고텐부르크는 지금 혁신을 위한 창조적 허브로 변신을 도모하고 있다. 스웨덴에서 두 번째로 큰 도시이며 북유럽에서 가장 빠르게 성장하는 곳으로 손꼽힌다. 스웨덴의 수도인 스톡홀름Stockholm에 비해 이곳을 외국기업들이 선호하게 된 것은, 임차료도 저렴하고 풍부한 전문인력을 확보하기에 용이하기 때문이다. 특히 대도시임에도 작은 도시의 느낌이 들며, 시내에서 버스로 20분 거리에 2개의 공항이 있으며, 55개 도시와 80개 직항노선으로 연결되어 접근이 용이하다. 게다가 IT 인프라가 잘 갖춰진 것도 외국기업들이 선호하는 이유 중 하나다.

투자자들은 고텐부르크를 중심으로 반경 500㎞ 내에 스칸디나비아 반도의 산업 70%가 있다는 점에서 이곳을 주목하고 있다. 볼보Volvo, 사브SAAB 항공, SKF(베어링 전문회사), 에릭슨(휴대전화 제조회사), Esab, 노벨 바이오케어Nobel Biocare 등이 고텐부르크에 자리를 잡고 있다.

이곳에서 생산된 제품들은 고텐부르크항을 통해 세계 각국으로 수출된다. 이 항은 노르딕 지역에서 가장 크고, 스웨덴에서 가장 중요한 수출입항구로서 스칸디나비아 반도의 물류센터이기도 하다. 고텐부르크항은 오래전부터 스웨덴의 교역 중심지였으며, 18세기에는 중국의 수입품이 유럽으로 들어오는 관문이었다. 이 항구에는 매년 1만 2000척의 선박이 입항하며, 400만 명 정도의 여객이 페리를 타고 올 정도로 여객과 화물 교류가 활발하다.

고텐부르크는 조선업의 중심지였다. 1900년에만 해도 3500명의 종업원들이 조선소에서 일을 했다. 제2차 세계대전 후 대형 선박의 수요가 많아, 새로운 건조방법을 들여오고 부지를 확장하며 대규모 신규투자를 해 1963년 새로운 조선소가 완공됐다. 당시 대형 선박 및 탱커 주문이 늘어 호황을 누렸다. 그러나 1974년 오일쇼크로 인해 조선업이 큰 타격을 입어 도산했고, 이를 시에서 사들여 지금도 운영하고 있다.

위치 스웨덴 베스트라여타란드 주
면적 450㎢
인구 530,000명(2012년 기준)
주요 기능 경제산업

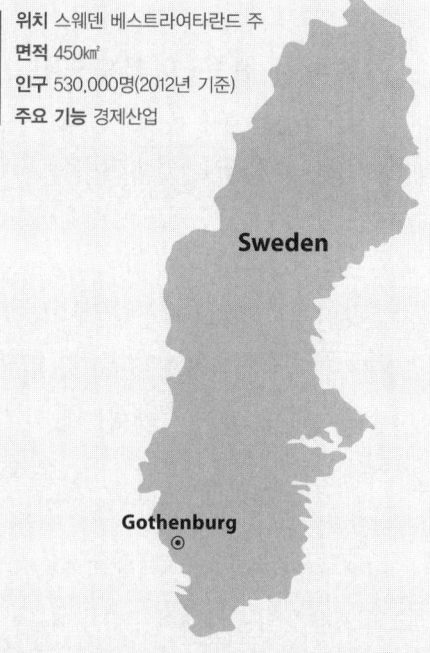

기업하기 좋은 이벤트도시

　고텐부르크는 2008년 유럽의 21개 대도시 중 가장 기업하기 좋은 대도시로 선정됐다. 이 상은 유럽도시기업랭킹European Cities Entrepreneurship Ranking에서 수여한 것인데, 이는 1700개 회사의 기업환경을 평가해 비교한 것이다. 이를 입증이라도 하듯, 고텐부르크에는 2008년 2398개의 직장이 새로 만들어졌으며 6000개의 일자리가 만들어졌다. 특히 2008년 하반기부터 세계적으로 불어닥친 재정 분야의 위기에도 불구하고 이 지역에는 새로운 국제적 투자가 이루어졌다. 2006년 가을부터 2008년 조사 시기까지 외국인이 소유한 회사가 6.5% 증가했는데, 외국인 소유회사는 현재 2580개에 달한다. 지금 이 지역에서는 약 60개 나라의 기업들이 활동을 하고 있는데, 노르웨이 회사가 가장 많고 그다음은 독일 회사다.

　고텐부르크가 유럽 내에서 국제적 경쟁력을 갖는 것은 시 자체의 풍부한 인력과 기술, 인프라 등의 투자매력이 있기 때문이기도 하지만, 더 눈여겨볼 것은 이 시가 다양한 도시 간 협력체제를 갖추고 있다는 점이다. 먼저 고텐부르크를 비롯한 유럽 도시들의 네트워크는 Eurocities에서 이루어지고 있다. 이 모임은 1995년 유럽연합EU 내 대도시들의 입지강화를 위해 만들어진 것으로, 현재 33개국 129개 도시가 참여하고 있다. 이 모임에서는 포럼, 실무회의, 사업, 활동 및 이벤트 등을 통해 지식과 아이디어 공유, 경험의 교환, 공통의 문제해결 및 혁신적 해결방안 강구 등을 도모하고 있다. 여기에서는 환경, 사회적 문제, 문화, 경제개발, 교통 및 이동, 교육, 지식사회, 국제협력 등 거의 모든 분야를 다루고 있으며, 이를 통해 모든 시민들의 삶의 질을 증진시키도록 지속가능한 미래비전을 지향하고 있다.

고텐부르크는 관광산업, 회의산업 등이 도시의 경쟁력 강화에 기여한다고 판단하고 이벤트 산업에 상당한 노력을 기울이고 있다. 고텐부르크의 관광업은 세계적인 경제위기에도 불구하고 22년 연속 증가추세다. 2012년 한 해 동안 2011년에 비해 3% 정도 증가한 약 361만 명의 관광객이 방문했다. 관광객들은 2010년 약 220억 스웨덴 크로나(2010년의 환율 150~170원으로 환산 시 3조 3000억~3조 7400억 원)를 소비한 것으로 추정되며, 이들로 인해 관련 기업들은 이 지역에서 1만 7000개에 상당하는 전업 일자리를 만들어냈을 것으로 분석하고 있다. 관광업이 잘되는 이유 중 하나는 이 도시에 종합적인 무역 전시관trade fairs이 있고 대규모 이벤트가 자주 열리기 때문이다. 특히 이곳은 해안을 끼고 있어서 신선하고 최고의 품질인 해물을 용이하게 확보할 수 있어서 미식가들이 즐겨 찾는 곳이기도 하다. 특히 2012년에는 스웨덴의 요리 수도로 지정되기도 했다.

고텐부르크에는 스칸디나비아 반도에서 가장 큰 테마파크Liseberg가 있으며, 이곳의 2008년 이용객은 340만 명(2011년 이용객은 269만 명)에 달했다. 이는 스웨덴에서 단일 시설로는 가장 많은 이용객을 기록한 수치다. 국제적 이벤트로는 국제학술회의 및 쇼, 야외 콘서트, 국제스포츠대회 등이 있다. 2013년에는 유럽여자축구대회와 유럽실내육상선수권대회를 개최했고, 2021년에는 세계육상선수권대회를 개최할 예정이다. 특히 여름철에 많은 행사가 열리는데, Way Out West 국제음악제는 2011년 가장 창조적인 축제로 선정돼 MTV상을 수상했으며, 2012년에는 ≪인디펜던트The Independent≫지에 의해 유럽의 최고 축제 10선에 선정되기도 했다.

바 이 오 도 시 , 고 텐 부 르 크

고텐부르크는 바이오 도시를 목표로 하고 있다. 시 에너지국은 2050년이면 모든 천연가스를 바이오가스로 대체할 계획을 세우고 있다. 고텐부르크에서 발생되는 이산화탄소 중 업무용 차량이 차지하는 비중은 4% 정도인 약 12만 톤이다. 고텐부르크의 대중교통 수단은 2012년에는 40%, 2030년이면 90% 정도 재생에너지를 연료로 사용할 예정인데, 전차Tramways는 현재 재생연료를 30% 사용하고 있다. 시 의회에서 수립한 목표는 시 정부에서 사용하는 신규 등록 승용차와 경트럭의 5%가 환경친화적인 차량이 돼야 한다는 것이다.

고텐부르크는 오래전부터 주목할 만한 환경정책을 펴오고 있다. 2000년부터는 국제적으로 지속적인 성장을 장려하기 위해 고텐부르크 환경상을 제정해 수여하고 있다. 이 상의 목적은 국가적·국제적 지속가능한 개발을 위한 전략적 과업을 고무하고 격려하기 위한 것으로, 고텐부르크뿐만 아니라 지구 환경보호를 위해 노력해온 개인 혹은 단체 등에 수여된다. 상금은 100만 스웨덴 크로나(한화 약 1억 5000만 원)다. 이 환경상은 고텐부르크 시 외에도 12개 기업체의 후원으로 만들어졌다.

도시의 변화

금세기 들어 제조업은 고텐부르크 경제의 주요 자원이 됐다. 항구는 경제활동의 중심지로, 예타엘브 강을 따라 산업이 밀집한 중심지가 행정의 거점이 됐다. 고텐부르크의 도시 역사를 보면 매우 이른 시기부터 근대화됐던 것으로 보인다. 예를 들면, 상수도는 1868년에 공급되기 시작했다. 당시 10만 명 인구규모의 도시에 충분한 물을 공급하기 위해 대규모 저수지를 건설했다.

고텐부르크는 스웨덴에서 가장 큰 산업도시였으나, 최근에는 친환경 도시로 변모하고 있다. 1994년 오페라하우스를 열면서 문화창조도시로 변신을 도모했으며, 예술 박물관 등을 운영하고 있다. 현재 박물관 20개, 극장 25개, 영화 스크린 38개를 갖고 있다.

고텐부르크는 시내외 이곳저곳에 크고 작은 공원이 널려 있는 녹색도시다. 시민 1인당 공원면적이 175㎡이며, 지난 2008년은 '공원의 해'였다. 히싱겐Hisingen의 케일러스파크Keillers Park는 100주년을 맞이해 축하행사를 벌이기도 했다.

고텐부르크는 도시를 청결하게 유지하는 노력을 아끼지 않고 있다. 특히 '안전하고 아름다운 도시'라는 관점에서 쓰레기를 버리는 시민의 태도를 변화시킬 목적에서 'think' 캠페인을 펼쳐오고 있다. 이는 길거리에 쓰레기를 함부로 버리지 않도록 하는 것으로, 그동안 450개의 쓰레기통이 새로 설치됐다. 또한 시는 패스트푸드 체인점과 레스

▍고텐부르크 중앙역

▌이용률이 증가하고 있는 고텐부르크 전철

토랑 등과 협조해 쓰레기 버리기에 대응해나가고 있다.

고텐부르크는 도시의 발전과정에서 나올 수 있는 지역의 분리현상을 통합하려는 노력을 기울이고 있으며 'S2020프로젝트'를 실시 중이다. 이는 사회적으로 지속가능한 개발을 의미하는데, 경제, 환경과 마찬가지로 도시계획의 사회적 이슈를 다루고 있다. 사회적으로 지속가능한 개발, 특히 물리적 시설계획 분야의 지식에 대한 상당한 요구가 있다는 것이 관찰되고 있다. 이를 위해 고텐부르크는 여러 유럽 도시들과 지역분리와 도시개발 등에 관한 지식과 경험을 교환하기 위해 EU의 프로그램인 URBACT에 참여하고 있다.

대중교통 중심의 지속가능한 도시

고텐부르크 의회는 1853~1854년 고텐부르크와 스톡홀름 사이에 철도를 건설하기로 결정했는데, 전 노선이 개통된 것은 1862년이다. 지금 두 도시 간의 철도 여행시간은 3시간이다.

고텐부르크에 처음 트램tram이 들어선 것은 1879년 9월이다. 당시 영국에서 4대의 객차를 들여와 운행을 시작했는데, 16필의 말이 트램을 끌었다. 트램 노선은 늘어났으며, 당시로선 긴요한 교통수단이었다. 1902년에는 전기를 동력으로 하는 트램이 운행되기 시작했다. 인구가 증가함에 따라 통행인구도 증가하자, 시내의 운하를 매립하고 그 위에 도로를 만들었다.

최근 고텐부르크 일대에는 자전거와 대중교통의 이용이 증가하는 추세이고 승용차 이용은 약간 줄고 있다. 시 중심지의 승용차 통행량은 1970년 관측 이래 낮아진 적이 없었는데, 이처럼 시내 중심부의 승용차 통행이 감소한 이유는 예타Göta 터널이 개통됐기 때문이다. 이 터널은 2006년 개통됐으며, 친환경적이고 안전을 최우선으로 설계돼 유럽에서도 많은 관심의 대상이 됐다. 특히 이 터널은 건설 중에 관련 기관과 전문가 등이 약 3000회 정도 탐방하는 등 유명세를 누렸다. 총 연장 1.6㎞에 불과한 예타 터널은 고텐부르크 중심지의 지하를 관통하며, 그곳의 건물과 시설물에 영향을 주지 않도록 배려됐다. 터널 내 대피시설은 100m 간격으로 만들어졌으며, 소화전, 고성능 스피커, 경고 버튼, 차량 및 보행자를 위한 안내 표지판 등이 있고, 터널 내부에는 CCTV가 설치돼 있다.

고텐부르크에서는 대중교통 중심도시의 면모를 곳곳에서 느낄 수 있다. 특히 고텐부르크 패스를 발매해 모든 공공교통 수단을 수시로 이용할 수 있도록 허용하고 있다. 고텐부르크 패스는 최대 3일권까지 있으며, 3일권의 어른요금이 645크로나[1](약 5만 3500원)로서 이 패스를 구매한 사람은 시내 관광버스를 무료로 이용할 수 있고, 운하를 도는 관광용 보트도 무료로 이용할 수 있다. 또 패스 소지자는 박물관 등을 무료로 관람할 수 있으며, 제휴 음식점이나 쇼핑센터 등에서

유아원의 아이들에게도 외출할 때 눈에 잘 띄는 안전복을 입힐 정도로 안전제일이 생활화됐다.

할인혜택도 받을 수 있다. 2008년에는 6만 3500명에 달하는 65세 이상 고령자들이 러시아워를 제외하고는 전차나 버스를 무료로 탈 수 있게 됐다.

한편, 고텐부르크에는 460㎞가 넘는 자전거 길이 있어서 시민은 물론 관광객도 편리하게 이용할 수 있다. 시내에 50군데가 넘는 자전거 정류장을 두고 1000대의 임대자전거를 저렴하게 운영Styr & Ställ도 하면서 환경친화적이면서 지속가능한 도시를 만들고 있다.

- 사진 제공(일부): 이미지투데이

/ 조남건(국토연구원 선임연구위원)

| 주 |

1 스웨덴 크로나(SEK) 환율, 2014년 142~168원, 2010년 약 150~170원.

| 참 고 문 헌 |

- Bohlin, Gunnar. 2005. *Gteborg och dess historia*. olofsson.
- Gothenburg. 2014. *Annual Report 2013*.
- http://www.goteborg.com

작지만 역동적인 기술혁신도시
오울루

오울루 중심가

강소국의 모범국가, 핀란드

산타클로스의 고향, 자작나무 사우나와 자일리톨 껌으로 유명한 핀란드는 깨끗하게 보전된 자연만큼이나 부정부패 없는 투명한 사회를 자랑한다. 사회보장제도, 교육 및 연구개발 투자, 여성의 사회진출 측면에서 세계 으뜸이며, 국제 평화에 대한 기여도 크다.

2000년 1인당 GDP 2만 5000달러를 넘어선 핀란드는 경제 역시 안정적인 성장을 보이고 있다. 임업과 수산업이 오랜 전통산업이었으나 최근에는 정보통신산업이 국가 경제를 주도하고 있다. 세계적 대기업 노키아Nokia가 선도하는 핀란드 정보통신산업의 기술 수준이나, 인터넷과 휴대전화 같은 국민들의 일상적 정보통신 활용도 역시 세계 최고 수준이다.

북유럽의 춥고 어두운 자연조건을 극복하고 아름다운 자연, 깨끗한 사회, 안정된 경제, 높은 복지수준과 쾌적한 삶의 질을 자랑하는 핀란드는 몇 년째 국가 경쟁력 세계 1위(세계경제포럼 기준)를 기록하고 있다. 약 520만 명에 불과한 작은 인구규모에도 불구하고 뛰어난 성취를 이루고 있기 때문에, 한국이 지향해야 할 이른바 강소국强小國 모델로 눈길을 끌고 있는 나라가 바로 핀란드다.

기술혁신의 북유럽 대표 도시, 오울루

적은 인구에도 불구하고 높은 국가 경쟁력을 지니고 있는 핀란드의 특징을 도시 차원에서도 잘 보여주는 곳이 바로 오울루Oulu다. 오울루는 북위 65°상의 바닷가에 위치한 인구 19만 명(2013년 1월 기준)의 자그마한 도시다. 이 작은 도시 오울루는 최근 스웨덴의 시스터Kista와 함께 북유럽을 대표하는 기술혁신도시로 유명해졌다. 현재 핀란드는 세계적으로 정보통신산업의 경쟁력이 매우 우수한데, 오울루가 바로 핀란드 정보통신산업의 기술 중심지다. 또 핀란드는 산업계와 학계 사이의 긴밀한 산학협력으로 유명한데, 그 중심에 오울루대학교와 노키아가 있다. 오울루는 현재 실리콘밸리, 보스턴, 소피아앙티폴리스 지역 등과 어깨를 겨루는 기술클러스터 대열에 당당히 끼어 있다.

얼마 전만 해도 전혀 우리에게 알려지지 않았던 핀란드 북부의 작은 도시 오울루는 이러한 성취 덕분에 최근 이곳의 성공 경험을 배우려는 많은 한국인들의 현지 방문이 이어지고 있는 추세다.

위치 핀란드 노던오스트로보트니아 주
면적 449.2㎢
인구 190,000명(2013년 기준)
주요 기능 경제산업

Oulu
⊙

Finland

연어와 타르 무역항에서 첨단 정보통신도시로 변신

오울루는 핀란드와 스웨덴 사이의 바다인 보트니아^{Bothnia} 만으로 흘러 나가는 오울루 강 하구 삼각주에 위치하고 있어서 고대부터 내륙과 바다를 연결하는 무역의 중심지로 발전했다. 오울루라는 이름의 어원은 사미^{sami}어로 '넘치는 물^{floodwater}'이라는 뜻이다. 1605년 당시 핀란드 지역을 지배하던 스웨덴의 왕 칼^{Karl} 9세가 현재의 위치에 도시를 건설했다. 오울루 시내 바로 앞에 있는 작은 섬^{Linnansaari}에 방어용 요새가 있었는데, 그 맞은편 육지에 도시를 건설한 것이다. 2005년에는 오울루 도시 건립 400주년이 되는 해로서 여러 가지 기념행사가 진행됐다.

사실 한국의 기준에서 보면 작은 도시이지만 오울루는 핀란드에서 여섯 번째로 인구가 많은, 핀란드의 기준에서는 제법 큰 도시다. 특히 핀란드 북부지역에서 가장 큰 도시다. 오울루는 남쪽 해안에 위치한 수도 헬싱키^{Helsinki}에서 약 600km 북쪽에 위치해 있는데, 오울루에서 핀란드 국토의 최북단 지점인 누오르감^{Nuorgam}까지의 거리도 그만큼 떨어져 있다. 핀란드 국토 전체로 볼 때 오울루는 한가운데 있는 셈이다. 핀란드 인구와 주요 도시가 대부분 상대적으로 따뜻한 남쪽에 있기 때문에, 오울루는 자연히 핀란드 북부를 대표하는 '절반의 수도' 역할을 해왔다.

오울루는 역사적으로 핀란드 북부지역의 주요 교통망이 집중되는 교통 중심지였다. 추운 기후에도 불구하고 1년 내내 사용 가능한 오울루 항은 아주 옛날부터 이곳 상인들이 이 지역 특산물들을 외부로 운송하면서 국제 무역항으로 성장해왔다.

과거의 오울루는 연어와 타르^{tar}로 유명했다. 1600년대까지는 이 지역에서 많이 잡히는 연어의 수출항으로, 1700년대부터는 이 지역 숲에서 추출 가공한 타르 생산 및 수출항으로 세계에 널리 알려졌다. 18세기 들어와 오울루는 해운업과 조선업의 도시로 크게 성장했는데, 특히 크림전쟁 직후 최고 전성기를 누렸다. 20세기 초반에는 목재가공 산업이 발전했다.

이처럼 오울루는 역사적 전통을 자랑하는 무역과 산업의 도시였지만, 20세기 후반에 들어와서는 그동안의 경제기반이었던 전통산업들이 쇠퇴의 징조를 보이기 시작했다. 이때부터 오울루는 새로운 지역성장 산업으로 정보통신산업을 선택해 집중적으로 발

▎오울루 강 너머로 보이는 주택가(ⓒ Alphaios)

전시키기 시작했다. 이러한 신산업 육성전략은 대성공을 거두었다. 현재 오울루는 전통산업인 목재가공, 종이, 금속산업 등이 여전히 경쟁력을 지니고 있지만 무엇보다도 정보통신산업에서 세계 최고의 기술수준을 자랑하고 있다. 특히 무선통신 분야에서 독보적 지위를 지니고 있는데, 그 핵심에 노키아가 있다. 세계적 통신기업인 노키아는 오울루 지역에서 4500여 명의 고용을 창출하고 있는데, 노키아의 협력업체도 이곳에 다수 분포하고 있어서 노키아의 고용 기여도나 경제적 영향력은 매우 높다.

노키아 및 협력업체 종사자를 비롯해 현재 오울루 시와 그 주변지역에는 핀란드 전체 첨단기술산업 종사자의 약 20%가 집중돼 있는데, 종사자 수는 약 1만 2000명으로 이 지역 총 고용의 약 10%를 차지하고 있다.

오울루의 성공요인

위도상으로 높은 곳에 위치하고 있는 오울루는 추울 뿐만 아니라 겨울철에는 거의 하루 종일 어두운 도시다. 그렇지만 지역의 경제주체들 사이의 긴밀한 협력관계, 현명한 의사결정, 피나는 노력, 거기에 약간의 행운까지 겹쳐 지금과 같이 세계 최고의 기술혁신 중심지로 성장했다. 오울루의 성공과정을 단계별로 추적해보면 다음과 같은 성공요인을 찾아볼 수 있다.

첫 번째 중요한 단계는 1958년의 오울루대학교 설립이다. 오울루대학교가 바로 오늘날 정보통신 기술발전 및 관련 기업 유치의 원동력이 됐기 때문이다. 오울루대학교 못지않게 오울루에 입지한 VTT(핀란드 기술연구센터: Technical Research Centre of Finland)와 오울루 폴리테크닉Polytechnic도 기술개발과 인력양성에 중요한 역할을 했다.

두 번째 중요한 단계는 노키아 연구개발 부서가 오울루에 입지한 것이다. 노키아는 오울루대학교에서 배출한 신규 고급인력을 찾아 이곳에 입지했는데, 노키아의 존재는 오울루가 지금과 같은 성공을 거두는 데 결정적으로 기여했다.

세 번째 단계는 1982년 오울루 시가 주도해 오울루 테크노폴리스라는 기구를 설립한 것이다. 이 새로운 기구의 설립목적은 기업들에게 사업부지와 함께 기업이 필요로 하는 다양한 서비스를 제공하는 것이다. 이 기구는 기대 이상의 성공을 거두어 오울루의 첨단산업 육성에 핵심 역할을 했다. 1999년에 오울루 테크노폴리스는 주식시장에 상장되기도 했다.

네 번째 단계는 오울루 시가 그 스스로를 '기술도시Technology City'라고 선언한 1984년이다. 이 선언은 너무 무모했다는 우려도 있었지만 결과는 예상보다 훨씬 좋았다. 이를 계기로 오울루 시는 분명한 목표를 가지고 말뿐만 아니라 실제 행동으로 꾸준히 도시를 가꾸어나갔다. 이러한 성공요인들을 좀 더 자세히 살펴보도록 하자.

대학의 역할과 모범적 산학협력

오울루가 가진 경쟁력의 첫 번째 원천은 바로 우수한 교육기관의 존재와 여기에서 배출되는 훌륭한 인재라고 할 수 있다. 오울루는 역사적으로 오랜 기간 동안 핀란드 북부지역의 교육 중심지였고, 이곳에서 3명의 핀란드 대통령을 배출할 정도로 높은 자부심을 지니고 있다.

2013년 현재 오울루에는 6개의 단과대학으로 구성돼 학생 1만 7000명이 공부하고 있는 오울루 종합대학을 필두로, 8000명의 재학생이 있는 실무 기술교육 중심의 오울루 응용대학, 직장인과 일반인을 위한 개방대학과 평생교육 시설이 자리 잡고 있어서 명실 상부한 교육도시로 명성을 날리고 있다.

오울루 최초의 현대식 고등교육기관인 오울루대학교는 1958년 처음 설립됐는데, 수도 헬싱키 이외 지역에서 정부지원으로 설립된 최초의 대학이다. 오울루대학교는 1966년에 전자공학과를 설립해 이 지역 정보통신산업 발전의 초석을 마련했다. 이곳에서 교육받은 우수 인재들이 배출되면서 풍부한 인력공급체제를 마련해 기업들을 유인했고, 결국 이 지역 성공의 밑바탕이 됐다. 오울루대학교는 잘 짜인 산학연계 프로그램과 기업의 요구에 맞춘 교육 커리큘럼으로도 유명하다. 이곳 학생들에게 산학협력 참여는 졸업을 위한 필수조건이다. 학생들은 기업 및 연구소 인력들과 함께 연구개발 프로젝트를 수행하면서 실용지식에 일찌감치 눈뜨게 된다.

노키아의 주도적 역할 및 지역 주체들의 긴밀한 협력체계

스웨덴의 대표적인 기술도시 시스템에 스웨덴을 대표하는 정보통신기업 에릭슨 Ericsson이 있다면, 핀란드의 대표적 기술도시 오울루에는 핀란드를 대표하는 정보통신기업 노키아가 있다. 노키아 본사는 핀란드의 남부 도시 에스포Espoo 시에 있지만 핵심 연구개발 부서는 오울루에 있다. 오울루의 발전에 노키아가 크게 기여한 것처럼, 노키아가 앞서나가는 데 오울루의 역할도 매우 컸다. 노키아의 연구개발 부서는 지금 전 세계 여러 곳에 산재해 있지만, 오울루에 있는 부서에서 오울루대학교, VTT 및 여러 산학연계기관을 통해 새로운 기술혁신을 창출해냈다. 오울루 시 역시 노키아 측에 사원용 장기 임대주택을 제공하는 등 많은 지원을 했다. 노키아와 관련 중소기업, 그리고 이곳의 대학과 시 당국을 비롯한 공공부문 사이의 상호 긴밀한 협력이 오늘날과 같은 오울루의 성공을 만들어냈다.

오울루 시가 주도한 테크노폴리스 설립

20세기 후반 들어 오울루 시의 주력 산업이었던 전통산업이 하향 추세를 보이면서

오울루 테크노폴리스 안내지도(왼쪽)와 린난마 지역의 테크노폴리스(오른쪽)(ⓒ Alphaios)

오울루 시 당국은 첨단기술기업 육성을 희망했다. 1980년부터 오울루 시는 이곳에 첨단기술단지를 설립하기 위해 특별위원회를 만들고 아이디어를 모으기 시작했는데, 그 모델로 대학 옆에 기업 인큐베이터와 기술센터가 있는 미국의 실리콘밸리를 주목했다. 그리고 Oulun Teknologiakylä Oy.라는 이름의 새로운 회사를 설립했다. 이것이 바로 오울루 테크노폴리스다. 오울루 시가 이 회사 지분의 절반을 소유했고, 나머지는 노키아를 비롯한 20여 개 기업이 나누어 가졌다. 이 회사의 역할은 첨단기술기업에게 부지 및 기업지원 서비스를 제공하는 것이었다. 처음 시작은 아주 소박해 시내 중심부의 공터 4000㎡를 임대하는 것부터 시작했다. 초창기에는 성공 가능성에 대한 회의 때문에 손쉽게 주거지로 용도 전환될 수 있도록 하는 안전장치를 만들어놓기도 했다. 그렇지만 곧 기대 이상의 성과를 냈고, 이어서 오울루대학교 근처인 린난마Linnanmaa 지역에 새로운 부지를 만들게 됐다. 성공은 계속돼 1999년 8월에는 핀란드 주식시장에 상장됐고, 새로운 부지를 조성해 그 성과를 계속 확대해나가고 있다.

현재 오울루 테크노폴리스는 오울루 지역 세 곳과, 수도 헬싱키 인근지역인 반타 Vantaa와 에스포에 부지를 가지고 있다. 부지임대 규모도 크게 증가해 오울루 지역에는 14만 5000㎡의 부지에 약 250개의 기업 6000여 명의 사람들이 일하고 있다. 주로 정보통신, 생명과학, 전자산업, 의료산업 등 고급기술을 지닌 기업들이 이곳에서 활동 중이다.

이 테크노폴리스의 주된 업무는 고객인 기업들에게 사업부지를 임대하는 것이다.

| 오울루 시청사(© Estormiz)

이는 기본적으로 다른 부동산회사와 다를 바 없지만, 이 부지가 현대적 하부구조를 갖추고 있고, 용도전환이 쉬우며, 비용 대비 효과가 높아 첨단기업에 맞게 설계돼 있다는 차별성이 있다. 특히 테크노폴리스를 돋보이게 하는 것은 그 운영 개념인데, 바로 사업부지와 고객지향 서비스, 네트워크, 성공의 이미지를 하나의 서비스 단위에 묶어놓은 것이다.

오울루의 쾌적하고 즐거운 도시문화

오랜 역사를 가진 오울루에는 많은 문화유산과 볼거리들이 있다. 400년 전 오울루시보다 조금 먼저 건설됐던 시내 앞 섬에 있는 요새 터는 지금 레스토랑으로 쓰이고 있다. 또한 1777년에 지어진 오울루 성당, 1800년대 후반 세워진 후 최근 보수한 오울루 시청사 건물 등 역사적 건물들이 남아 있다. 오울루 도심 해안가 옛 시장터는 옛날에 창고로 사용되던 오래된 건물들로 둘러싸여 있는데, 오울루의 지난 역사를 대변하는 장소다. 이 시장터의 중심에는 과거 이 시장의 질서유지를 담당했던 경찰관 동상이 친근하게 서 있다.

또한 오울루에는 시민들을 위한 각종 문화체육 시설이 갖춰져 있다. 세계에서 가장 북쪽에 위치한 전문 오케스트라로 알려진 오울루 심포니 오케스트라와 이들의 공연이 이루어지는 뮤직센터, 오래된 공장을 개조한 오울루 아트갤러리, 유명한 핀란드 사우나를 비롯해 하이킹, 캠핑, 강과 바다를 이용한 각종 겨울 스포츠들을 시민들이 즐기는데 부족함이 없다.

오울루의 미래를 위한 성장협약

현재 오울루는 핀란드에서 가장 빠르게 성장하는 도시다. 인구구조에서도 젊은 층이 많다. 학생이 많고 취업기회가 많아 외지에서 젊은이들이 몰려들기 때문이다. 오울루의 기존 도심은 활력이 넘치지만 상대적으로 좁다. 그래서 최근 인구증가와 함께 새로운 주거지역이 외곽으로 퍼져나가고 있다. 지금 오울루의 핵심 산업은 정보통신산업인데, 최근 건강산업이 발전하고 있고, 목재·종이·화학 등 전통산업도 여전히 발전을 거듭하고 있다. 또한 핀란드 중심에 위치한 입지적 이점을 토대로 핀란드에서 두 번째로 분주한 공항, 깊은 항만, 훌륭한 철도와 도로 시스템 등의 교통하부구조를 갖춘 오울루는 물류 측면에서도 높은 경쟁력을 갖추고 있다.

그렇지만 오울루는 여기에 만족하지 않고, 과거 정보통신산업을 발달시킨 경험을 바탕으로 첨단기술에 바탕을 둔 새

▎오울루의 옛 시장터와 경찰관 동상

로운 신산업들을 성장시키려는 원대하면서도 분명한 목표를 향해 나아가고 있다. 이를 위해 오울루 시가 주축이 돼 대학, 기업이 함께 오울루 2006년 성장협약Oulu Growth Agreement 2006을 체결해 차분히 추진 중에 있다. 이 성장협약에 따르면 현재 오울루의 첨단기술 주력산업인 정보통신산업과 건강산업 외에 생명산업과 환경산업, 콘텐츠미디어산업을 새롭게 발전시킬 계획이다. 이렇게 5개 분야의 산업클러스터를 동시에 육성함과 아울러 물류의 발전 및 기업가 정신 고취를 목적으로 하는 프로그램도 추진하고 있다.

비록 규모는 작지만 역동적이고 매력적인 도시 오울루는 앞으로도 한국은 물론 전 세계의 비슷한 규모의 중소도시들에 많은 자극과 배움의 기회를 줄 것으로 예상된다.

/ 강현수(중부대학교 도시행정학과 교수)

| 참 고 문 헌 |

• Jan-Evert Nilsson, ed. 2006. *The Role of Universities in Regional Innovation Systems: A Nordic Perspective*. Copenhagen: Copenhagen Business School Press DK.

• OECD. 2005. *Territorial Reviews OECD Territorial Reviews: Finland*. Paris: OECD Publishing.

• http://www.ouka.fi/

• http://www.technopolis.fi/en/technopolis/oulu/

중세의 미와 현대감각의 조우
코펜하겐

Copenhagen

코펜하겐

덴마크. 돌도 나무도 하나 없는 모래땅에 지어진 왕실의 웅장한 석조 건물들과 풍성한 숲은 북유럽 전통 군주국가의 위상을 보여준다. 덴마크인들은 바이킹의 정통을 잇는 후예로서 자긍심이 대단하다. 세계 왕실 중 가장 오랜 전통과 역사를 자랑하는 1000년의 순수혈통 고름Gorm 왕가, 그밖에도 영국을 200년 이상 지배했으며, 3개의 왕관이 나란히 올려 있는 황실

만의 상징은 칼마르동맹Kalmar Union으로 북유럽 3국을 통합했던 강력한 힘을 말함이다.

우리에겐 안데르센의 인어공주 동상으로 더 친숙한 코펜하겐Copenhagen에서 최근 10년간 도시계획가들은 버려져 있던 항구와 요새가 갖고 있던 황폐함을 세련되고 현대적인 새로운 얼굴로 만들어내는 데 온 힘을 기울이고 있다. 1000개의 첨탑이 있는 코펜하

겐의 도시 외경에 혹여 손상을 입힐까 시청사 첨탑의 105.6m 높이를 넘지 못하게 하는 도시건축조례를 보면 알 수 있듯, 타 유럽 도시와 마찬가지로 코펜하겐이 고유한 색깔을 잘 지켜내고 있는 비결은 새로운 것에 대한 배척도, 옛것에 대한 경시도 아닌 서로에 대해 존중하는 현지인의 공존사고방식에서 연유한다.

뾰족하게 불쑥불쑥 솟은 수많은 첨탑들 외에 이 도시의 색깔은 유별난 데가 있다. 사암과 화강석을 이용해 지은 검붉은 건물 벽면의 중후함과 대조를 이루는 청동지붕은 잦은 비로 산성화돼 산뜻한 에메랄드 빛을 띠고 있다. 중세도시인데도 반듯하게 트여 있는 시청사 앞의 안데르센 거리, 보행자의 천국이라 하는 스트뢰에트Strøget의 좁은 골목길을 빠져나오면 펼쳐지는 항구 주변의 초현대식 건물들은 시간의 공존을 실감하게 한다.

국고를 파산지경에 이르게 했던 수차례의 전쟁과 화재, 그리고 영국의 산업혁명과 맞물린 도시인구의 증가와 시민계급을 대표하게 된 부르주아의 등장은 도시의 기본구조와 외형을 변모하게 만들었다. 그 후 불분명해진 도시의 경계선, 즉 성벽과 해자의 기능 전환은 급속하게 발전하는 시대 흐름에 적극 부응한 정부의 신속한 대처로 도시 전체의 외경을 바꾸어놓았다. 도시는 그곳에 사는 주인인 주민들 스스로 만들어내야 한다. 정부는 그들의 필요를 잘 읽어내고 충족시킴으로써 그들이 가질 수 있는 최상의 만족도를 끌어내는 데 도움을 줄 뿐이다.

위치 덴마크 셸란 섬 북동안
면적 2,673㎢
인구 1,145,804명(2008년 기준)
주요 기능 정치 · 경제 · 문화

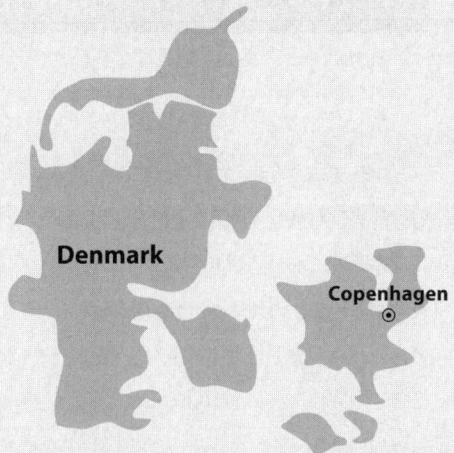

Denmark

Copenhagen

┃ 시청 앞에서부터 콘겐스뉴토우 광장까지의 보행자 전용도로인 스트뢰에트 거리

편 리 한 교 통 망

북유럽에서 인구밀도가 가장 높고 각종 흥미로운 국제회의와 학회가 활발하게 열리고 있는 코펜하겐은 편리한 교통망을 갖출 수 있는 유리한 지리적 조건을 갖고 있다. 우선 도시 서쪽 아마게르Amager 섬에 위치한 카스트루프Kastrup 국제공항은 북유럽 최대의 공항과 항공망을 갖고 있고, 항구는 스칸디나비아 모항으로 175개의 순환라인에 2002척의 순항선이 운행됨으로써 16만 명의 승객을 세계 각국의 도시로 실어 나른다. 그뿐만 아니라 시속 130㎞의 철도Ney IC-3-tog는 12분 만에 공항에서 도시 중심가로 이동이 가능하고, 2002년 10월에 개통된 지하철METROEN은 시속 80㎞로 전자동 운행돼 출퇴근 시간의 교통체증을 해소하는 주요한 교통수단으로 등장했다.

코펜하겐에서 가장 널리 이용되는 교통수단은 역시 자전거로서 매일 15만 명이 넘는 인구가 자전거를 이용해 도시 중심을 통과하고 있다. 평탄한 지형의 이점을 한껏 살려 잘 정비된 자전거 전용도로를 이용해 한겨울 된서리를 맞으며 질주하는 자전거의 행렬

| 완전자동 순환 지하철(왼쪽), 북유럽 특유의 활기찬 출근 모습과 자전거 행렬(오른쪽)

을 보노라면, 혹독한 기후와 척박한 자연환경에도 굴하지 않고 싸워 오늘의 선진국으로 성장한 덴마크인들의 강한 의지를 느낄 수 있다.

1970년대 전후로 대중교통 이용률이 줄고 자가용 이용률이 늘어나기 시작한 여타 도시와는 다르게 10년 전부터 오늘날까지 10%밖에 교통량이 증가하지 않은 원인은 무엇일까? 유전을 보유하고 있으면서도 높은 연료비와 300%의 부가가치세를 부과하는 높은 차량가격, 국가정책상 환경오염에 막대한 악영향을 끼치는 자동차 제조업 불허가 방침 등에서 그 연유를 찾아볼 수 있다. 출퇴근 시 자동차로 소모되는 여러 불필요한 에너지 소비를 절감해보겠다는 도시민들의 건전한 사고방식 또한 오늘날 코펜하겐의 편리한 교통환경과 쾌적한 도시공기를 보존하는 데 보탬이 되고 있다.

지리적 조건으로 인한 요충지

한낱 작은 어촌 마을에 지나지 않던 코펜하겐이 도시 역할을 하게 된 시기는 1167년으로 거슬러 올라간다. 당시 최고 권력계급이었던 성직자 압살론Absalon 주교는 대주교 관할이었던 현 스웨덴의 룬드Lund와 덴마크의 수도이자 대성당이 있는 로스킬레Roskilde

의 중간지점에 위치한 코펜하겐을 앞으로의 요충지로 판단했다. 그는 홀멘Holmen이라는 곳에 요새를 지어 점차 세력을 모았는데, 1000년에 가까운 세월이 흐른 지금도 홀멘의 위상은 막강하다. 국회의사당이 있는 크리스티안스보르Christiansborg 궁전 지하에는 당시의 요새가 유적지로 잘 보존돼 있다. 시대의 변천과는 무관하게 때로는 성직자 계급의 압도적인 권력의 상징으로, 이후 황제가 머무는 곳으로, 현재는 덴마크의 최대 권력자라 할 수 있는 국민들의 목소리가 모여 심의되고 논의되는 곳도 바로 홀멘이다.

도시 외경의 변화

도시 모습은 1100년경 압살론에 의해 크게 한 번 바뀐 후 1416년 에리크 7세Erik VII 때 코펜하겐으로 도읍이 옮겨지면서 다시 한 번 변화돼, 상업기능뿐만 아니라 왕이 사는 수도로서 정치적 요충지가 된다. 1596년 크리스티안Christian 4세는 재정적으로 막강한 세력을 확보하고, 이 도시를 북유럽에서 군사적·종교적·문화적·경제적 중심지로 만들겠다고 결정한다. 그렇게 해서 진행된 사업으로 오늘날 복지정책의 선구가 되는 공동주택 뉘보데르Nyboder(해군들의 가족부양을 위해 만들어짐), 암스테르담을 모델로 한 크리스티안스하운Cristianshavn이 있다. 이 외에도 당시 왕명에 의해 지어진 각 항구들과 르네상스식 건물들, 요새 카스텔레트Kastellet는 수백 년이 지난 지금까지도 도시를 대표하는 기본적인 윤곽이 되고 있다.

도시 확장은 1700년경 본격적으로 이루어지기 시작해 중세의 낙후한 모습이 점차 사라져갔다. 1800년대부터 증가하기 시작한 도시인구와 1728년, 1795년, 1807년의 세 차례에 걸쳐 도시를 파괴한 대화재는 도시 외경을 변화시켰고, 17세기 중엽 크리스티안 4세 시대에 축조된 건물들을 제외한 나머지 건물들은 화재 이후 복구하는 과정에서 증축됐다. 1934년 도시철로망을 건설하기 위해 기차선로를 설치한 곳은 1852년 도로를 만들면서 사라진 해자가 있던 자리로서 당시의 해자 깊이와 규모를 상상할 수 있다.

손가락 계획(Finger Plan)

1948년 인구의 급격한 증가와 도시 확산에 대응하기 위해 손가락 모양으로 계획된

┃ 최근 창고 등이 재개발되어 고급주택가가 들어서고 있는 크리스티안스하운

혁신적인 아이디어는 오늘날 코펜하겐 광역시Storkøbenhavn의 주된 윤곽을 만들었다.
① 최단거리, 도시통과 가능, ② 구역별 재창조, ③ 효과적인 교통망 확보, ④ 중심가에
공간 만들기 등이 주요 사업내용이다. 그 결과 도시 중심가에서 흔히 발생하는 높은 인
구밀도를 줄였고, 출퇴근 시 교통체증 현상이 희박하며, 310ha에 해당하는 주변 도시
의 활성화를 가져왔다.

　거리원표가 있는 시청사 광장을 중심으로 각 지역으로 연결되는 도로망이 설치되
고, 성 안팎을 경계하던 해자로 인해 축조된 다리들은 지역방향의 이름을 따 북교지역
Nørrebro, 동교지역Østerbro, 서교지역Vesterbro, 중심가지역København K, Centrum, 아마게르 지역
Kbh. S, Amager 등 소규모 자치구로 나뉘는 경계점이 된다.

　서쪽 중앙역 중심은 어느 역 근처와 마찬가지로 홍등가가 위치한 구역이지만, 최근
지역주민들의 열의로 크게 변모돼 지성인들이 모여 사는 장소답게 그들만의 특유한 카
페, 문화 공연장, 거리 한가운데 조성된 공원과 산책로 등이 암울했던 그곳의 새로운 빛

이 되고 있다.

북쪽으로 이어져 있는 다리를 건너 형성된 북교지역은 전통적인 노동자들의 구역이었으나, 10년 전부터 부동산 가격이 300% 이상 급증하는 등 시내에서 가장 활발하게 세대교체가 일어나고 있는 지역으로 부상했다. 이러한 현상은 근로자들의 지지를 얻어 조직된 사회민주당이 실세를 잃고 학생들과 경영인들의 지지를 얻어 부상한 현 집권정당(자유당, Venstre)의 자본주의 경제정책의 효과에서 비롯된다고 할 수 있다. 세계적 추세처럼 도시 위주의 삶을 지향하는 신세대의 호응도는 다운타운과 더 많이 근접하고 근교의 수목을 쉽게 접할 수 있다는 지리적 이점으로 인해 이곳의 부동산 가격을 폭등시키는 원인이 되고 있다.

그에 반해 전통적으로 도시중상층 계급이나 부유한 유대인들의 거리가 있던 동교지역은 예나 다름없이 중후한 맛이 그대로 남아 있어 고전적인 멋이 한껏 살아 있는 지역이다. 석조건물들 중 바로크풍의 우아함과 아기자기한 로코코풍의 건물도 쉽게 찾아볼 수 있어 젊은 세대들의 선호 업종인 광고업, 변호사, 외교관 사무실들이 있는 지역이기도 하다.

도시의 새로운 얼굴들

코펜하겐의 원어는 쾨벤하운København이며, 사고파는 항구라는 의미를 담고 있다. 말 그대로 상업도시이고, 한때 북유럽의 활발했던 무역 중심지다운 명칭이라 할 수 있다.

1980년을 전후로 동유럽의 저렴한 임금을 찾아 공장들이 옮겨 가고, 다시 아시아 지역으로 점차 공장들이 이동해가면서 불과 20년 전까지만 해도 공장에서 뿜어내던 잿빛 매연으로 가득했던 남항Sydhavn과 북항Nordhavn 그리고 군사기지였던 크리스티안스하운 일대는 한동안 버려진 채 도시의 그늘진 곳으로 누구의 시선도 끌지 못했던 지역이었다.

그런데 최근 도시계획가들의 노력으로 현저한 변화가 일어났다. 중세의 중후함을 상징하던 검붉은 벽돌건물과의 조화를 고려해 검은 대리석으로 세워진 미니멀한 현대건물은 눈이 부시다. 버려진 항구와 오랜 세월 무용지물이었던 군사기지들이 정부 측과 대기업의 막대한 투자로 각종 교육문화 공간, 고급호텔 또는 최고급 주거공간으로 변

| 안데르센 동상

경·이용되기 시작했다. 해상교통을 중심으로 발달한 무역도시답게 곳곳에 만들어진 항구 일대는 해변을 끼고 있다는 조건과 다운타운과 직결된다는 편리함까지 곁들여 국내외 부동산 투자가들의 이목을 끌기 시작했다. 게다가 2005년 1월 완공한 오페라 하우스는 항구의 꽃으로 자리잡고 있다.

또 도시 한가운데 자리한 항구해수욕장은 다른 항구에서는 찾아볼 수 없는 청결함을 과시한다. 이곳의 폐수오염도는 0.25ppm으로 항구에서도 물놀이가 가능한데, 이는 기적에 가까운 일이다. 1978년 주민들이 함께 잔디를 깎고 아이들이 뛰어놀 수 있는 놀이터를 만들기 시작한 것이 점차 확대돼 2002년도에 해수욕장으로 정식 개장했으며, 이후 폭발적인 인기를 끌자 2004년도에 다시 확장해 도시민들의 휴게공간으로 널리 사랑받고 있다.

각종 에너지를 공급하는 전력소Energi 2 E2의 또 다른 명칭은 쓰레기소각장이다. 굳이 도시변두리까지 나가지 않아도 쉽게 눈에 띄는 2개의 높은 굴뚝은 도시 내부 4개 장소에 설치돼 있다. 그 모두가 도시중심가에서 많이 벗어나지 않은 장소에 있다는 점이 매우 독특하다. 도시의 각종 오물이 분리수거돼 발생한 가스가 도시의 빛과 열이 돼 도시로 되돌아와 재활용, 환원되는 모습은 이곳의 또 다른 자랑이 아닐 수 없다.

자유공간 크리스티아니아(Christiania)

유토피아의 꿈에 닿으려는 소민족의 의지와는 무관하게 자본주의 경제의 잔인함은 그 어떤 예외도 허락하지 않는다. 선택의 여지 없이 생존목적에 의해 정치망명을 감행한 아프리카 난민이 이곳 크리스티아니아를 방문한 후, "요람에서 무덤까지 완벽한 사회보장이 되어 있는 이 나라에서 일부러 달동네를 만들어 헐벗고 사는 모습은 모욕이 아닐 수 없다"라고 한 말은 의미심장하다.

1973년 3년의 기한부로 용인돼 집성된 크리스티아니아의 현 주민들은 자유롭고 이색적인 그들만의 특성을 만들어냈고, 1978년에는 정부로부터 그들의 존재를 공식적으로 인정받았다. 그러나 이곳 초기 주민들의 순수의지와는 무관하게 타 지역에서 모여든 사람들이 불법으로 마약을 거래하는 등, 오늘의 크리스티아니아는 사회적으로까지 문제가 야기되고 있다.

| 인어공주 동상

그동안 이곳 주민들만의 자유분방하고 기발한 착상들은 각계각층의 많은 방문객으로 하여금 신선한 충격과 풍부한 영감을 불러일으키곤 했는데, 최근 들어 크리스티아니아의 다양한 입지조건으로 인해 부동산 투자가들이 관심을 갖기 시작했다. 결국 그들의 압력에 무력해진 정부 측은 경제를 중심으로 한 세계변화의 물결에 동참했고, 유토피아를 꿈꾸던 모든 사람들은 잠에서 깨어나야만 했다.

끝을 맺으며

1인당 국민소득 5만 5000달러(2011년 기준)를 자랑하는 세계 최고의 선진국, 국민 개개인은 가난하지만 국가가 부강한 나라, 국가자산에 적자가 없는 나라 등 덴마크가 거창한 타이틀을 가질 수 있는 이유는 최하 38%의 높은 세금을 내기 때문이며, 여성의 사회경제 활동률이 세계에서 가장 높기 때문이기도 하다(경제인구 16세 이상부터 65세 미만을 기준으로 한 여성인구 중 90% 이상이 경제활동에 참가).

100년 이상의 오랜 역사를 가진 노동조합은 근로자뿐만 아니라 경영인에게도 이상적인 노동시장의 모델The Danish model(정·경·노 힘의 균형으로 수레바퀴의 지혜라 부른다. 정부는 방향 설정, 경총과 노총은 각각의 수레바퀴가 되어 동일한 힘의 크기를 가지고 함께 나아간다)을 만들어 근무조건의 유연성과 최상의 노동환경을 만들어냈다.

이곳에서는 직장의 리더를 뽑는 구인광고문에서 40세 이상이어야 한다는 특이한 조건을 종종 접할 수 있다. 구인광고에서 흔히 볼 수 있는 연령제한으로 보다 균등한 사회진출을 막고 있는 우리 실정으로는 이해하기 힘든 조건이다.

회사는 업무 이전에 인격체와의 만남이고, 그런 입장에서의 인력관리는 삶의 연륜을 필요로 한다는 이야기다. 교육은 평생이라는 말이 일상에서 실천되고 있기에 필요하면 언제든 학교로 돌아가서 배우고, 다시 나와서도 경제활동이 가능한 균등한 기회보장이야말로 이곳을 세계에서 가장 살기 좋은 곳으로 만드는 특성이다.

이 나라의 교육방침은 유한 에너지자원에만 의존하지 않고 고갈되지 않는 풍력과 태양열 등 자연자원을 활용하고, 미래 에너지자원인 인력자원 개발에 보다 힘쓰는 것이다. 지식만 가득한 인간로봇을 만들기보다 사랑으로 인성을 키우고, 가슴이 따뜻한 아이를 만드는 데에 중점을 두고 있는 것이다. 이 모든 이야기가 어느 날 우리의 이야기가 되는 그날을 소망한다.

• 사진 제공(일부): 이미지투데이

/ 이석우((주)동림P&D 대표이사), 이영해(통역가)

┃ 참 고 문 헌 ┃

• Davidsen, Leif. 2001. Bogen om DANMARK. DANMARKS NATIONALLEKSIKON.
• Petersen, Claus Hagen. 2004. POLITIKENS BOG OM KØBENHAVN. POLITIKENS HÅNDBØGER.
• Winkel Horn(trans). SAXO Grammaticus. SESAM.
• http://www.bygst.dk
• http://www.christiania.org
• http://www.gdansk.pl
• http://www.roughguides.com
• http://www.thehealthplan.com
• http://www.visitcopenhagen.com

지속가능한 도시생활의 실험장
류블랴나

Ljubljana

▌**알프스가 보이는 류블랴나 시내**

슬로베니아의 수도인 류블랴나Ljubljana는 중앙 유럽의 알프스Alps와 아드리아Adria 해 사이에 있으며, 평균 해발고도는 298m에 달한다. 지리적으로 중앙 유럽에서 지중해와 동쪽으로 이어지는 중심지에 있고, 천연적인 통로 위에 있어서 오래전부터 '류블랴나 게이트'라고도 불렸다. 류블랴나의 면적은 275㎢이고 2013년 6월 말 현재 인구는 약 28만 3000명이다. 역사적으로는 지금부터 2000년 전인 서기 14년 로마가 현재의 류블랴나 자리에 에모나Emona를 세웠다고 하는데, 약 5000명의 정복자들이 살고 있던 것으로 추정된다.

슬로베니아는 한국의 약 5분의 1 크기(2273㎢, 경상북도와 울산광역시를 합친 정도)이다. 류블랴나 면적은 슬로베니아의 1.36%에 불과하지만, 인구는 약 14%

가 살고 있다. 또한 경제 중심지로서 GDP의 25%를 생산하며, 정치·경제·행정·교통 및 통신·교육·관광·문화 활동의 중심도시다. 류블랴나 광역권은 인구가 약 54만으로 슬로베니아 인구의 약 25%가 모여 있으며, 면적은 2555㎢로 12.6%를 차지한다.

류블랴나는 유럽 각 방면에서 항공과 철도로 접근이 가능하다. 빈에서 류블랴나로 철도가 개통된 것은 1849년이고, 그로부터 8년 후에는 아드리아 해의 트리에스테까지 연결됐다. 이때부터 철도는 슬로베니아의 주요 교통수단으로 이용되고 있으며, 지금도 독일의 뮌헨 혹은 오스트리아의 빈, 이탈리아의 베네치아에서 철도로 이동할 수 있는데, 고속철도가 없어서 통행시간은 좀 걸리는 편이다. 게다가 유럽이 철도로 잘 연계돼 있다고 해도 국제열차는 운행하는 횟수가 적어 선택의 폭이 좁은 편이다.

유럽 대부분의 대도시와 항공편으로는 2시간 거리다. 류블랴나 공항은 시내에서 23㎞ 떨어져 있으며, 빈 50분, 뮌헨 1시간, 프랑크푸르트 1시간 25분, 파리와 런던 2시간, 모스크바 3시간 등이 소요된다. 슬로베니아는 국영 아드리아 항공사가 20개 이상의 도시를 연결하며, 일주일에 200편 정도 운항하고 있다.

슬로베니아는 1991년 독립 이후 고속도로 망을 갖추어왔으며, 류블랴나 시는 순환형 고속도로로 둘러싸여 있다. 과거 10년 동안 많은 도로가 현대화되고 고속화됐다. 국경을 접한 이탈리아, 오스트리아, 헝가리 등에서 도로를 이용해 접근이 가능한데, 크로아티아 자그레브 쪽은 A2(E70) 고속도로가 통행 중이다.

위치 중앙 유럽의 알프스와 아드리아 해 사이
면적 275㎢
인구 283,000명(2013년 기준)
주요 기능 정치·경제·역사

Ljubljana
◉

Slovenia

플레츠니크의 대표적 건축물인 '세 쌍의 다리'가 모이는 프란체스코 성당과 광장

한 건축가의 혼이 배어 있는 도시

류블랴나는 오래전부터 지중해의 영향을 받았다. 17세기에는 이탈리아 문화의 영향을 받아 아카데미아 오페르소룸Academia Operosorum을 창립했다. 이때 외국의 장인들이 슬로베니아 예술가와 건축가를 고용하고 가르쳤으며, 류블랴나에 바로크 양식을 가져왔다. 당시 새 시청사 앞에 프란체스코 롭바Francesco Robba가 분수를 만들었는데, 이는 바로크 양식의 진수를 보여준다. 1770년에는 유럽에서도 오랜 기관의 하나인 음악학교 아카데미아 필하모니코룸Academia philharmonicorum이 창설됐다.

1895년 류블랴나에 두 번째로 대지진이 발생했는데, 이때 도시의 대부분이 크게 파괴됐다. 당시 오스트리아 건축가들이 도시의 재건을 도왔는데, 이때 분리주의자(세세션니스트secessionist) 양식을 가져왔다. 이 새로운 스타일이 옛날의 바로크 양식과 잘 조화를 이루어 류블랴나의 현재의 모습을 이루고 있다.

제1차 및 제2차 세계대전 사이에 오늘날의 류블랴나 이미지를 형성하는 데 가장 큰

┃ 류블랴나 도심을 흐르는 하천

영향을 준 사람은 조제 플레츠니크Joze Plečnik다. 그는 류블랴나에 대한 사랑과 대단한 재
능으로 류블랴나의 영혼을 사로잡고, 불멸의 건축물을 남겼다. 그의 개인적인 영향이
너무 커 때때로 이 도시는 '플레츠니크의 류블랴나'라고 불리기도 한다. 그가 만든 대표
적인 시설물로는 다리 3개가 모여 있는 '세 쌍의 다리Triple Bridge'가 있다. 이 다리는 시청
사 앞 광장으로 이어지며, 시내의 명소로서 항상 사람들이 북적댄다.

UNESCO 2010년 세계 책의 수도

류블랴나는 2008년 UNESCO에 의해 '2010년 세계 책의 수도World Book Capital City 2010'
로 선정됐다. 선정 과정에서 경합한 도시는 빈, 리스본, 세인트피터즈버그, 과달라하라,
웰링턴이었다.

류블랴나는 세계 책의 수도로 선정될 만큼 문화적 유산이 풍부하고 책과 인연이 깊
다. 2001년 이래 슬로베니아에서는 매년 4000종의 도서가 출판되고 있는데, 이는 인구

당 출판도서의 비율로는 핀란드와 아이슬란드 다음으로 높다. 게다가 슬로베니아에는 1800개 이상의 출판사가 있으며, 이들은 문학, 과학 및 잡지 발간에 열성적이다. 문학도서가 전체 출판물의 25%를 차지하며, 문학과 관련된 축제도 18개나 되고, 이 중 두 가지(Vilcnica, Medana)는 국제적 명성을 얻고 있다. 시내 광장에서는 매일 길거리 책방이 열려 슬로베니아어로 만들어진 책들이 판매되고 있는데, 항상 많은 사람들이 모여든다.

특히 2009년은 슬로베니아 문자의 창시자인 프리모즈 트루바르Primo? Trubar 탄생 500주년이 되는 해였다. 슬로베니아어에 문자가 만들어지게 된 것은 1511년 첫 지진이 있은 후 류블랴나가 르네상스 시대를 맞이했을 때다. 프로테스탄트 시대에 류블랴나는 인구가 5000명에 불과했지만, 트루바르가 슬로베니아 문자를 만들어 1550년 슬로베니아어로 만든 책을 두 권 발행했다. 그리고 1584년에는 성경도 슬로베니아어로 번역됐다. 슬로베니아는 인구가 2012년 말 현재 206만 명으로 추정될 정도로 작은 나라이지만, 고유의 언어를 갖고 있다는 것은 그들이 매우 독립심이 강한 민족임을 보여주는 징표라고 할 수 있다.

지속가능한 도시, Civitas

류블랴나는 유럽에서 실시하는 Civitas(City-VITAlity Sustainability) 실험도시다. Civitas는 도시를 실험실로 삼아 지속가능한 도시생활을 실현하도록 여러 가지 교통정책을 적용하는 EU의 프로젝트다. 이 사업에는 교통혼잡 완화 및 대중교통 수단의 장려, 기후변화에 대응하는 교통문제 해결 등을 위해 68개의 방안이 개발됐는데, 그중 류블랴나에서 적용하고 있는 분야는 8개다. ① 대체연료 및 청정에너지를 이용한 효율 높은 차량의 운행, ② 대다수 여객의 집객 서비스 및 교통수단 간의 연계 · 환승, ③ 교통서비스의 수요 관리 전략, ④ 여행객 정보 전달, ⑤ 모두가 안전하고 믿을 수 있는 이동성 확보, ⑥ 혁신적인 교통서비스, ⑦ 화물 수송, ⑧ 텔레매틱스Telematics의 활용 등이다.

류블랴나는 Civitas 실험도시로 선정돼 2008년부터 2012년까지 유럽의 다른 4개 도시(포르투갈 port, 벨기에 Gent, 체코 Brno, 크로아티아 Zagreb)와 함께 CIVITAS ELAN 교통정책을 실시해왔다. 2008년 10월과 12월에 1000명의 시민을 대상으로 설문조사를 한

▍류블랴나 도심의 보행자 및 자전거 전용구역

바에 의하면, 류블랴나 시민들은 승용차 통행 의존도가 매우 뿌리 깊은 것으로 나타났다. 2012년 현재 류블랴나의 등록차량 수가 17만 3574대이고, 그중 승용차가 14만 5810대이므로 인구 두 명당 한 대의 승용차를 보유하고 있는 셈이다. 이러한 이유로 승용차 이용자들의 행태를 변화시켜 지속가능한 도시교통을 실현시키고자 류블랴나는 EU의 프로젝트에 참여한 것이다. 류블랴나는 2013년 지속가능한 이동 분야에서 그 공로를 인정받아 '2016년 유럽 녹색 수도' 칭호를 받았으며, 이를 계기로 2015년 CIVITAS 포럼을 주최하게 됐다. 류블랴나의 지속가능한 교통은 시내에서 실감할 수 있다. 즉, 류블랴나 도심은 승용차의 이용이 거의 통제되는 수준인 대신, 자전거나 버스 등은 편리하게 이용할 수 있다. 시내에 315km의 버스전용차로가 설치돼 있고, 자전거도로는 125km에 달한다(2010년 통계). 특히 버스의 90%는 저상버스로 휠체어도 쉽게 이용가능하며, 정차정보는 비디오와 음성으로 안내되고 있다. 도심 Car-Free-Zone에는 Cavalier라는 5인승 전기차가 무료로 운행되고 있다.

　류블랴나는 대중교통 수단의 이용을 장려하기 위해 류블랴나 관광카드Urbana City Card

를 판매하고 있다. 이 카드는 주로 외국인 관광객들이 사용하며 3일권이 35유로다. 관광안내소에서는 통행권의 뒷면에 사용자의 이름과 만료시각을 써주는데, 이 통행권이 있으면 시내버스는 72시간 동안 무한정 탈 수 있고 시내 가이드 관광도 무료이다. 또 시내의 박물관 등을 무상으로 관람할 수 있으며, 일부 음식점이나 상점에서는 할인도 받을 수 있다. 특히 와이파이를 무료로 이용해 인터넷에 접속할 수 있다. 이 카드는 전자칩이 내장돼 있는 비접촉식 스마트 카드로 버스 이용 시 신속하고 편리하게 요금을 정산해준다. 이 카드는 버스는 물론이고 주차장 및 류블랴나 성에 올라가는 케이블카에도 이용된다. 또한 도서관 및 박물관, 스포츠 시설, 문화행사 등에도 확대 적용되고 있다.

유럽 문화의 중심도시

류블랴나는 슬로베니아어로 '사랑스러운'을 뜻한다. 이름처럼 류블랴나의 분위기는 밝고 활기차며 개방적이다. 또한 류블랴나는 상당히 인간친화적인 도시규모를 갖고 있다. 이곳에서는 문화가 생활 자체로서 녹아 있다. 국립미술관은 1918년, 대학은 1919년, 예술 및 과학원은 1938년에 세워졌다. 인구규모로 볼 때 류블랴나는 유럽 평균에 비해 높은 수준의 박물관(14개), 갤러리(56개), 극장(10개) 및 4개의 전문 오케스트라단을 갖고 있으며(2010년 현재), 대부분 도심지역에 몰려 있다.

이 도시에는 슬로베니아 예술 및 과학원Slovene Academy of Arts and Science, 조세프 스테판 물리학연구소Jožef Stefan Physics Institute, 유네스코 화학연구센터 등 136개의 연구기관이 있다. 도시의 문화, 예술, 회의 활동을 가능하게 하는 힘은 1980년에 문을

┃ 류블랴나 시의 문장으로 사용되는 용

연 다목적 센터인 칸카르에브 돔Cankarjev Dom이다. 또한 류블랴나대학교에는 5만 명의 학생이 재학 중이며, 여기에 3개의 예술대학이 있어서 길거리 극장이나 포스트모더니스트 예술 갤러리부터 퓨전 재즈, 빈티지 펑크와 테크노 등의 음악에 이르기까지 다양한 분야의 문화와 공연 등이 가능하다.

류블랴나에서는 연간 1만 회 이상의 문화행사가 개최되며, 그중에는 10개의 국제행사도 있다. 특히 여름철에는 거리 곳곳에서 각종 축제행사를 만나게 된다. 주요 행사로는 Ljubljana Festival, Druga Godba International Festival of Alternative and Ethno Music, 국제 재즈 축제, LIFFE 국제 류블랴나영화제, 국제 그래픽스 비엔날레 등이 있다.

류블랴나는 근 20여 년 동안 국제적인 회의 시장에서 경쟁력을 확보해왔으며, 전문가 모임, 과학, 정부 부문, 국제적 회의 및 경제 혹은 기업 관련 행사 등을 성공적으로 유치해 운영해왔다. 류블랴나는 이러한 국제적인 회의 개최의 저력을 1821년 이곳에서 열린 라이바흐회의Congress of Laibach에서 찾기도 한다.

나름대로 개성 있는 곳

≪포브스Forbes≫지에 의하면, 류블랴나는 2009년 유럽에서 다섯 번째로 목가적인 분위기의 도시로 뽑혔고, 2008년에는 ≪리더스다이제스트Readers Digest≫ 독자들의 평가로 세계에서 가장 정직한 도시로 이름을 올렸다. Mercer의 조사에 의하면, 2008년과 2011년에는 남동부 유럽에서 가장 안전한 도시로 밝혀졌다. 또한 2009년 이래 교통약자에게 '편리한 도시'로 이름을 알리고 있다.

류블랴나는 많은 유럽의 여행가들에게 매우 매력적인 관광명소로 알려져 있다. 그 이유는 첫째, 독립국가가 된 지 23년밖에 안 돼 잘 알려지지 않았다는 점이고, 둘째로 유럽의 중심통로에 위치해 외부 문명에 개방적이며, 끝으로 문화예술 활동이 왕성하게 일어나는 곳이라는 점이다. 게다가 유럽의 다른 곳에 비하면 물가도 저렴한 편이고 먹거리도 풍부해 부담 없이 돌아볼 수 있다는 점도 작용하는 것 같다.

2008년 봄, 필자가 처음 이곳을 방문할 계획이 있었을 때 시청 홈페이지를 통해 안내서를 부탁했더니, 관련 자료들이 집으로 무료로 우송돼서 내심 놀란 적이 있다. 지금 생각해보면 류블랴나는 그런 놀라움을 충족시키기에 모자람이 없는 도시이다.

/ 조남건(국토연구원 선임연구위원)

| 참 고 문 헌 |

• City of Ljubljana. 2014. *Statistical Yearbook Ljubljana 2013.*
• ____. 2011. *Ljubljana Profile.*
• Municipality of Ljubljana(MOL). 2008. *Candidature of Ljubljana, the capital city of the Republic of Slovenia for the UNESCO title WORLD BOOK CAPITAL CITY 2010.* Department for Culture. City Administration of the Municipality of Ljubljana.
• http://www.civitas.eu
• http://www.ljubljana.si/en
• http://www.wikipedia.org

옛 해양대국의 자취가 남아 있는
리스본

Lisbon

▌리스본 전경

리스본Lisbon은 유럽 최서단부에 위치한 포르투갈의 수도다. 리스본은 그리스 신화의 영웅 오디세우스가 건설했다는 전설 속의 오리시포Olisipo(오디세우스의 도시를 뜻함)로 알려져 있으며, 포르투갈어로는 리스보아Lisboa로 부른다. 포르투갈의 대표적인 시인 카몽이스Luíiz Vaz de Camöes가 "이곳은 대륙의 끝, 여기서부터 바다가 시작된다"라고 표현한 것처럼 포르투갈은

유럽 대륙의 최서단지역인 이베리아 반도에 자리 잡고 있으며, 면적 9만 2391㎢, 인구 1070만 7924명(2009년 기준)으로 남한의 면적보다 조금 작은 나라다.

유럽에 속해 있으면서도 곳곳에서 북아프리카의 분위기가 느껴지는 포르투갈은 인접한 에스파냐보다는 우리에게 덜 익숙하다. 오늘날 많은 사람들은 포르투갈의 바스코 다 가마Vasco da Gama가 인도항로

를 개척했다는 사실만 어렴풋이 기억하고 있다. 에스파냐의 후원으로 북아메리카를 발견한 콜럼버스 Christopher Columbus가 많이 알려진 데 비해 포르투갈은 에스파냐와 각축하며 대항해시대를 열었으면서도 늘 뒤늦게 떠올려지는 나라로 남아 있다. 리스본의 최전성기는 15~16세기 무렵으로, 당시에는 다른 유럽의 도시와 자웅을 다투는 중심도시였다. 이후 역사적 격변을 거쳐 유럽 대륙 서부의 한 귀퉁이를 차지하는 조용한 나라로 남아 있다가, 1998년 리스본 엑스포 Expo '98와 2002년 월드컵을 통해 우리에게 가깝게 다가오게 됐다.

리스본의 기원

리스본은 타호 Tajo(포르투갈어로는 테주 Tejo) 강 하구에 기원전 12세기경부터 건설됐다. 타호 강은 강 하구의 폭이 11㎞에 달하고 대서양과 면해 있어 해양문화 발달에 적합한 여건을 갖고 있다. 역사적으로 해양문화라는 의미를 등장시킨 페니키아인들이 리스본을 건설했고, 그 후 그리스인, 카르타고인, 로마인, 서고트족, 이슬람교도 등이 리스본을 무대로 대서양문화를 꽃피웠다. 1143년 카스티야 Castilla에서 독립한 포르투갈 국왕 알폰소 Alfonso 1세는 1147년 10월 24일 북방십자군의 지원을 얻어 716년부터 이슬람의 지배 아래 있었던 리스본을 해방시켰다. 1243년 알폰소 3세가 전 국토를 평정하고 리스본을 수도로 정한 후 리스본은 대항해시대의 중심지가 됐으며 포르투갈의 전성기가 전개됐다. 리스본은 지중해와 북해를 연결하는 무역로의 중계지로 발전했으며, 마누엘 Manuel 1세 때인 1498년 바스코 다 가마의 인도항로 개척에 따라 번영을 구가했다.

위치 포르투갈 타호 강 삼각하구
면적 83.8㎢
인구 547,631명(2011년 기준)
주요 기능 정치 · 경제 · 문화

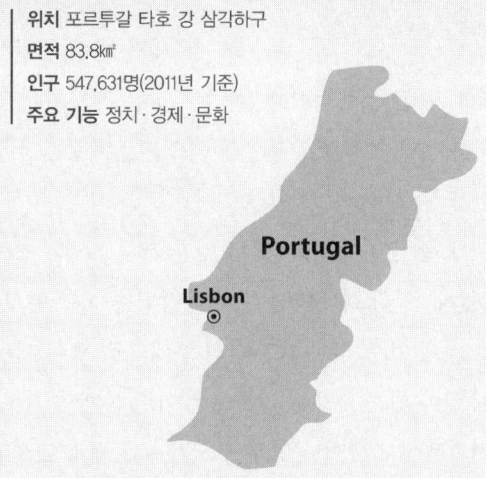

리스본의 융성

해외 식민지에서 흘러들어 오는 재화로 리스본은 대도시로 급성장했다. 서유럽에서 가장 아름다운 도시로 불렸으며, 16세기에 전성기를 맞이했다. 국력이 신장하자 상 조르즈St. George 성에 거주하던 국왕은 타호 강 가에 아주다Ajuda 왕궁을 건축했으며, 이어서 페나Pena 성, 제로니모스 수도원Jeronimos Monastery, 벨렘Belem 탑 등 마누엘 양식Manueline을 대표하는 건축물이 건립됐다. 그러나 리스본 번성기의 시가지와 건축물은 1755년 11월 1일 '리스본 대지진'으로 6일간 도시 전체가 불바다로 변하면서 도시의 3분의 2가 파괴되며 사라졌다. 당시 지진피해의 흔적은 바이후알투Bairro Alto의 교회에 남아 있다. 현재 남아 있는 유적은 대부분 18세기 후반 폼발Pombal 후작이 착수한 시

마누엘 양식의 대표적 건축물인 제로니모스 수도원

가지 개조계획에 따른 근대 유적이다. 폼발 후작은 시가지를 격자형으로 구획하고 가옥의 배열도 이른바 폼발 양식으로 통일해 리스본을 계몽사상을 구현한 근대도시로 변모시켰다.

이후 식민지 지배 종식에 의한 국력쇠퇴기를 거쳐 20세기 중반 살라자르Salazar의 우익 독재정권에서 출발해 '빨간 카네이션'으로 상징되는 '리스본의 봄'의 주창자 안토니우 드 스피놀라António de Spínola에 의한 1974년의 쿠데타로 포르투갈 민주화의 성지가 됐다. 현재 도시 곳곳에 남아 있는 오래된 건물들은 이런 독재의 흔적을 간직하고 있다. 현재의 리스본은 지진피해에서 벗어난 일부 구시가지와 새로 조성된 신시가지가 공존하며

특성별로 동부 구시가지, 서부 신시가지 등 2개 지역으로 구분되는데, 유럽의 다른 도시들보다 조용하고 차분해 소박함을 느끼게 한다.

중세와 근대의 모습이 공존하는 도시

리스본 동부의 구시가지는 본래 페니키아인과 로마인이 세운 고대유적지가 있던 지역이다. 동부 구시가지는 다시 4개 지역으로 구분되며, 중앙부는 바이샤Baixa라고 불리는 저습지로 거의 전 지역이 지진 후에 재건돼 행정기관 및 업무시설이 이곳에 집중돼 있다. 바다와 강 바로 앞에 자리한 바이샤를 중심에 두고 동쪽에는 고풍스러운 알파마Alfama, 서쪽에는 음악과 낭만이 깃든 바이후알투, 해양문화의 발자취가 남아 있는 리스본 서부지역 타호 강 변의 벨렘 지구가 있다.

서부의 신시가지는 최근 1998년 해양박람회 부지를 활용한 신시가지 건설에 따라 타호 강 변의 북부지역으로 시가지가 확장되고 있다. 타호 강 변 오른쪽에는 항만시설이 30km에 걸쳐 설치돼 있으며, 그 북동부에 곡물 및 냉장창고, 공업시설이 입지하고 있다. 어항은 벨렘 지구 서쪽에, 대서양 각지를 연결하는 여객항은 시 중심부에 위치해 있다. 1966년 타호 강에 가로놓인 '4월 25일교'가 완공돼 강의 좌안에 철강·화학·조선 등 중화학공장이 건설되고 있다.

리스본의 중심지 바이샤 거리

바이샤 거리는 폼발 양식의 전형을 보여주며 현대 계획도시처럼 격자형으로 구획됐다. 건물도 반듯반듯하게 생긴 행정기관 및 사무용 건물, 상점, 레스토랑, 카페, 바 등의 상업용 건물이 대부분이다. 카페테리아와 거리에 펼쳐진 가판대가 많아 보행자 전용도로가 만들어질 정도다. 바이샤 거리의 중심에는 전망대가 설치돼 있어 시가지 건너편 언덕 위의 상 조르즈 성 등 시내를 내려다볼 수 있다.

바이샤는 포르투갈의 주요 도시들을 연결하는 로시우Rossio 기차역과 로시우 광장, 코메르시우Comercio 광장 등 주요 건조물이 집중돼 있는 리스본 구시가지의 중심지역이다. 코메르시우 광장과 로시우 광장 사이의 아우구스타Augusta 거리는 바이샤 최고의

│ 페드루 4세 동상과 분수대가 있는 로시우 광장

쇼핑가로 보행자전용도로가 개설돼 있다. 바이샤에서 북쪽으로 곧게 뚫린 리베르다즈 Liberdade 거리는 리스본에서 가장 번화한 거리로 유명 기업체와 은행, 식당, 상점 등이 들어서 있으며, 도로가 매우 넓어 중앙분리대를 공원으로 조성한 것이 특이하다. 리베르다즈 거리의 끝에 조성된 에두아르두 7세 공원Parque Eduardo VII 주변에는 고급호텔들이 들어서 있다.

오래된 주거지역 알파마 지구

알파마 지구에는 중세 유럽 도시들에서 볼 수 있듯이 미로처럼 얽힌 좁은 골목길과 상 조르즈 성이 있다. 붉은 기와가 올려진, 다닥다닥 붙은 3~5층의 공동주택이 서민들의 삶을 엿볼 수 있게 한다. 높은 데서 내려다보면 언뜻 붉은색의 통일성과 리스본의 정서가 조화를 이루는 묘한 정취를 자아낸다. 언덕 정상의 상 조르즈 성은 12세기 초반에 축조됐으며, 일부는 파괴됐으나 포르투갈에서 가장 오래된 건축물 가운데 하나다.

리스본의 문화 중심지 바이후알투 지구

바이후알투에는 리스본의 문화가 살아 숨 쉰다. 예술가들이 즐겨 찾는 지역으로 복잡하게 얽힌 길이 경사진 언덕으로 이어져 예술과 문화라는 분위기와 잘 어울린다는 느낌을 준다. 이 거리에는 오래되고 전통이 엿보이는 레스토랑, 따뜻한 분위기가 스며 있는 카페나 작지만 운치 있는 술집이 많다. 주택가도 있는데 크고 화려하기보다 소박하고 서민적인 집들이 대부분으로, 작은 창가에 내놓은 화분이나 커튼 장식 등을 보노라면 사람 사는 냄새가 나고 따스한 정감이 느껴진다.

바이후알투의 골목에는 포르투갈의 대표적인 민속음악을 연주하는 파두 클럽이 많다. 파두fado는 '포르투갈의 목소리', '파두의 여왕'으로 불린 국민가수 아말리아 호드리게스Amalia Rodrigues가 1954년에 부른 「검은 돛배Barco Negro」에 의해 세계적으로 널리 알려졌다. 파두는 포르투갈 민중의 한을 담은 구슬픈 가락이 특징으로 그 애절함은 격동의 포르투갈 현대사를 잘 나타낸다.

해양제국의 시원지 벨렘 지구

벨렘은 포르투갈이 해양제국으로 번성했던 역사를 보여주는 곳이다. 아프리카 최남단 희망봉을 발견한 바르톨로뮤 디아스Bartolomeu Diaz, 인도항로를 개척한 바스코 다 가마와 거대 식민지 브라질 정복 등 15~16세기에 세계에서 가장 강력한 해양제국으로 군림하던 당시의 흔적이 짙게 남아 있다. 신대륙 발견 기념탑은 해양왕 엔히크와 그를 따르는 탐험가들을 부조로 조각해 바다와 모험을 좋아하는 포르투갈 민족의 기상을 표현했다. 탑 아래 바닥에는 포르투갈이 지배했던 나라를 보여주는 세계 전도가 조각돼 옛 해양

해양왕 엔티크와 그를 따르는 탐험가들을 부조로 조각한 신대륙 발견 기념탑

제국의 자부심을 나타내고 있다.

벨렘 탑은 신대륙 발견 기념탑에서 강 하류 쪽으로 도보거리에 위치해 있으며, 리스본 항에 드나드는 선박을 감시하고 방어하던 요새다. 3층으로 지어진 흰색의 탑 옥상에는 전망대가 설치돼 리스본 항과 시내, 타호 강 하구를 조망할 수 있다.

| 벨렘 탑

현대 리스본의 상징 신시가지

리스본 서부의 신시가지는 1998년 성공적으로 개최됐던 리스본 엑스포의 시설과 부지를 활용하기 위한 방안을 모색하다가 이 부지를 중심으로 주변지역을 신시가지로 개조한 것이다. 이 부지는 원래 폐군수물자 야적장, 도축장, 쓰레기 매립장, 정유공장 등이 난립한 불모지로 리스본 중심부에서 북동부 45km 지점인 타호 강 변에 입지해 있다. 엑스포 개최를 위해 리스본 북동부의 낙후지역을 개발하고, 엑스포 폐막 후에는 주변지역을 포함해 신도심으로 조성했다. 시내 중심부에서 지하철로 30분 정도의 거리에 있어 접근성이 좋으며, 엑스포에서 사용됐던 시설과 건물을 개조해 활용했다. 엑스포 시설을 활용한 수족관, 해양문화관 등 현대적이고 독특한 건물이나 볼거리가 많다. 개발면적은 330ha(엑스포 부지 70ha 포함)로 주거지역 38%, 상업지역 5%, 업무지역 18%, 녹지지역 33%, 기타 6%로 구성돼 있다. 개발 콘셉트는 강과 도시, 자연의 재생 및 경관과의 조화로 토양오염 복원, 하천 정비, 기반시설 정비, 교통망 확충사업을 추진함으로써 개발 후 리스본의 신도심으로 성장, 교통 및 경제의 중심지가 됐다.

엑스포 시설 중 유토피아관은 국제·국내 컨퍼런스, 스포츠, 문화행사장으로, 대형수족관은 기차역, 지하철 및 시외버스터미널(국내 및 국제)로, 전시관은 국제전시장으로, 전망대는 특급호텔로, 마리나 시설은 생활주거공간 및 아파트로, 그리고 극장은 공연 및 문화행사장으로 재활용됐다. 리스본의 엑스포 부지 및 시설을 활용한 신시가지 조성사업은 2012년 개최된 여수 엑스포에도 참고할 만한 사례가 됐다. 여수 엑스포의 부지여건이나 엑스포의 주제가 해양이라는 점에서 리스본 엑스포 지구의 활용사례는 우리에게 중요한 시사점이 됐다.

신시가지의 북쪽에는 재래 지역산업인 비누 및 마가린·군용품·제철·유리·전자기기 공장 등이 입지해 있다. 박람회 개최를 위해 1996년 준공된 바스코 다 가마 대교는 총 길이 17.3㎞로 유럽에서는 가장 긴 다리다. 이 다리의 건설로 타호 강 건너 연안지역의 대규모 공업개발이 촉진돼 시멘트공장, 곡물저장창고, 제철콤비나트 등이 조성됐다.

리스본의 웅비의 꿈

리스본은 오랜 역사 속에서 한때 세계를 주도하던 영화를 누리기도 했다. 근대에서 현대에 이르는 동안 옛 영화를 추억으로 간직했던 리스본은 1998년 엑스포를 기회로 현대도시로 발돋움하고 있다. 이 가운데 파두와 축구는 국민의 자부심을 고취하는 보이지 않는 연결고리다. 브라질 등 포르투갈 문화권의 중심국가로서 국제적 영향력을 행사하고 있으며 서서히 경제적 발전도 이룩하고 있다. 예전의 영화를 재현할 희망을 품으면서……

• 사진 제공: 이미지투데이

/ 이문원(전 국토연구원 책임연구원)

| 참 고 문 헌 |

• http://www.visitlisboa.com
• http://www.portugaloffer.com/parqueexpo/index.html

진화하는 경제 · 문화도시
빌바오

Bilbao

▌ 빌바오의 신화를 만들어낸 네르비온 강

이베리아 반도 북부, 바스크 대도시권Basque City Region의 중심부에 위치한 빌바오Bilbao는 에스파냐 비스케이Biscay 지방의 주도다. 주변지역을 포함한 메트로폴리탄Metropolitan 빌바오는 인구 약 100만 명으로 인구규모 면에서 마드리드Madrid, 바르셀로나Barcelona, 발렌시아Valencia, 세비야Sevilla에 이어 에스파냐에서 다섯 번째로 큰 도시다.

빌바오는 오랫동안 에스파냐 북부 바스크 지방의 경제 중심지로서 위상을 점해왔으며, 에스파냐의 가장 중요한 산업지역으로서 제철, 에너지 생산, 공작기계, 항공산업, 전자, 정보통신산업 등이 발달했다. 2012년 기준 1인당 GDP는 약 4만 4000달러로 에스파냐 평균인 3만 1000달러보다 33%가량 상회한다.

공업도시에서 문화·예술의 도시로

빌바오의 역사는 기원후 1300년까지 거슬러 올라간다. 빌바오는 도시를 가로질러 대서양 연안으로 흘러드는 네르비온^{Nervión} 강 연안에 입지해 영국, 프랑스 등과의 교역 중심지로서 발전해왔다. 대서양 연안에 인접한 지리적 장점을 활용해 1600년까지 메리노 울$^{merino\ wool}$을 수출하는 에스파냐 북부의 가장 중요한 항구이자 경제·금융 중심지로 성장했으며, 1602년에는 비스케이 지방의 주도가 됐다. 17세기에는 철광석을 원료로 한 제품들을 제철소에서 생산해 수출하기 시작했고, 18세기에는 아메리카 대륙의 에스파냐 식민지들과의 무역으로 크게 번성했다. 산업혁명기를 거치면서는 철강 및 제철, 조선산업의 발달을 바탕으로 에스파냐의 가장 중요한 중공업 중심지로 급속히 성장했으며, 20세기 초에는 에스파냐에서 가장 부유한 도시가 됐다.

그러나 1920년대 철강자원의 고갈과 1970년대 세계 경제위기를 거치면서 도시의 양적 팽창은 멈췄고, 전통 공업도시로서 그동안 가꾸어왔던 지역경제 기반도 붕괴됐다. 1980년대에 들어서는 산업침체로 인해 실업률이 30%에 이를 정도로 악화됐으며, 바스크 독립문제와 결부돼 지역경제는 침체의 늪에 빠졌다. 그러나 1980년대 후반 이후 장기적이고 체계적인 도시회생계획에 의한 대규모 도시개조 사업으로 도시는 서서히 활력을 되찾기 시작했다. 특히 뉴욕 구겐하임 미술관을 유치하는 등 대규모 도시재생 프로젝트 추진에 성공해 세계적인 브랜드 파워를 얻게 됐다. 이후 빌바오는 지속적으로 새로운 도시발전 모델을 모색해 문화예술 및 고차서비스산업 중심도시로서의 변모를 확립해나가고 있다.

위치 에스파냐 바스크 자치지방 비스카야 주
면적 41.3㎢
인구 353,168명(2007년 기준)
주요 기능 역사·문화

┃ 공공 디자인을 통한 도시재생사업의 일환으로 설계된 빌바오 지하철

도시재생을 위한 종합전략 수립

1989년 바스크 정부는 빌바오 대도시권의 재생을 위한 종합전략 구상을 마련하고, 이를 위한 단계적 추진계획을 실행에 옮기기 시작했다. 종합전략 구상에서는 21세기를 대비해 빌바오 메트로폴리스Metropolis가 당면한 여덟 가지 핵심 이슈를 도출했다. 각각의 핵심이슈에 대해 구체적인 추진계획을 별도로 마련하고, 이를 중심으로 도시재생전략을 차근차근 추진했다.

빌바오 메트로폴리스의 8대 핵심 이슈는 ① 혁신적인 교육환경 조성 및 지역경제와 융합된 대학교육 마련 등 인적자본에 대한 투자, ② 기존의 전통산업 위주에서 탈피해 금융산업, 소프트웨어산업 등 고차서비스산업 육성, ③ 글로벌 세계경제체제에 부응하는 공항, 항만, 초고속철도 등 인프라 정비와 연계정비를 통한 접근성·연계성 강화, ④ 삶의 질 향상 및 도시 이미지 제고 차원에서 도시환경의 획기적 개선, 환경친화적 기술의 활용, 환경보호를 위한 산업계와 협력 강화 등 환경재생의 지속적인 추진, ⑤ 세계적인 대도시권으로서 위상 정립을 위한 내부 인프라의 질적 정비, 체계적인 도시계획을 통한 도심부 정비, 주거수준 향상, 빌바오 대도시권 전체의 통합 강화 추진, ⑥ 세계적으로 경쟁력 있는 문화도시로 부상하기 위해 문화·전시공간 건립, 문화산업의 육성과 지원, 공연·축제·음악회 등 세계적인 문화행사 유치, 인력 양성 및 문화예술정보 공급 등 문화 인프라 확충의 종합적 추진, ⑦ 공공부문과 민간의 협력을 위한 거버넌스 형성을 통해 공공과 민간의 이익을 동시에 고려하고 효과적인 실행체계 구축, ⑧ 도시발전의 궁극적 목표로서 시민의 복리 증진과 사회적 통합을 위한 사회적 서비스 강화와 시민의 사회참여 촉진 등 장기적이고 안정적인 도시발전을 위한 사회적 토대 강화 등이다.

문화예술도시 도약의 기폭제, 구겐하임 빌바오 미술관

빌바오의 도시혁신은 종합전략 구상에 기초해 다양한 분야의 프로젝트를 통해 실현됐다. 구겐하임 빌바오 미술관Guggenheim Museum Bilbao은 도시 내 버려진 항만시설 및 철도 부지인 아반도이바라Abandoibarra 지역을 최신 복합문화·업무·예술 중심지구로 변모시킨 도시재생전략의 핵심적 요소이다. 이는 도시재생을 위한 프로젝트의 대표작이며 새로운 도시로 거듭난 빌바오의 상징으로 자리매김하고 있다.

1997년 개관한 구겐하임 미술관은 건축가 프랭크 게리Frank O. Gehry의 설계로 7년 만에 완공돼 현대 건축의 대표작으로 손꼽히고 있다. 개관 당시 눈길을 사로잡은 길이 130m, 폭 30m에 이르는 건물 외관은 네르비온 강에 정박한 선박과 같은 형상을 하고 있다. 비행기 외장재인 티타늄 3만 3000장으로 만든 미술관 외벽은 흐린 날에는 은빛, 맑은 날에는 금빛을 띠어 '메탈 플라워Metal Flower'라는 애칭으로 불리기도 한다.

▌메탈 플라워라는 애칭으로 불리는 구겐하임 빌바오 미술관 전경

개관 첫해 136만 명을 비롯해 3년 만에 350만 명의 관람객이 다녀가면서 초기 투자액의 7배가 넘는 수익과 4000여 개의 일자리 창출 등 상당한 지역경제 상승효과를 낳았다. 구겐하임 미술관의 개관 이후 빌바오의 다른 미술관들도 활력을 찾아 도시 전체에서 문화·예술을 통한 도시회생정책이 큰 성과를 거두었다. 이처럼 빌바오 도시발전 모델의 가장 중요한 특징 중 하나가 바로 문화·예술에 대한 강조다. 구겐하임 미술관 건립뿐 아니라 순수미술 박물관Fine Art Museum(2001)도 재건축돼 최신의 현대미술 유치 등 다양한 문화예술 활동을 지원하고 있다.

그 외에도 빌바오는 문화적 경쟁력 제고 차원에서 도시 곳곳에 도시 인프라를 확충하고 디자인 요소를 가미하는 일을 추진하고 있다. 이러한 전략하에 세계적인 건축가에 의한 기념비적 프로젝트들이 진행됐는데, 1995년 영국의 공공디자이너 노먼 포스터Norman Foster가 디자인한 빌바오 지하철의 준공을 비롯해 에스파냐 출신의 유명한 건축가 산티아고 칼라트라바Santiago Calatrava의 빌바오 공항터미널 건축, 세자르 펠리Sesar Pelli에 의한 수변공간 개발 등이 있다.

네르비온 강의 회복과 수변공간 개발

도시개조작업은 도시를 관통하는 네르비온 강 주변을 따라 추진됐다. 강변을 따라 발달한 구항만 지역과 인근 공업지역의 재개발에 착수해, 먼저 부두시설을 해안항만이 확장된 지역으로 이전시키고, 강으로 분리된 양안지역의 물리적·경제적·사회적 통합을 위해 교량을 새로 건설했다. 빌바오 도시발전 모델에서 이 새롭게 건설된 교량은 도시의 사회적 통합을 의미하는 물리적 인프라로서 중요한 역할을 했는데, 도시혁신과 밝은 미래를 향한 도시 현대화의 상징물 성격을 가진다.

또한 1983년 대홍수로 완전히 폐허가 된 구도심부를 정비하는 사업도 추진했다. 구도심 재생사업의 일환으로 구도심부와 강변의 주요 신개발지를 연계하는 신교통수단으로 트램Tram을 새롭게 도입했으며, 도심과 도시 주변지역을 연결하는 지하철도를 건설하는 등의 노력으로 구도심지역은 다양한 도심기능이 다시 집중되는 활발한 지역으로 재탄생했다.

| 15년간의 도시개조작업을 통해 재정비된 네르비온 강 수변공간

　빌바오의 수변공간 개발은 환경적으로 강의 건강성을 회복하는 프로젝트의 성공적인 추진에 기초하고 있다. 네르비온 강은 한때 산업폐수로 인해 죽음의 강으로 불렸는데, 15년간에 걸쳐 구겐하임 미술관 건설비용의 6배에 해당하는 8억 유로를 투자해 현재는 물고기가 살 수 있을 정도로 수질이 개선됐다. 앞으로도 수질이 식수로 사용이 가능할 만큼 충분히 회복될 때까지 계속 투자한다는 계획이다. 네르비온 강의 회복은 빌바오 시가 새로운 도시개발 모델을 시도할 수 있도록 했다. 즉, 강으로 열린 도시를 만들고, 수변공간을 활용한 혁신적인 새로운 프로젝트를 추진할 수 있게 됐다.

　구겐하임 미술관이 들어선 아반도이바라 지역은 대표적인 도시재생지역으로서 도시 중심부의 구항만 부지가 문화와 녹지, 상업과 주거 및 업무공간이 한데 어우러진 국제적인 복합공간으로 새롭게 태어났다. 이 지역에는 구겐하임 미술관을 비롯해 쌍둥이 주상복합건물과 쉐라톤 빌바오호텔, 에우스칼두나Euskalduna 국제회의장, 컨벤션 기능을 복합한 대형 콘서트홀 등이 모여 있다. 그 주변으로는 전체의 3분의 2에 해당하는 20만 ㎡ 면적의 공원과 오픈스페이스가 조성돼 있다.

수변공간을 따라 만들어진 자전거도로

컨테이너 하치장으로 쓰이던 강 주변은 보행자를 위한 산책로 3㎞, 자전거 전용도로 1.2㎞, 어린이를 위한 놀이터 등 시민들의 휴식처로 바뀌었으며, 수변공간 곳곳에 예술작품들을 설치해 시민들에게 친숙한 공간으로 탈바꿈했다. 강변을 따라서 달리는 노면철도Tram인 유스코트란 EuskoTran은 2002년에 1차 개통됐으며, 현재 확장공사가 진행 중이다. 수변공간의 접근성 향상을 위해 1997년 완공된 보행자 전용다리인 수비수리Zubizuri는 건축가 산티아고 칼라트라바에 의해 설계돼 아름다운 경관 연출의 주인공으로서 네르비온 강의 또 다른 볼거리를 제공하고 있다.

도시재생 실현을 위한 민관협력 거버넌스

빌바오 도시재생이 세계적으로 성공한 주요 요인의 하나로 공공과 민간의 파트너십에 의한 협력적인 추진체계를 들 수 있다. 위기에 처한 도시 현실을 극복하기 위해 먼저 도시의 미래 비전에 대한 공감대를 형성하고, 지역의 다양한 주체가 자발적으로 참여해 도시의 비전을 실현하기 위한 지속적인 노력을 기울인 것이 빌바오가 활기찬 도시로 재도약하는 계기를 제공한 것이다.

1991년 바스크 지역의 주요 공공기관과 민간기업을 중심으로 '빌바오 메트로폴리 30Bilbao Metropoli-30'이란 지역협력체가 조직됐다. '빌바오 메트로폴리 30'은 쇠퇴하는 산업도시라는 도시 이미지를 극복하고, 빌바오 대도시권의 재활성화를 위한 계획과 연구를 주로 수행했다. 또한 도시혁신을 위한 주요 프로젝트의 추진을 촉진하기 위해 민간과 공공의 가교 역할을 담당하기도 했다. 현재 이 조직은 지역 내 130여 개의 공공행정기관, 공기업, 민간기업, 대학교 등으로 이루어져 있으며, 대학교 및 연구소의 학자와 전문가 800여 명이 소속돼 있다.

도시혁신 프로젝트를 효율적으로 실행하기 위한 또 다른 추진체로서 1992년 '빌바

오 리아 2000Bilbao Ria 2000'이 설립됐는데, 에스파냐 중앙정부와 바스크 지역정부가 각각 50%씩 투자해 지역재생전략을 실행하기 위한 전문조직으로 발족했다. '빌바오 리아 2000'은 중앙정부의 주택부, 지방자치단체, 항만청 등 지역 내 여타 공공기관 간의 협력적 조직으로 탄생해 도시의 미래 비전을 공유하고, 우선사업의 공동추진 등 대규모 개

강변을 따라서 달리는 노면철도 유스코트란

발 프로젝트를 효과적으로 진행하는 등 빌바오 재탄생의 밑거름 역할을 했다.

빌바오는 이제 새로운 미래를 준비하고 있다. 전통산업의 쇠퇴를 극복하고 유럽의 대표적인 문화·경제도시로 발돋움하고자 문화기반 도시재생 모델을 성공적으로 추진해왔다. 구겐하임 미술관 유치, 에우스칼두나 국제회의장 및 콘서트홀 건설 등 문화 인프라 구축을 통해 과거의 공업도시에서 탈피해 새로운 도시 이미지를 구축하는 데 성공했다. 문화전략을 통한 도시 재창조 전략은 새롭고 매력적인 기업 환경을 제공해 금융, 보험과 같은 고차서비스산업과 하이테크산업 유치에도 기여하고 있다. 21세기를 맞이해 빌바오는 이제 세계도시Global City 빌바오로 새롭게 목표를 설정하고 다음 단계로의 도약을 준비하고 있다.

/ 김태환(국토연구원 선임연구위원)

┃참 고 문 헌┃

• 김정후. 2007. 『유럽건축 뒤집어 보기』. 파주: 효형출판.
• Bradley. K. 1997. "The Deal of the Century." *Art in America*, July.
• http://www.bilbaoexposhanghai2010.com
• http://www.bm30.es
• http://www.bilbaoria2000.org

역사와 문화가 숨 쉬는 관광·휴양도시

팔마데마요르카

■ 팔마데마요르카 전경

발레아레스 제도의 대표적인 섬, 팔마데마요르카

이베리아 반도의 5분의 4인 50만 6030㎢의 국토 면적과 약 4700만 명의 인구를 가진 에스파냐는 풍토상으로는 아프리카와 비슷하다. 하지만 기원전 1세기부터 약 500년간 로마제국의 지배를 받았고, 게르만족의 침입 이후 8세기 초 서고트 왕국의 멸망과 함께 약 800년간 지속된 이슬람 세력의 영향으로 다양한 역사자원과 문화유산을 지니고 있다. 에스파냐에서의 통일국가 형성은 오랜 기간의 이민족 지배 속에서 이루어졌는데, 특히 이슬람 세력에 대항한 국토회복운동에 힘입어 15세기 말 이슬람 세력의 마지막 근거지인 그라나다Granada를 함락시킴으로써 드디어 에스파냐 가톨릭 왕국을 성립하게 됐다. 이후 에스파냐 왕국은 콜럼버스의 신대륙 발견을 계기로 대항해

시대를 열었고, 식민지 정복으로 세계열강으로 성장하게 된다.

그러나 이러한 화려한 역사에도 불구하고, 근·현대로 들어서면서 에스파냐는 서구 자본주의 발전에 뒤처지면서 국제 정치·경제의 중심에서 동떨어져 유럽의 주변국가로 머물 수밖에 없었다. 에스파냐 내전(1936~1939), 프랑코에 의한 파시즘 형태의 일당독재체제 수립, 좌익정부의 출현, 민주화 추진 등 20세기의 사건들 또한 한마디로 꼬집어 말할 수 없는 에스파냐의 역사를 잘 보여준다. 이 중에서도 특히 두드러진 특징은 에스파냐는 입헌군주제의 정치형태 속에서도 지방자치주의가 매우 강하다는 점이다. 에스파냐의 지방은 역사적 배경에 따라 카탈루냐Cataluña, 바스크Basque, 갈리시아Galicia, 안달루시아Andalucía, 마드리드Madrid 등 17개의 자치지역Autonomous Communities과 2개의 자치도시Autonomous Cities로 구성된다. 17개의 자치지역에는 50개의 주provinces와 8117개의 자치체municipalities가 포함돼 있는데, 1978년 신헌법 제정으로 각 자치지역의 정치 및 행정 권한, 의결권 등 중앙정부 간섭이 거의 없는 자치권이 보장되고 있다고 해도 과언이 아니다. 이러한 자치주의는 전통적으로 카탈루냐, 바스크 등 언어·문화와 종족을 같이하는 지방에서의 반反카스티야Castilla 감정에 근거한 분리주의에 근원을 두고 있는데, 현재에도 일부 자치지역에서는 분리독립활동이 전개되고 있다.

팔마Palma 또는 팔마데마요르카Palma de Mallorca는 에스파냐 자치지역의 하나인 동시에 역사적으로 바르셀로나Barcelona를 중심으로 하는 카탈루냐 지방에 속하는 발레아레스Baleares 제도의 주도州都이자 행정중심지이다. 에스파냐 본토에서 약 80~300㎞ 정도 떨어진 지중해의 섬들로 이루어진 발레아레스 제도는 남한의 약 20분의 1인 4992㎢의 면적에 약 110만 명이 살고 있다. 발레아레스 제도는 마요르카Mallorca, 메노르카Menorca, 이비사Ibiza, 포르멘테라Formentera 등 4개의 큰 섬과 그 밖의 작은 섬들로 이루어진 에스파냐의 군도로 이 중 가장 큰 섬이 마요르카이고, 이 섬의 대표적인 관광·휴양의 항구도시가 바로 팔마이다.

위치 에스파냐 남동쪽 지중해에 위치한 발레아레스 제도의 섬
면적 213㎢
인구 383,107명(2007년 기준)
주요 기능 관광

팔마 데 마요르카의 역사

이곳의 역사는 기원전 1000년 탈라요틱Talaiotic 시대로 거슬러 올라간다. 이후 수백 년에 걸쳐 로마와 비잔틴, 8~13세기 초에는 이슬람 세력의 지배를 받았고, 18세기 초까지 아라곤 왕조Crown of Aragon, 그 이후에는 에스파냐로부터 통치를 받았다. 팔마라는 이름의 기원은 로마시대로 거슬러 올라가는데, 로마는 아프리카 주요 도시들로 가는 출발지로서 마요르카 섬에 팔마리아Palmaria를 세우게 된다. 이곳이 바로 지금의 팔마다. 눈에 띄는 로마시대 유물을 찾아볼 수는 없으나, 지금도 시 중앙부를 팔 때마다 고대유물이 발견된다고 한다. 로마제국의 멸망 이후 팔마는 비잔틴 문화의 영향을 받았고, 707년부터 1229년까지 다시 이슬람의 문화적 영향권에 있게 된다.

1229년 12월 31일, 이슬람 세력으로부터의 해방과 함께 팔마는 드디어 이민족의 지배에서 벗어났다. 아라곤의 하이메Jaime 1세에 의해 마요르카 섬의 수도가 된 팔마는 18세기까지 아라곤 왕조에 의해 문화적 발전과 경제적 부흥이 이루어진다. 16, 17세기에 흑사병 출현, 주변 외국의 폭동 발발 등으로 도시 침체기를 맞이하지만, 에스파냐의 카를로스Carlos 3세가 팔마와 다른 항구도시 간의 교역을 자유화시키면서 팔마의 상업활동이 재개되고 도시는 활력을 되찾았다. 나폴레옹의 침략 시기에는 팔마로 수많은 난민들이 유입됐고, 1933년 마침내 발레아레스 제도의 주도가 되면서 경제성장과 인구의 증가는 물론, 20세기에 들어서면서는 도시 확장이 활발하게 이루어졌다.

천혜의 자연경관, 다양한 역사자원과 문화유산을 간직한 도시

마요르카 섬은 약 3600㎢로 제주도의 두 배 정도 크기에 약 87만 명이 살고 있는 곳이다. 연중 300일 이상의 쾌청일수와 겨울에는 10℃, 여름에는 25℃ 전후의 전형적인 해양성기후로 농업과 축산업에 최적의 조건을 지니고 있다. 지중해의 바람을 이용한 풍차로 길어 올린 관개수는 오렌지, 올리브, 포도 등을 재배하는 데 이용되는데, 로마시대 이후 1000년이 넘는 역사를 지닌 올리브 나무를 섬 도처에서 볼 수 있다. 이렇듯 풍부한 농작물이 마요르카 섬 중앙부의 비옥한 땅을 메우고 있고, 중심부를 사이에 두고 두 줄기의 산맥이 북동–남서 방향으로 뻗어 있으며, 해안선은 약 780㎞에 걸쳐 연결

| 팔마 시내 구시가지 중앙에 위치한 고딕양식의 대성당

되면서 북쪽 해안지역의 산악, 그리고 깎아지른 듯한 절벽과 좋은 대조를 이루고 있다.

이곳의 행정 중심지이자 대표적인 휴양도시인 팔마는 마요르카 섬의 남쪽 해안가 팔마 만을 따라 부채꼴 모양으로 펼쳐져 있다. 마요르카 섬 전체 인구의 절반 이상이 살고 있는 팔마에는 세계명품과 지역토산품이 절묘한 조화를 이루는 고급상점들과 레스토랑, 카페 등이 베일러 광장, 하이메 3세 거리, 람블라 거리, 레이나 광장 등을 중심으로 즐비하게 들어서 있는데, 이들은 주로 유럽 관광객을 고객으로 하고 있다. 팔마의 도시공간은 전체적으로는 중앙에 대성당이 위치해 있으며, 해안과 성벽으로 둘러싸인 유서 깊은 구시가지역, 움푹하게 들어간 팔마 만을 따라 20세기 초부터 고급호텔 등이 들어서 있는 신시가지역, 성당 근처의 산책로를 따라 이어지는 항구지역 등 3개 지역으로 이루어진다. 1950년대 이후의 인구 증가와 관광산업의 성장은 새로운 도시적 토지수요를 창출했는데, 팔마의 도시 확장은 해안지역과 주요 교통루트를 중심으로 형성되는 특징을 보이고 있다.

▎ 에스파냐 유일의 원형 성벽을 가진 벨베르 성

팔마는 오랜 기간 이민족과 아라곤 왕조의 지배의 영향으로 지금도 로마, 비잔틴, 이슬람 등 시대별로 다양한 역사와 문화유산을 보유하고 있다. 특히 팔마 시내 중앙부에 지중해와 마주해 서 있는 대성당Cathedral of Mallorca은 마요르카의 오랜 역사, 종교, 예술을 대변하는 대표적인 유물이다. 유럽 고딕양식의 정수로 인정받는 이 성당은 1213년부터 약 400년에 걸쳐 건축됐고, 19세기 초 에스파냐의 건축가 가우디Antonio Gaudí에 의해 복원됐다. 고딕양식의 대성당 옆에는 아랍양식의 왕궁이 재미있는 대조를 이루며 서 있는데, 이 알무다이나 궁Palace of Almudaina은 색다른 문명의 흔적이 남아 있는 곳이다. 시내 북쪽 언덕에는 에스파냐 유일의 원형 성벽을 가진 벨베르 성Bellver Castle이 있는데, 지금도 문화·예술의 공간으로 또 에스파냐 왕족의 여름별장으로 이용된다고 한다. 또한 수많은 문화유적의 참고로 여겨지는 마르크 궁March Palace, 1901~1903년간 건축됐고 독수리 모양의 정문과 꽃 모티브, 모자이크 타일 등 동양적인 요소와 신고딕주의가 가미된 그란 호텔Gran Hotel, 마요르카 명문의 고귀한 정신과 각 시대의 아름다움을 담아내고 있는 시내 저택들의 파티오Patio(안마당이라는 뜻) 등 팔마는 다양한 시대의 역사와 문화가 공존하는 도시의 모습을 간직하고 있다.

이 밖에도 고古예술의 역사를 보여주는 마요르카 박물관Mallorca Museum을 비롯한 수많은 박물관과 현대미술관·갤러리 등 문화예술공간, 전통축제·음악회·전시회 등 다양한 문화행사, 자전거나 오토바이 등 스포츠행사 등도 유명하다. 팔마 근처의 드라취 동굴Caves of Drach, 「빗방울 전주곡Raindrop Prelude」의 작곡가 쇼팽Frédéric Chopin과 그의 연인이며 「마요르카의 겨울A Winter in Majorca」의 저자인 조르주 상드George Sand가 1837년과 1838년 겨울 동안 사용했던 카르투지오 수도원Carthusian Monastery, 그리고 이 수도원이 위치한 해발 약 413m의 발데모사Valldemossa 마을도 많은 사람들이 찾는 관광명소가 되고 있다.

유럽인들이 가장 선호하는 관광휴양지로의 발전

팔마는 지리적 위치 때문에 역사적으로는 유럽과 아프리카를 잇는 지중해의 상업교역 중계지였고, 지중해성 기후조건 덕분에 전통적으로 농업과 목축업이 발달할 수 있었다. 이렇게 평범하게 성장하던 섬이 그들이 지닌 천혜의 자연환경, 온화한 해양성기후, 풍부한 역사·문화 유적과 예술적 자원을 토대로 유럽인들이 가장 선호하는 관광휴양지의 하나가 된 것이다. 독일의 시사주간지 ≪슈피겔Der Spiegel≫은 온화한 해양성기후와 연중 300일 이상의 쾌청일수를 이곳이 유럽인들로부터 사랑받을 수 있는 가장 큰 장점으로 꼽고 있다. 변덕스럽고 비가 자주 오는 날씨에 사는 북유럽인들이 비행기로 2~4시간 거리의 팔마를 피한지로 선호한다는 것이다. 2007년 7월, 영국의 ≪인디펜던트The Independent≫지는 마요르카, 메노르카, 이비사 등 발레아레스 제도의 3개 섬을 유럽의 10대 섬The Ten Best Islands in Europe으로 선정하기도 했다. 이러한 환경 덕분에 팔마는 에스파냐 왕족들의 여름휴양지나 세계적인 영화배우, 모델 등 유명인사들의 별장으로 이용되고 있다.

이처럼 유럽을 대표하는 관광휴양지인 만큼 발레아레스 제도의 관광객 수는 지속적으로 증가해 1998년을 기점으로 1000만 명을 돌파했다. 글로벌 경제위기 등 외부변수

쇼팽과 연인 조르주 상드가 머물렀던 카르투지오 수도원

의 영향으로 관광객 수 증가가 약간의 증감현상을 보이고는 있으나, 여전히 영국, 독일, 러시아 등 북유럽인들의 관광휴양지로 사랑받고 있다. 이들을 수용하기 위해 에스파냐에서 가장 많은 숙박시설(호텔, 레지던스, 리조트, 여관, 민박 등 약 2700개 정도)을 자랑하는 곳이기도 하다. 특히 1903년에 세워져 100년이 넘는 역사를 자랑하는 그란 호텔은 그 건축물 자체만으로도 명성을 지니고 있다.

섬으로 접근할 수 있는 교통도 편리해서 바르셀로나, 발렌시아Valencia, 데니Dénia, 알리칸테Alicante 등과 배편으로 연결돼 있을 뿐만 아니라, 정기 항공편, 수시 항공편이 파리Paris, 니스Nice 등 유럽의 웬만한 도시로 하루에도 수십 차례 운행되고 있다. 발레아레스 제도에는 마요르카, 메노르카, 이비사에 3개의 국제공항이 있다. 특히 팔마데마요르카 국제공항Palma de Mallorca Airport 또는 Son Sant Joan Airport은 마드리드의 바라하스Barajas 공항, 바르셀로나 공항과 함께 에스파냐의 3대 공항으로, 팔마 시내에서 동쪽으로 약 8km 정도밖에 떨어져 있지 않아 시내로의 접근이 매우 용이하다. 여름철에 유럽에서 가장 붐비는 공항 중 하나로 약 6.3㎢ 부지에 4개의 터미널과 연간 약 2500만 명의 처리 능력을 보유하고 있다. 2011년 기준으로 연간 약 2300만 명이 팔마 공항을 이용한 것으로 집계됐으며, 지속적인 방문객 증가에 대비해 팔마 시 당국은 공항확충계획을 수립해놓고 있기도 하다.

호텔이나 교통편뿐만 아니라 다른 관광시설에서도 팔마는 좋은 서비스를 제공하는 곳으로 인정받고 있다. 이곳에는 100여 년 전인 1905년에 관광협회Mallorca Tourist Board가 설립됐는데, 이는 세계에서 가장 오래된 관광협회 중 하나로 이 지역 관광산업 성장의 주역이라고 해도 과언이 아니다. 당시 마요르카 상공회의소 소장이자 사업가였던 Enrique Alzamora Goma는 관광지로서의 팔마데마요르카를 유럽세계에 인식시키고자 독립적인 민간기구인 관광협회를 설립했다. 이후 관광협회는 제1차 세계대전이라는 침체기 속에서도 관광과 관련된 다양한 기관들과 긴밀하게 협조하면서 지역의 관광산업을 발전시켜 나갔고, 마침내 1931년 공식적으로 세계의 선도적 관광지로 인정받는 데 일조하게 된다. 이때 처음으로 'Ideal Climate'라는 홍보표어를 제작했고, 프랑스 파리에는 여름시즌을 겨냥해 상설대표부를 세웠다.

제2차 세계대전 이후 1950년대 초부터 시작된 서유럽 국가들과의 국교회복 정책과 에스파냐의 유엔UN 가입 등에 힘입어 팔마의 관광산업은 중요한 전환점을 맞이한다. 1950년 10만 명 수준이던 관광객 수는 이듬해에 두 배로 성장했는데 이는 'Honeymoon Mallorca'라는 캠페인과 공식적인 관광코스 개발 등의 노력의 결실이었다. 1959년, 에스파냐 정부는 산업활성화 정책의 일환으로 각종 규제를 완화하는데, 이는 사회적·경제적 성장과 함께 유럽인들의 휴가 및 레저 욕구 증대와 맞물려 다른 유럽지역보다 상대적으로 값이 싼 이곳이 유럽의 새로운 관광·휴양의 메카로 자리 잡는 데 촉진제 역할을 했다. 이어 1960년에 국제공항이 문을 열면서 이곳의 관광객 수는 1960년 50만 명에서 2005년에는 1150만 명으로 꾸준히 증가했다.

그러나 이곳 관광산업의 성공은 쉽게 얻어진 것이 아니었다. 1974년 에너지 위기와 경제공황은 지역 관광산업에 큰 타격을 주었다. 관광수요의 비약적인 증가와 정부의 완화된 규제를 배경으로 개발된 대규모 관광시설과 관광객 증가는 섬의 자연환경을 훼손하고, 고유문화를 파괴했으며, 지역주민의 삶의 질을 저하시키는 등 관광의 지속성을 위협하기에 이르렀다. 그러나 이러한 어려움은 자치정부나 민간 관광사업자들로 하여금 기존 관광정책을 통합·조정하고, 대규모 관광을 지양하며 지속가능한 관광모델로 전환할 필요성을 인식시키는 계기가 됐다

이에 마요르카 관광협회는 지역의 역사와 문화, 전통, 환경을 되살리려는 노력을 기울이게 되는데, 풍차, Musical Mallorca, Winter in Mallorca

▌카르투지오 수도원이 있는 발데모사 마을 전경(ⓒ Abrget47, 위키피디아)

등의 복원과 프레스센터, 저널리스트들을 위한 Image Bank 설립 등이 그 예이다. 오늘날 관광협회는 관광 관련 이슈나 정책을 토론할 수 있는 포럼으로서, 그리고 지역의 관광산업 전략을 결정하는 기구로서 중요한 역할을 담당하고 있다.

이처럼 1세기가 넘는 동안 관광산업을 주요 지역산업으로 하다 보니 팔마는 관광과 관련해 상당한 노하우를 보유하게 됐다. 바가지요금이나 불친절에 대한 철저한 단속은 물론이고, 역사자원 및 문화유산을 활용한 관광객 유치노력도 하고 있는데, 쇼팽이 그의 연인과 함께 보양차 잠시 머물렀던 수도원의 홍보 및 관광상

마요르카 향토산업인 유리공예를 하는 모습

품의 개발은 대표적인 성공사례라고 볼 수 있다. 이밖에 지역 향토산업의 관광자원화 노력도 주목할 만하다. 팔마 시내는 각지에서 모여든 방문객을 대상으로 오렌지·올리브·포도 등 농산물의 가공제품 및 유리·신발·도자기 등의 수공업제품을 다양하게 취급함으로써 지역경제 활성화에 한몫을 하고 있다. 특히 마요르카 인공진주는 세계적으로 널리 알려진 브랜드다.

애국가의 작곡가, 안익태 선생의 발자취

팔마가 우리에게 더 친근하게 느껴지는 것은 아마 애국가의 작곡가 안익태 선생이 작고할 때까지 20년간 살았던 곳이기 때문일 것이다. 안익태 선생은 당시 베야스아르 테르협회 주관으로 추진된 마요르카 심포니 오케스트라 창단 상임지휘자가 돼 1947년에 팔마에 정착했다. 선생은 같은 해 1월 14일 팔마 중앙극장에서 가진 창단연주회를 시작으로 1959년까지 마요르카 안팎에서 232회의 연주회를 가졌으며, 마요르카의 아

름다움을 교향시「마요르카Poema Synfonico 'Mallorca'」,「프로멘토르의 로 피Lo Pi de Formentor」 등에 담아내기도 했다.

지난 2006년 안익태 선생 탄생 100주년을 기념해 팔마 시에서는 다양한 행사가 개최 됐다. 안익태 선생이 작고한 7년 후, 당시 팔마 시 시장의 서간이 담긴『마요르카와 안 익태』라는 책이 출판됐는데, 2006년에 다시 현 시장과 작가 조안 보넷의 서문을 담아 재발간했다. 또한 팔마 시는 시내 동쪽에 '안익태 거리Career d'Eaktai Ahn'를 지정했고, 한 국 국제아트페어에 마요르카의 5화랑을 참가시켜 안익태 선생의 발자취와 팔마와의 우 정을 소개하기도 했다. 경기도의 후원과 주관으로 팔마 시 보르네 광장에 현상공모 를 통해 선정된 〈소리의 그림자〉라는 안익태 선생 기념조형물도 세워졌다. 조형물은 음 파와 날개, 파도를 상징하는 높이 5.5m, 너비 7.8m의 철주조 기둥 3개와 받침대, 안내 판으로 구성되는데 시공을 넘나드는 움직임과 음악의 고유한 움직임을 형상화한 것이 다. 이러한 일련의 행사는 한국과 팔마 시, 더 나아가 에스파냐 정부와의 긴밀한 유대강 화와 경제교류를 촉진하는 계기가 될 수 있을 것이다.

팔마 데 마요르카의 미래

지금 팔마는 발레아레스 제도의 경제를 이끄는 가장 전략적인 장소가 돼 있다. 이에 힘입어 발레아레스 제도는 에스파냐 자치지역 중에서도 높은 1인당 GDP를 보이고 있 다. 농업과 경공업 등 향토산업의 특화와 함께, 외국 관광객을 대상으로 한 관광산업을 육성함으로써 지역경제를 성장시켜왔다. 이 밖에도 에스파냐 지자체가 추진하는 가장 광범위하고도 추진력이 있는 현대화 계획Modernization Plan을 통해 시민들에게 보다 높은 질의 공공서비스를 제공하려고 고심해왔다.

1983년 독립적인 지위를 부여받은 발레아레스 정부는 중앙정부 주도로 추진되던 거 시적 관점에서의 관광정책에서 탈피해 현실적 관점에서 지역 주도의 관광정책을 추진 하려는 노력도 경주했다. 공공은 발레아레스대학교The University of the Balearic Islands와 함께 관광산업 저해요인 분석과 마케팅에 관련된 연구를 통해 지역이 함께 환경 및 경관 보 호, 관광의 성장관리, 관광상품, 서비스 및 인프라 개선을 위한 다양한 프로젝트를 추진했다. 최근에는 태양과 해안, 바다를 강조하는 관광정책에 더해 여가변화 패턴과 추세에 맞춰 크루즈관광, 농촌체험관광, 웰빙·의료관광, 비즈니스·컨퍼런스관광, 골프·사이클링과 같은 스포츠관광 등 다양한 형태의 관광자원 접목을 시도하고 있다.

에메랄드 빛 바다와 따스한 햇볕 등 천혜의 자연자원과 함께 양질의 서비스를 제공함으로써 유럽 최고의 관광휴양지로 자리 잡았고, 지역 향토산업의 관광자원화를 통해 지역경제를 활성화시킨 팔마데마요르카의 사례는 한국 지자체들이 앞다투어 추진하는 각종 관광산업 육성정책에 시사하는 바가 있다. 이러한 성공이 수많은 변화 속에서도 여전히 고수되고 있는 시에스타Siesta(낮잠이라는 뜻)의 전통 속에서 이루어진 것이라 더욱 흥미롭다.

• 사진 제공(일부): 이미지투데이

/ 양하백(전 국토연구원 선임연구위원), 이순자(국토연구원 연구위원)

│ 참 고 문 헌 │

• 이순자 외. 2012. 『국토품격과 삶의 질 제고를 위한 섬자원 활용방안 연구』. 국토연구원.
• 외환은행. 2004. "세상에서 가장 살기 좋은 곳 7". 《La Vie》, 4.
• Ajuntament de Palma. 2002. Patis de Palma.
• Ministry of Presidency, 2012, Spain Today 2013.
• http://www.mediajeju.com(검색일: 2011. 8. 12).
• http://www.yonhapnews.co.kr(검색일: 2006. 6. 16).
• http://ko.wikipedia.org/
• http://esp.mofas
• http://news.hankooki.com(검색일: 2006. 2. 16.).
• http://www.illesbalears.es/ing/balearicislands/home.jsp
• http://www.newsmallorca.com
• http://www.independent.com.
• www.palmademallorca.es

III. 아프리카

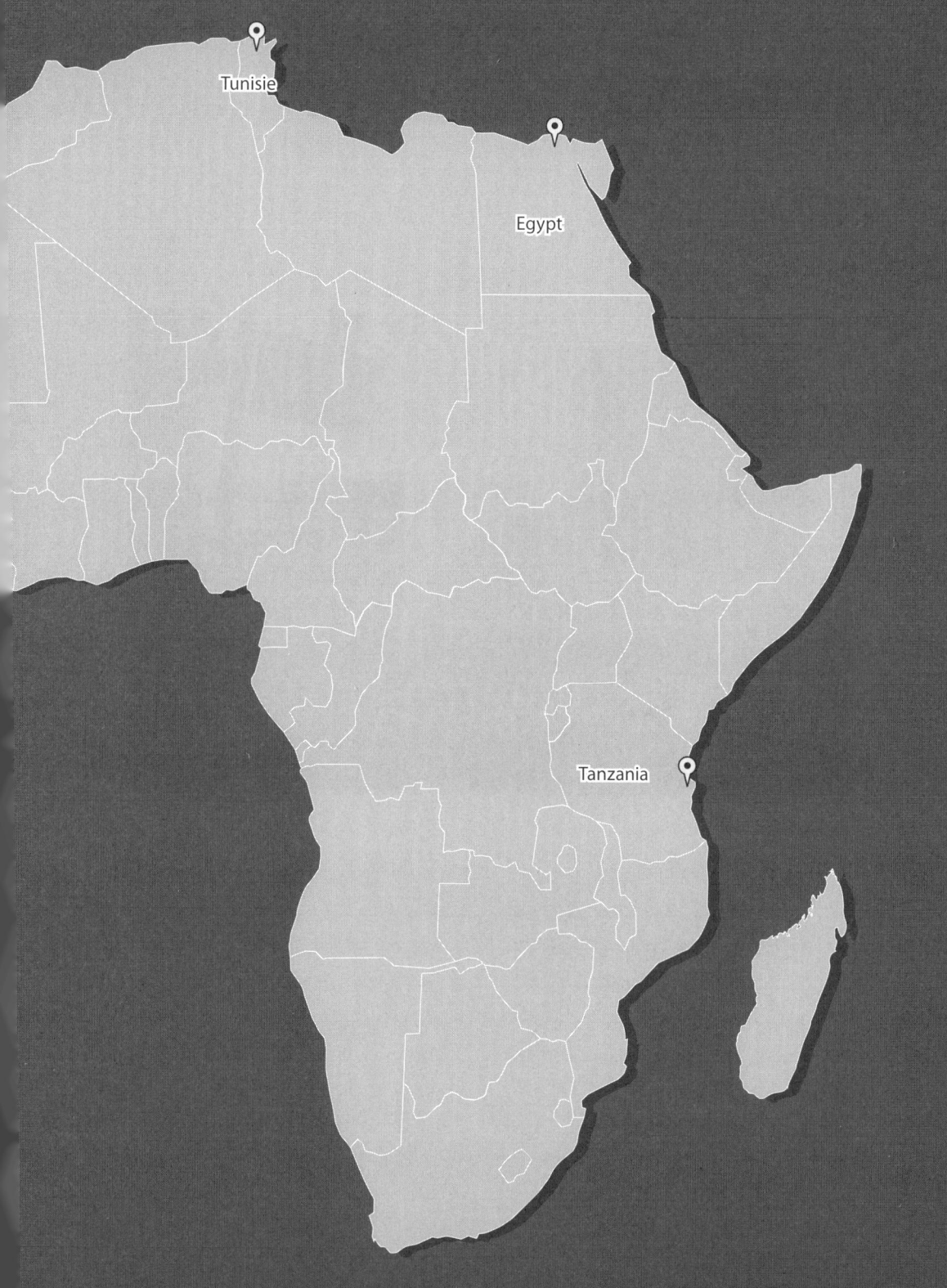

나일 강이 선사한 비옥토
탄타

탄타 시 도심부 전경

카이로Cairo 북쪽으로부터 약 110㎞, 알렉산드리아Alexandria 남동쪽으로부터 약 130㎞ 떨어진 탄타Tanta 시는 이집트에서 다섯 번째로 큰 규모의 도시이며, 탄타 시가 속해 있는 가르비야Gharbia 주에서 가장 큰 중심 도시㶇郡다. 탄타 시가 속해 있는 델타Delta 광역권은 나일Nile 강과 지중해가 만나는 삼각주 지역으로 비옥한 농토가 많이 분포하고 있어 국가 기반산업 중 하나인 농산업 활동의 터전이자 이집트 식량자원의 보고로 인식되고 있다. 특히 이집트 전체 농지의 35%를 차지하고 있는 델타 광역권에는 이집트 인구의 약 24%[1]가 분포하고 있다. 델타 광역권은 다시 5개의 주Governorate[2] 로 세분되고, 총 57개의 도시와 약 1400개의 마을을 포함하고 있다.

〈그림 2〉에서와 같이 델타 광역권 중심부에 위치한 가르비야 주의 면적은 1943㎢이고, 인구는 약 390만 1000명으로 주 전체의 인구밀도는 2007명/㎢다.

〈그림 1〉 델타 광역권 입지현황

○ Tanta

〈그림 2〉 델타 광역권 행정구역

Domyat
Kafr El Sheikh
El Dakaleheya
El Gharbeya
El Monofeya

〈표 1〉 델타 광역권 행정구역 현황(2004년 기준)

주(州)명	면적(km²)	인구(천 명)	밀도(명/km²)	도시 수
가르비야(Gharbia)	1,943.3	3,901	2,007	8
카프르엘세이크(Kafr El Sheikh)	3,466.7	2,625	757	10
모노페야(Monofeya)	2,499.0	3,254	1,302	10
엘도먀트(El Domyat)	910.3	1,095	1,203	11
엘다카레야(El Dakaleheya)	3,538.2	4,929	1,393	18
델타 광역권 전체	12,357.4	15,804	1,279	57

밀도 측면에서 볼 때, 가르비야 주의 밀도는 델타 광역권 전체 밀도보다 높고, 광역권 내 밀도가 가장 낮은 카프르엘세이크Kafr El Sheikh 주보다도 3배나 높다. 이는 델타 광역권 내에서 가르비야 주가 가지는 중심적인 위상을 반영한다.

위치 이집트 가르비야 주
면적 12.73km²
인구 445,560명(2012년 기준)
주요 기능 경제산업

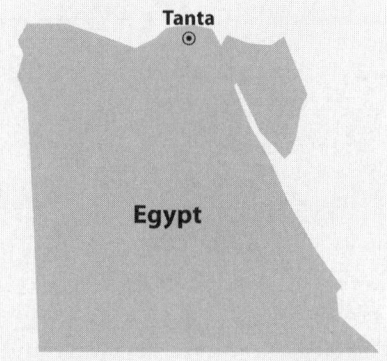
Tanta
Egypt

탄타 시 개요 및 성장과정

가르비야 주의 행정, 종교, 교육, 상업, 교통의 중심지인 탄타 시의 면적은 12.73㎢이고, 인구는 44만 5560명[3](2012년 기준)이다. 도시 총 인구밀도(도시 전체 면적당 인구수)는 3만 5083명/㎢으로 서울시 인구밀도[4](1만 6345명/㎢)의 2배가 조금 넘는 수치를 보이며, 카이로와 마찬가지로 전형적인 과밀도시로 인식되고 있다. 지형은 대부분 평지이고, 도시경계 지역은 양질의 농경지와 이를 기반으로 한 마을Village로 둘러싸여 있으며, 사막기후의 전형적인 특성인 고온 건조한 기후가 연중 지속된다. 탄타 시 서쪽 18㎞(11.2mile) 지점에는 나일 강[5]이 흐르고 있는데, 나일 강의 한 지류인 다미에타Damietta로부터 용수를 인공적으로 끌어들인 2개의 운하(탄타, 엘 카시드El-Khasid)와 호수El-Sab가 주된 상수 공급원으로 이용되고 있다. 이 외에 카이로와 지중해 연안을 연결하는 고속도로 및 철도의 중간지점에 위치하고 있어 델타 광역권 내 교통의 요충지 역할을 담당하고 있다.

〈그림 3〉에서와 같이 탄타 시의 성장은 총 3단계로 구분된다. 도시화 1단계는 1930년 이전 시기로 당시 도시면적은 현재의 30%인 3.81㎢였다. 고대 탄타 도시의 원형을 간직한 지역 대부분이 포함돼 있는데, 이 지역은 현재 낙후된 도심지역에 해당된다. 도시화 2단계는 1930~1950년 시기로 20년 동안 도시면적은 연평균 0.3㎢씩 증가해 현재 도시면적의 20% 정도인 2.54㎢가 확장됐다. 이 시기에는 도심 북쪽을 연결하는 엘 게이

〈그림 3〉 단계별 도시확장 과정

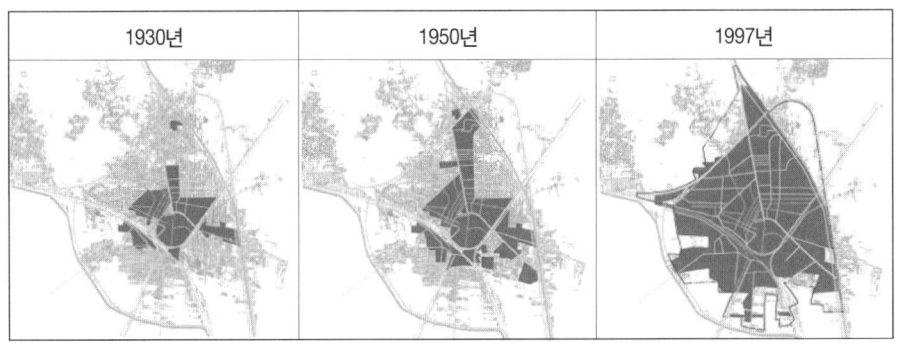

시El Geish 가로를 따라 계획적으로 도시가 확장됐으며, 이후 순차적으로 인근에 탄타대학이 신설되면서 부도심 성격의 지구를 형성했다. 3단계는 1950년 이후 시기로, 도시면적이 연평균 0.21㎢씩 증가해 현재의 도시면적인 12.73㎢(약 385만 평)에 이르게 됐다.

도 시 축 제 및 주 요 랜 드 마 크

탄타 시가 이집트뿐만 아니라 주변 이슬람권역 내 주요 명소로 인식되고 있는 가장 큰 이유는 바로 면화 수확 마지막 시기인 10월 말에 열리는 도시 축제(이벤트) 때문이다. 축제 기간 동안에는 델타 주변지역 및 아랍권 국가에서 약 200만 명의 인파가 바다위야Badawiya[6]를 기념하는 8일간의 축제를 즐기기 위해 사비드 아흐메드 엘 바다위Sayid Ahmed El-Badawi 사원과 그의 무덤 주변으로 몰려든다. 그의 무덤은 19세기 중반에 파괴됐지만, 현재는 파괴된 지역 인근에 새롭게 복원한 무덤을 중심으로 축제 활동이 이루어지고 있으며, 축제기간 동안 사람들은 '허브 엘 아지즈Hubb El Azziz'[7]라고 불리는 설탕으로 조리된 땅콩을 즐겨 먹는다.

사비드 아흐메드 엘 바다위 사원 이외에 탄타 시의 주요 랜드마크로, 이집트에서 가장 많은 선로를 가지고 있는 탄타 철도역사와 이를 마주 보고 있는 가르비야 주청사, 그리고 이집트 주요 대학 중 하나인 탄타대학이 있다. 사비드 아흐메드 엘 바다위 사원, 탄타 철도역사, 가르비야 주청사 모두 도심 중앙에 위치하고 있으나, 탄타대학은 도시의 최초 확장지역인 북쪽 인근지역에 위치하고 있다.

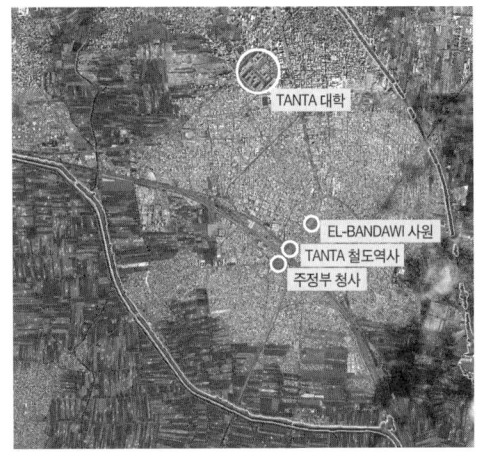

〈그림 4〉 탄타 시 주요 랜드마크 현황

도 시 의 물 리 적 현 황

'엘 무드리예El Moudirye'와 철도역 사이 가로를 따라 입지한 도심지역

| 사비드 아흐메드 엘 바다위 사원

은 쇼핑시설과 다양한 서비스 시설이 밀집해 있다. 상습적인 교통 혼잡과 노후한 건축
물들이 군을 이루는 등 지구 현황이 다소 열악함에도 불구하고, 도심지역은 탄타 시에
서 매우 큰 역사적 의미를 지니고 있으며, 종교 및 쇼핑 등 다양한 활동이 활발하게 일어
나고 있다. 반면, 도심부 상업지역 주변에 고대 탄타의 원형을 간직하고 있는 '가나베야
Gannabeya'와 '알리 아자Ali Aga' 지역은 도시 중심부에 입지한 전통적인 주거지이나, 현재
는 건축물의 노후화가 심각하고 기반시설이 열악해 주거지로서 매력이 상실된 상태다.
심지어 노후가 극심한 일부 건축물은 안전상의 이유로 시당국에 의해 강제 철거되기도
했다. 하지만 이러한 물리적 열악함과는 대조적으로 지역 내에는 아직까지 상당수의 상
점 및 시장, 소규모 수공업시설 등이 입지해 있고, 근린 가로가 다소 활기를 띠고 있으
며, 주변지역 거주민들에게까지 고용 기회를 제공하는 등 향후 경제적 잠재성이 높다.
    비교적 기반시설이 양호한 북쪽 지역은 개발 시기에 따라 크게 두 지역으로 구분된
다. 먼저 북서쪽 지역은 탄타 시의 첫 번째 확장지역으로 최초에는 주거지 위주로 계획

됐으나, 상업 및 서비스 기능이 도시 중심에서 외곽지역으로 확산되면서 현재는 주요 공공시설, 상업시설, 주상혼합용도 및 교육시설이 밀집된 양상을 보인다. 북서쪽 이외의 나머지 지역은 이후 획지분할 계획Sub-division Plan에 근거해 추가적으로 확장된 지역으로, 저가의 주택에서부터 고가의 주택에 이르기까지 다양한 주택 현황을 보이고 있으며, 지역 내부에 비교적 광폭의 양호한 가로망과 편의시설 등을 제공하고 있다.

탄타 시 전체 토지이용 현황은 크게 주거용지, 도로용지, 공업용지 순으로 면적비율이 높다. 주거용도의 경우 도시 전체 면적의 52.7%를 차지하고 있으며, 도심지역 내 혼합용도의 경우에도 상당 부분 주거용도의 면적 비중이 높다. 일반적으로 중심업무지구 CBD는 해당 도시의 핵심Core으로서 업무 및 상업시설이 고도로 개발된 토지이용 특성을 보이지만, 탄타 도심의 경우 소규모 상점과 은행, 행정 서비스 시설 등이 가로를 중심으로 저층부 공간에 넓게 수평적으로 분포하면서 면적 비율이 전체 도시면적의 5% 정도 수준에 머물고 있다.

이 외에 공업용도는 전체 도시 면적의 11%를 차지해 면적상 비율이 서비스 등 상업용도보다 두 배가량 높고, 도로, 녹지, 공공 기반시설 등을 합친 공공시설 면적 비율은

〈표 2〉 토지이용별 면적 현황

용도	면적(ha)	비율(%)
주거	670.7	52.7
공업	144.9	11.4
상업 및 서비스	64.3	5.1
행정	27.7	2.2
녹지	16.8	1.3
도로	302.4	23.8
기반시설	45.8	3.6
계	1273	100

| 도심부 중심가로변 현황

전체 도시 면적의 29% 정도로 주거용도 다음으로 높은 비중을 차지하고 있다.

대부분의 이집트 도시들이 그러하듯이 탄타 시는 자동차 위주의 이동 패턴이 강하며, 주로 인접 도시 외부지역과 도시 내 이동에 이용된다. 하지만 자동차 차체 노후가 심해 소음 및 매연을 유발하는 등 도시의 물리적 환경에 부정적인 영향을 끼치고 있다. 이 외에 철도교통은 주로 카이로, 알렉산드리아 등 장거리 대도시 이동에 주로 이용되고 있으나, 철로가 도시 중심을 관통하면서 도시 내부를 분할해 지역 간 원활한 소통을 방해하고 특정 지역의 단절을 야기하고 있다.

도로 이외에 상수도 시설의 경우, 상수원 자체가 부족할 뿐만 아니라 곳곳에 분산돼 상수원 확보에 많은 어려움이 있으며, 배관설비의 노후로 총 공급 수량의 최대 40%가 누수되는 등 비효율적인 운영을 보이고 있다. 무엇보다 주된 상수원으로 이용되고 있는 탄타 운하 주변에 불법 주거지 'Informal Housing'이 집단적으로 분포하고 있어, 대규모 불법 폐기물이 운하로 대거 유입되는 등 오염 정도가 날로 심각해지고 있다.

이 외에 교육시설의 경우 탄타 대학을 포함한 고등교육 시설이 특정지역에 밀집돼 있어 지역 간 불균형 문제가 대두되고 있는데, 구체적으로 '카프르 세이가르Kafr Seigar', '쿠브리엘 마하타Kubriel Ma-

| 탄타 운하 주변의 농경지

hatta' 지역 및 '엘 카시드 카날El Khasid Canal' 북동지역의 경우 교육시설이 전무한 실정인 반면 '엘 게이시' 가로를 따라 철도역 북쪽지역에는 교육시설이 집중 분포돼 있다. 이러한 교육시설 부족과 불균형은 근본적으로 교육 관련 공공자금이 부족하기 때문이며, 기타학교 부지의 부족, 비합법적 건설과정 등이 그 원인으로 제시될 수 있다.

▌탄타 외곽지역 농가의 삶

탄 타 의 도 전 과 새 로 운 미 래

탄타 시는 도시 전체 면적에 비해 많은 인구가 밀집돼 있는 전형적인 과밀도시이다. 도시구역 내 도시용지[8]의 부족과 주변지역보다 상대적으로 높은 지가, 그리고 이로 인한 주택공급 부족은 탄타 시가 직면한 주요 지역현안이다. 주택부족 문제는 또한 도시 외곽 철로와 운하 주변지역에 대단위 불법거주지를 양산하고 있다. 도시용지가 부족한 현실에 비추어볼 때, 저층 고밀의 도심부 개발 현황은 향후 도심에 적합한 규모의 획지와 건축, 밀도계획으로 개선될 필요가 있으며, '가나베야Gannabeya' 지역과 같은 주거환경이 극도로 열악한 전통적인 도심 내부의 슬럼화된 주거지역은 향후 해당 지역의 독특한 역사성과 장소성을 살릴 수 있는

▌농지 잠식을 통한 외곽지역 난개발

체계적인 업그레이드 프로그램이 절실히 필요한 실정이다.

이 외에 도시용지로의 불법 농지전용은 도시 내 농촌지역 전반에서 만연하는 현상으로, 특히 불법적으로 행해지는 주거지 개발은 탄타 운하 남쪽과 카이로-알렉산드리아 간 고속도로 북쪽 변에 심각하게 발생하고 있다. 농지전용 행위는 근본적으로 도시용지가 부족하고 관련 규제가 허술한 데 그 원인이 있지만, 사회적으로 이러한 불법행위가 만연한 이유는 경제적 이윤[9]을 극대화하려는 토지소유자의 자발적인 동기가 뒷받침됐기 때문이다. 더욱 심각한 것은 이러한 불법행위가 인근 농촌마을까지 이어지면서 물리적인 도시경계가 무너지고 도시 연담화가 확산된다는 사실이다. 도심지역과 외곽지역에서 탄타 시가 동시에 직면한 문제는 분명 새로운 도전임에 틀림없다. 도심지역의 충전식 개발infill development을 통한 도심 주거환경의 개선 및 외곽지역 농지의 보존, 농지를 포함한 전체 토지이용에 대한 체계적인 관리 등은 향후 탄타 시에서 주목해야 할 부분이다.

/ 안용진(아주대학교 도시개발학과 특임조교수)

| 주 |

1 이집트 전체 인구는 6700만 명이며, 이 중 델타 광역권 인구는 1580만 명이다(2005년 기준).

2 지역단위 위계로 볼 때, 이집트의 주(州)는 한국의 도(都)에 해당되는 단위로 이해될 수 있고, 실제로 델타 광역권의 면적은 한국의 수도권 면적과 비슷하다.

3 Central Agency for Statistics Egypt(2006)에서 재인용(http://www.citypopulation.de/Egypt.html).

4 서울시 순밀도(주, 상, 공업용지 면적당 인구수)인 2만 7942명/㎢보다도 탄타 시의 총 밀도가 높은 것으로 나타났다.

5 나일 강은 거의 모든 이집트 지역에 용수를 공급할 뿐만 아니라 세계에서 가장 비옥한 토지를 만들어냈으나, 유량이 풍부하지 못해 지중해 역류 시 델타 지역 수로의 전체 염도가 증가하는 문제가 발생하기도 한다(EPA 통신 2006년 3월 19일 자).

6 이집트의 가장 큰 수피교(sufi)의 창시자. 모로코 태생이지만 아라비아에서 활동하다가 1234년 이라크로부터 경전의 대표자 자격으로 탄타에 파견돼, 이후 이곳에서 왕성한 종교 활동을 벌였다. 그의 종교 활동은 탄타 시 번성에 많은 영향을 미쳤으며, 이를 기념하기 위해 그의 이름을 딴 사비드 아흐메드 엘 바다위 사원이 건설됐다.

7 축복받은 예언자의 씨앗이라는 의미다.

8 일반적으로 카이로 등 이집트 여타 도시외곽에 형성된 전형적인 사막지대는 우리가 일상적으로 생각하는 건축행위가 불가능한 연약 지반이 아니라, 용수문제가 해결되면 언제나 개발이 가능한 미개발지다. 하지만 탄타 시의 경우 대부분의 도시외곽 지역이 농지이기 때문에 농지를 전용하지 않는 이상, 도시적 개발이 가능한 대체용지를 확보하기 힘든 상황이다.

9 토지소유자 입장에서 영농을 통해 얻을 수 있는 경제적 이윤보다 농지를 개발용지로 임대하거나 판매하는 것이 경제적으로 유리하다.

| 참 고 문 헌 |

• Araby, M. M. E. 2003. "The role of the state inmanaging urban land supply and prices in Egypt." *Habitat International* 27: 429~458.

• Arandel, C. and M. El Batran. 1996. *The Informal Housing Development Process in Egypt*. Draft report submitted to CNRS-PIR-Villes. Cairo.

• Sutton, K. and W. Fahmi. 2001. "Cairo's urban growth and strategic master plans in the light of Egypt's 1996 population census results." *Cities* 18, no.3: 135~149.

• Tanta town council, GOPP(General Organization for Physical Planning), et al. 1986. *Tanta Gannabeya Area Tal El Haddadin Action Area Plan*. Cairo.

아프리카와 지중해의 중심
튀니스

Tunis

튀니스의 중심가 메디나

튀니지Tunisie는 지중해에 면한 아프리카의 중앙에 위치하고 있으며, 서쪽의 알제리Algérie, 동쪽의 리비아Libya와 접경하고 있다. 인구는 2007년 현재 1017만 명이며 정식 국명은 튀니지공화국République Tunisienne이다. 수도는 인구 약 200만 명의 튀니스Tunis이며, 국토 면적은 16만㎢로 한반도의 4분의 3, 남한의 1.6배다. 인종은 아랍인이 98%를 차지하고, 그 외에 사막의 유목민족인 베르베르인이 1% 정도다. 언어는 공용어로 아랍어를 사용하며, 프랑스어도 많이 통용된다. 튀니지는 1956년에 프랑스로부터 독립했는데, 전 국민이 초등학교 때부터 프랑스어를 배우며 영어도 어느 정도 통한다. 전체 국민의 99%가 이슬람교도이고, 종교와 정치가 거의 완전히 분리돼 있는데 이는 터키의 모델에서 많이 가져온 것이라고 한다.

대부분의 튀니지 국민들을 보면 완벽한 백인으로 보인다. 아랍인들은 코카서스 인종의 백인이며, 거대한 사하라 사막으로 인해 남쪽의 아프리카 인종과 지리적으로 완전히 구분되고 있다. 가까운 곳에 위치한 그리스, 이탈리아, 터키, 이집트, 에스파냐 등도 어느 정도 튀니지의 인종 구성에 영향을 미친 것으로 보인다. 여성들은 히잡Hijab을 착용하기도 하지만 자유분방하게 다니는 경우도 많다. 튀니지의 초대 대통령인 하비브 부르기바Habib Ibn Ali Bourguiba가 터키를 모델로 종교와 정치를 철저히 분리하고 참정권을 포함해 남녀평등권을 시행했기 때문이다.

위치 튀니지 북쪽 지중해 남안
면적 212㎢
인구 2,256,320명(2011년 기준)
주요 기능 정치 · 경제 · 문화

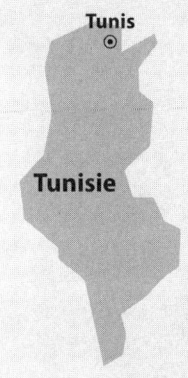

Tunis

Tunisie

▍ 하얀 집들과 청색 창문이 아름다운 튀니스의 마을

천국을 상징하는 초록색 문

튀니지의 기후와 생활환경

튀니지 국토의 북쪽은 지중해성 기후이며, 남쪽으로 갈수록 그리고 내륙으로 갈수록 사바나Savanna 기후, 반건조Steppe 기후로 변한다. 남쪽은 사하라Sahara 사막의 일부를 이루고 있다. 북쪽 지중해 산맥지역의 강수량은 1500mm에 이르며 지중해 지역은 800mm, 사바나 지역은 400mm, 스텝 기후 지역은 200mm다.

건조 및 반건조 지역에서는 해가 지면서부터 쾌적한 기온이 돼 사실 이때부터 하루의 일과가 시작된다. 따라서 달과 별의 움직임이 일상생활에 매우 중요하며, 이러한 기후조건이 이슬람 종교와 문화, 교역 등에도 영향을 미친 것이다. 튀니지의 대도시들은 기후적인 요인과 지정학적인 요인으로 인해 북쪽의 해안가에 발달했다. 해안지역에 위치한 튀니스에서도 저녁이 되면 바닷가에서 시원한 바람이 불어온다. 더운 낮에 비해 밤의 기온이 훨씬 더 쾌적하다.

내륙이나 남쪽 지방은 생활환경이 많이 다르다. 카이르완Qairwan에서는 오후 3시경

튀니스 교외의 유럽풍 해안 관광지

그늘 온도가 평균 31.8℃, 습도 31%로 전형적인 사막기후(혹은 반사막, 하계 지중해성기후)가 된다. 그러나 겨울철에는 북쪽해안과 사막에도 상당한 비가 내리고 추워져 난방을 해야 할 정도다.

튀니지에서는 지중해성 농업을 주로 하므로 올리브와 포도 재배가 주종이고, 그 외에 다양한 지중해성 과일과 야채가 재배되는데 건조하고 더운 기후로 인해 당도가 높다. 마실 물은 귀하지만 과일이나 포도주는 그 품질이 좋은 편이다. 지중해에 면해 있어 수산업도 발달했는데, 도미·농어·오징어 등을 요리 재료로 많이 사용한다. 튀니지 국민의 식생활은 포도와 올리브 등의 지중해 농업, 어업, 그리고 스텝기후 지역의 목축인 양고기 등으로 지역적 조건을 반영해 다양하게 이루어지고 있다. 이슬람 국가이므로 허용되는 음주 외에는 절주를 해야 하는 상황이 많다. 물은 어느 곳에서든지 생수병으로 사 먹어야 한다. 물값이 비싼 편으로 보통 카페에서도 물만 사다 먹으면서 시간을 보내는 주민들이 많다.

풍부한 자원을 지닌 개도국

튀니지의 정치는 대통령 중심제로 현재의 대통령은 몬세프 마르주키Moncef Marzouki 이다. 2010년에서 2011년에 걸쳐 일어난 재스민 혁명이라는 민주운동의 발상지로, 당시 벤 알리Ben Ali 대통령이 사우디아라비아로 망명함으로써 24년간의 집권이 끝났다. 이 혁명은 인터넷의 매개 역할이 중요했다는 의견도 있으며, 실제로 이집트, 리비아 등의 아랍국가로 확대되기도 했다. 의회는 양원제이며, 정규군 4만 5000명으로 1992년부터 징병제를 실시하고 있다. 초대 대통령이자 독립운동가인 하비브 부르기바Habib ibn Ali Bourguiba가 1956년 튀니지를 프랑스로부터 독립시키고, 1957년부터 30년간 통치했다. 1987년 당시 총리였던 벤 알리는 건강상의 이유로 헌법 규정에 따라 부르기바 대통령을 사직시키고 일종의 무혈 쿠데타로 집권해 2대 대통령이 됐다. 관공서를 비롯한 많은 건물의 내부와 입구, 도로에 여러 가지 형식으로 대통령의 초상화들과 찬양문들이 붙여졌다. 전임 대통령인 부르기바의 이름도 도로와 산 이름 등에 붙여져 있는 등 튀니지의 국부로 추앙되고 있다. 현재도 튀니지는 완전한 정치적 안정을 찾지 못하고 있다.

2007년 기준 1인당 GDP는 3250달러이며, 경제성장률은 6.3%로 꾸준한 성장세를 나타내고 있다. 이를 반영하듯 시내 곳곳에 새로운 건물과 교량이 건설되고 있으며, 수도권 외곽으로는 신도시들이 개발되고 있다. 최근에는 관광산업을 중심으로 경제가 성장하고 있어 국가 발전의 견인차가 되고 있다. 또한 이웃 아랍권의 석유개발에 의한 자본(오일머니) 유입이 이루어지고 있어 전기, 도로, 항만, 철도와 같은 인프라가 꾸준히 건설되고 있다. 튀니지의 주요 자원은 인산염으로 30억 톤가량이 매장돼 있고, 석유는 매장량 4억 배럴로 자급자족할 수준이며, 천연가스도 생산된다.

튀니지의 관광 산업

튀니지의 중심 산업은 관광업으로 휴가기간인 8월에 특히 많은 관광객들이 찾는다. 튀니지는 중부 지중해 연안에 인접해 있으며, 오랫동안 프랑스의 식민지를 경험했고 이탈리아와도 가까운 거리에 있어 많은 유럽인들이 찾아오고 있다. 관광지에서는 실내에서 담배를 허용하는 곳이 다른 지역보다 상대적으로 많으며, 오래된 전통거리에서는 물

메디나의 전통공예 상점 골목

담배를 피우는 모습도 자주 눈에 띈다. 튀니스 역시 지중해 연안의 아름다운 풍광과 풍부한 역사문화 유적을 중심으로 관광산업이 발달했다. 로마시대에는 은퇴한 장군들의 별장지로 도시가 발달되기도 했다.

튀니지에는 페니키아, 로마, 터키, 아랍, 에스파냐, 프랑스, 이탈리아 등이 시대별로 영향을 미쳐서 다양한 문화유적이 남아 있다. 플루타르크 영웅전에서 전설적으로 그려진 명장 한니발 장군의 국가 카르타고는 3차에 걸친 포에니 전쟁에서 패하면서 기원전 146년 로마에 의해 철저히 파괴됐다. 이 후 그 터 위에 로마의 도시들이 건설됐다. 재미있는 사실은 카르타고의 한니발 장군이 로마에 패한 것에 대해 현재의 튀니지 국민들이 가슴 아프게 생각하고, 로마나 이탈리아에 대한 좋지 않은 민족 감정을 가질 것으로 보이지만 실제로는 그렇지 않다는 점이다. 이는 튀니지 국민들이 한니발 장군도 당시의 튀니지로 이주해 온 외래인으로 보기 때문이라고 한다. 즉, 한니발은 문명의 역사가 훨씬 앞선 페니키아 계열의 민족으로, 일찍이 페니키아인들이 튀니지에 식민도시를 건설했고 더 발전해 카르타고가 된 것이다.

로마 문화는 반달족과 아랍족의 침입으로 무너지고, 698년부터 이슬람 사회가 시작됐다. 카르타고의 유적지가 있는 카르타지Carthage의 비르사Byrsa 언덕 일대는 유네스코 세계문화유산으로 지정돼 있는 지역으로, 이러한 역사의 흔적을 잘 볼 수 있다. 이 외에 현재 많이 남아 있는 문화유적은 모스크 왕궁, 박물관, 메디나, 카사바 등 대부분 이슬람 문화유적이다. 제1차 및 제2차 세계대전을 겪으면서 독일과 이탈리아가 남긴 유적들도 있다.

튀니지에 있는 한국 교민들은 대사관 직원, 상사 주재원, 기업 협

┃ 대표적인 관광명소인 카르타고의 유적지

력업체 관련 직원, 일부 유학생, KOICA 봉사단 등 모두 120명 정도이며, 단기 체류가 대부분이다. 한국은 튀니지에 전자제품 등을 주로 수출하며, 튀니지는 원피, 어패류, 유지 등을 한국에 수출한다. 삼성전자와 LG전자의 지사가 튀니지에 있으며, 일부 현지 조립업체에서 가전제품이 생산된다. 한국은 튀니지에 대한 수출이 수입에 비해 월등히 많으며, 양국 간 비교적 우호적인 관계를 유지하고 있다. 지중해의 어업도 튀니지에 중요한데, 최근 지구온난화와 남획으로 어업자원이 많이 줄어들고 있어서 정부 차원에서 양식업에 대한 노력을 기울이고 있다. 한국의 우수한 연안 양식기술을 활용해 튀니지의 양식업 사업에도 진출하는 것이 좋다는 견해도 있다.

튀니지는 다양한 국제기구에 회원으로 참여하는 노력을 많이 기울이고, 회원으로서의 표결을 이용해 관계 국가로부터 경제지원을 받는 일이 많다고 한다. 지원 분야는 주로 인프라 건설이다.

튀니지의 생활환경과 경제 발전은 물을 관리하는 데 초점을 맞추어야 한다. 동북부의 산지와 해안의 강수가 지하로 스며들어 지하수를 채굴하고, 산지 계곡에 많은 저수지를 조성하고 있다. 올리브 등 다양한 야채 생산을 위한 물 공급이 중요하기 때문에 관개 방식이 잘 발달했다. 관개수를 방울방울 식으로 뿌리 근처에 주어서 증발을 최대한 막는 점적관개Drip Irrigation도 있다. 해안의 많은 관광지 개발과 관광객 증가는 새로운 물수요를 창출해 튀니지 정부의 고민거리가 되고 있다고 한다. 이는 비단 튀니지의 문제일 뿐 아니라 지중해에 면한 유럽 선진국도 마찬가지일 것이다.

이븐할둔Ibn Khaldūn은 튀니지 역사에서 최고의 학자로 꼽힌다. 이븐할둔은 아라비아에서 에스파냐로 이주했다 다시 튀니지로 옮겨 온 가족사를 가지고 있다. 그는 역사, 철학, 지리, 사회경제, 법학 등 모든 분야에서 뛰어나 중세와 르네상스 시대의 이슬람에 탁월한 업적을 남겼다. 공직에도 진출해 국가에 이바지한 대학자다. 현재에도 그의 생가가 보존되고 있으며, 그의 이름을 딴 길도 있다.

이슬람 전통 문화의 아름다운 도시, 튀니스

튀니스는 튀니지의 수도이자 관광의 중심지다. '카르타고의 신도시'라는 뜻을 지닌

■ 중심지라는 뜻을 지닌 도심 메디나의 변화한 모습

튀니스는 현재는 폐허가 된 카르타지에 바로 인접해 있다. 카르타지는 튀니스의 교외도시로서 유명한 관광지로 변모해 있다. 튀니스 인근의 라 마르사La Marsa, 카르티지, 시드부사이드Sidi Bou Side 등은 수많은 문화유적과 함께 아름다운 지중해 연안의 풍광을 배경으로 하는 레스토랑과 호텔이 많이 발달하면서 고급 관광지로 알려졌다.

튀니스는 이슬람 문화의 오래된 도시다. 전통적인 좁은 길과 많은 전통 상점들이 어우러진 메디나Medina는 다양한 전통물품이 즐비하고, 튀니스 시민과 관광객이 모여 늘 북적인다. 메디나는 중심지라는 뜻을 가지며, 동시에 도시라는 뜻을 가진다. 즉, 구시가지를 의미한다. 이슬람 지역에서는 다른 곳에도 메디나가 많이 있다. 한편 시내 중심에 행정부 등 관공서들이 모여 있는 곳을 카사바Casabah라고 한다. 카사바는 성채라는 뜻으로 메디나의 중심을 이루고 있다. 메디나는 전체가 유네스코 문화유산으로 지정돼 있다.

튀니스는 메디나에 바로 연결돼 도시의 중심지가 발달해 있다. 시내 교통은 버스, 전차, 택시가 주를 이룬다. 이곳은 기온이 매우 높아서 오후에는 기온이 40℃까지 올라가고 거리의 움직임이 적다. 저녁 모임은 해가 완전히 넘어간 후, 주로 8시 30분이 지나서 이루어지며 거의 자정까지 진행된다.

관광지이므로 물가는 튀니지의 다른 지역에 비해 비싼 편이다. 이곳의 화폐 단위는 디날이며, 1디날은 대략 1달러, 유로로는 1.7 정도로 계산된다. 디날은 튀니지 외의 다른 나라에서는 사용되지 않는다. 환전과 카드를 이용한 현금 인출이 비교적 편리한 편이지만, 상점에서는 카드 사용이 그리 많지 않고, 달러나 유로화도 대부분 디날로 바꾸어 사용한다. 메디나와 같은 재래시장에서는 가격 흥정이 매우 흔하다. 물건을 두고 상인들과 흥정하기보다 미리 정확하게 값을 살펴서 지불하는 것이 좋다.

지중해의 전략적 요충지, 튀니지

현재의 경제적·정치적 상황에도 불구하고 튀니지는 북아프리카와 지중해의 전략적인 요충지다. 지중해를 중심으로 유럽과 아프리카와 아시아를 연결한다. 튀니지 남단은 사하라에 걸쳐 있어 거대한 사하라로 들어가는 입구이기도 하다. 이처럼 지중해의 중앙에 자리 잡고 있다는 입지적인 장점은 관광산업에서 특히 두드러진다. 튀니지는 지중해 크루즈선의 핵심 기항지다. 지중해 바다 한가운데 있는 이탈리아의 시칠리아Sicilia 섬은 이탈리아와 튀니지를 연결하며, 여름철마다 유럽인들로 붐비는 대표적인 관광 루트다. 튀니지는 이슬람을 믿는 아랍 국가이고, 독일과 프랑스의 식민지 지배를 받아왔지만 이러한 역사적인 현실도 다 수용하면서 외국인에 대해서도 비교적 개방적이다. 모로코에서 이집트까지 이어지는 북아프리카 이슬람 국가의 중앙에 위치한 튀니지는 좌우로 인접한 리비아나 알제리에 비해 자원은 부족하지만 전략적 요충지로서 국제 경제나 정치에서 주목해야 할 나라다.

• 사진 제공(일부): 이미지투데이

/ 이민부(전 대한지리학회장, 한국교원대학교 지리교육학과 교수)

| 참 고 문 헌 |

• The Tunisian National Tourism Office(http://www.tourismtunisia.com).
• Tunisian External Communication Agency.

아프리카의 관문, 평화로운 항구도시
다르에스살람
Dar es Salaam

다르에스살람 전경

아프리카 대륙 동쪽 중부에 위치한 다르에스살람은 인도양에 면해 있는 동아프리카에서 가장 큰 항구도시로서, 탄자니아 동쪽 해안의 전략적 요충지다. 지형학적 입지특성 때문에 내륙국인 르완다, 부룬디, 콩고, 잠비아, 우간다, 말라위로 통하는 관문도시이자 동아프리카와 탄자니아의 교차로 역할을 해왔다. 아랍어로 '평화로운 안식처'라는 뜻을 지닌 '다르에스살람Dar es Salaam'이라는 도시명은 1866년 잔지바르Zanzibar 제국의 술탄인 세이드 마지드Seyyid Majid가 붙였다.

다르에스살람의 면적은 서울시의 두 배가 넘는 1393㎢이며, 탄자니아 총인구(2008년 기준 약 4000만 명)의 약 8%를 점유하는 약 300만 명의 인구가 살고 있다. 탄자니아 전체 26개 행정주Region 중 하나인 다르에스살람 관할 행정주는 북쪽의 키논도니^{Kinondoni}, 중앙의 이라라^{Ilala}, 남쪽의 테메케^{Temeke}의 3개 자치 구역으로 나뉘고, 그 안에 73개 구로 이루어져 있다. 다르에스살람은 탄자니아 국내총생산^{GDP}의 70% 이상을 차지할 정도로 국가 경제활동이 집중돼 있는 대도시다.

탄자니아는 다른 아프리카 식민지였던 국가들과 달리 영어 외에도 스와힐리어를 공용어로 사용하고 있는데, 이는 탄자니아의 독립운동가이자 초대 대통령 줄리어스 니에레레^{Julius Nyerere}가 국민들이 언어를 쉽게 배울 수 있도록 아프리카 토착언어로 만들어진 스와힐리어를 공식언어로 지정했기 때문이다. 그뿐만 아니라 초등교육을 무상으로 지원한 덕분에 아프리카 대륙에서 탄자니아 국민들의 문맹률이 가장 낮다.

위치 탄자니아 동쪽 해안
면적 1590.5㎢
인구 4,364,541명(2012년 기준)
주요 기능 경제산업

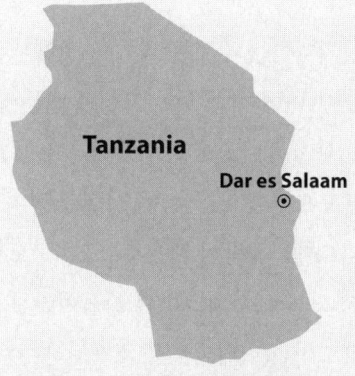

작은 어촌마을이었던 다르에스살람

다르에스살람은 원래 '활기찬 마을'이라는 뜻의 미니지마Mzizima라는 작은 마을이었다. 1862년 잔지바르의 술탄 세이드 마지드가 이곳에 본거지를 두면서 문제가 많았던 탄자니아의 본토 탕가니카Tanganyika 해안지대가 잘 통제됐고 잔지바르와의 정치적 분쟁도 피할 수 있게 됐다. 술탄은 이 작은 농어촌마을을 아프리카 내륙으로 출입하는 상인들의 거점이자 상업활동을 지원하는 항구와 교역중심지로 건설하고, 1866년 이 마을을 다르에스살람이라고 명명했다. 인도와 아랍 상인들을 끌어들였으며, 수익을 창출하기 위해 대규모 농장을 조성하는 계획을 수립했으나, 1870년 술탄이 죽자 건설 초기였던 다르에스살람은 황폐해졌다.

1880년 독일 식민지가 된 다르에스살람은 독일 점령기 동안 동아프리카 군사요충지로서 도시기반이 갖춰졌으며, 1891년 1월 1일 탕가니카 및 독일 동아프리카의 공식적인 수도가 됐다. 제1차 세계대전에 패한 독일이 물러간 뒤에는 영국의 통치하에 들어가는데, 1953년 줄리어스 니에레레가 의장을 맡은 TAATanganyika African Association를 중심으로 독립운동을 전개, 이후 TAA는 TANUTanganyika African National Union 정당으로 바뀌어 1961년 5월 독립정부를 수립했다.

한편, 1890년 이후 영국령이었던 잔지바르 섬(펨바 섬 포함)이 1963년 독립하면서, 이듬해 1964년 탕가니카와 합병해 오늘날의 탄자니아연합공화국United Republic of Tanzania이 수립됐다. 국명도 두 나라의 이름인 탕가니카와 잔지바르를 합쳐 탄자니아로 만든 것이다.

탄자니아는 수도를 국가의 중앙부에 두고자 1972년 도도마Dodoma를 행정수도로 결정, 1974년에 이전했다. 그러나 대통령 집무실을 비롯한 행정부처와 사법부 등 주요 기능이 여전히 다르에스살람에 남아 있고, 중앙관료와 국회의원들은 국회가 열리는 기간에만 도도마에 모이는 등, 사실상 정치·경제·문화의 중심지로서 실질적인 수도의 역할은 다르에스살람이 계속하고 있다. 도도마는 1976년 수도건설을 위한 마스터플랜을 수립했고, 1988년 재정비했으나 여전히 수도 기능을 회복하지 못한 상태다. 2010년에 다시 도도마 마스터플랜을 재검토하는 재정비계획에 착수했다.

인구가 지속적으로 유입되고 있는 다르에스살람

독일과 영국 식민지 시기의 도시건설

다르에스살람은 독일 식민지 시대 독일군대의 통제하에서 처음 도시개발이 이루어
졌고, 오늘날 도시구조의 토대가 되는 도시골격이 형성됐다. 이 시기에 다르에스살람
은 허브역할을 수행할 기반시설과 도시재개발이 이루어져 독일의 아프리카 식민지 확
장의 보석 같은 존재였다. 도시 내부에는 독일식 도시계획에 따라 항구로부터 방사형
의 길이 건설됐고, 1891년 건축조례에 따라 인종별로 도시를 세 구역으로 구분했다.
1898~1899년에 등대가 건설되고 선착장 등 항구진입부가 정비됐으며, 1905년 도시 외
곽으로 탕가니카 서부 호수에서 다르에스살람의 내륙을 연결하는 철도노선이 착공됐
다. 이렇게 해서 독일인들은 다르에스살람을 동아프리카 정복을 위한 군사기지로 만들
고, 항구는 물자의 수송 및 공급을 담당하는 주요 화물적하기지로 활용했다.

영국령 초기에는 비유럽인에 대한 아무런 지원이 없었기 때문에 다르에스살람은 한
동안 극심한 경제침체가 지속됐고, 아프리카인들이 도시를 떠나면서 인구가 감소했다.

영국인들은 이것을 독일이 했던 인종분리계획을 시행할 기회로 만들어, 1924년에 관련 조치가 취해졌으나 탕가니카의 내외부로부터 인구유입은 계속됐다. 다르에스살람은 영국의 항구와 철도에 대한 지속적인 투자 덕분에 교역활동이 증가했고 오늘날 다양성이 혼재된 도시가 될 수 있었다. 제2차 세계대전 후, 다르에스살람은 인구증가가 가속됐고 다양한 인구와 시민요구에 대응하면서 탕가니카의 상업 허브로 성장하게 됐다.

작은 농어촌마을에서 경제 중심 항구도시로

다르에스살람은 처음에는 작은 농어촌마을이었으나 내륙 쪽으로 형성된 자연항구를 이용해 농업기반의 항구도시로 발전하기 시작했다. 19세기와 20세기 독일과 영국 식민지 시기에 도시 배후지로부터 원자재를 수송하는 철도시스템과 제조상품을 밖으로 운송할 수 있는 항구가 구축된 덕에 제조업의 진원지가 됐다. 전체 산업제조업체의 약 40%가 다르에스살람에 있으며, 탄자니아 총 산업제조물품 생산량의 45%가 이 도시에서 생산된다.

한때 니에레레 대통령이 추진했던 집단농장경제 등이 실패하면서 1980년대 탄자니아는 경제 정체시기를 겪기도 했다. 그러나 최근 경제가 호전되자 성장세가 회복되면서 컨테이너 화물과 해상무역이 늘고 항구가 활성화되고 있다. 항구를 통해 석유와 산업 원자재, 운송장비 등이 수입되고, 제조물품, 농산물(땅콩, 커피, 사이잘삼)과 금 등을 수출하고 있다.

또한 탄자니아에서 킬리만자로 산(5895m), 세렝게티국립공원, 잔지바르 등으로 인한 관광산업이 부상하면서 이들 관광지의 관문역할을 하는 다르에스살람도 알려지기 시작했다. 다르에스살람이 항공, 철도와 도로 네트워

▌ 동아프리카에서 가장 큰 항구도시인 다르에스살람

크가 집중돼 있는 교통 중심지이고, 페리를 타고 들어가는 잔지바르의 관문이자 사파리 순회구역의 출발점이기 때문이다. 최근 저가 항공여행 덕에 탄자니아 자연세계를 여행하려는 관광객들이 몰리고 있다. 이에 따라 관광 관련 직업과 교통이 점점 증가하고 있으며, 투자 기회가 더욱 늘고 있다. 투자자들이 계속 몰려오고 관광산업시장이 성장함에 따라 은행, 식당, 호텔 등도 증가하고 있다. 다르에스살람은 탄자니아의 경제성장동력으로서 산업 및 상업, 광업 관련 무역, 관광 관련 교통운송의 중심지로 계속 성장하고 있다.

경제, 문화, 행정의 중심이자 다양성이 가득한 도시

다르에스살람은 정치·경제·사회·교육·문화·종교의 중심지로 다양성이 가득한 도시다. 처음 잔지바르의 술탄이 다르에스살람에 정착하면서 이 도시에 이슬람교를 들여왔다. 또 인도 상인들뿐만 아니라 아랍 상인들이 들어와서 활동하도록 장려하면서 종교와 사람들이 섞이게 됐다. 인도 상인들은 힌두교를, 독일인들은 기독교를 들여왔다. 독일 식민지 때 바바리안 알프스Bavarian Alps 양식의 루터 교회와 고딕 양식의 성 요셉 성당을 포함한 많은 교회가 건설됐다. 높은 건물이 거의 없었던 1960년대까지만 해도 이 교회들이 도시의 스카이라인을 형성하는 기념비적 건축물이 됐다. 영국의 점령기를 거치면서 종합병원과 대학, 법원 등 현대식 고층건물들이 들어서기 시작했다. 1960년대 이후 중국인들이 들어오기 시작했고, 최근 한국인들도 서서히 진출하고 있다. 오랜 시간 동안 다양한 사람들, 종교와 사상, 언어와 문화가 뒤섞이면서 다양한 양식의 예술과 건축물이 혼재돼 도시경관을 이루고 있다.

▌ 고층건물이 들어서기 시작한 도심 내부

도시계획 및 관리 개선을 위한 전략적 노력

농촌에서 도시로의 인구이동은 다르에스살람의 도시화를 가속화시키는 원인이 돼 왔다. 이 때문에 대도시 다르에스살람의 주변부는 빈민주거지 스프롤sprawl 현상이 심 각한 실정이다. 다르에스살람 인구의 대부분은 주택, 보안, 물과 위생 같은 공공서비스 가 제공되지 않는 스프롤된 비공식토지(불법주택)에 살고 있다. 민간개발업자와 지방정 부는 도시의 빈민거주자들을 위한 저가 주택을 계획하고 공급하려는 노력을 기울이지 않고 있다. 도시계획은 중앙에만 집중돼 있고 빈민거주자의 기초수요를 파악하는 데 는 완전히 실패했다. 또 인구증가로 인한 심각한 교통정체와 차량 배기가스로 인한 환 경오염, 불법적 벌목으로 인한 열대우림 파괴 등이 점점 심화되고 있다. 이러한 다양한 문제에 대응해 다르에스살람의 토지개발정책은 기초수요와 서비스를 개선하는 데 이 해관계자의 참여와 협력을 도모하고 토지보유권을 보장하는 방향으로 전개되고 있다.

지난 3년간(2009년 기준) 급격한 인구증가로 기초서비스, 기반시설, 거버넌스에 대 한 수요가 증가했다. 이에 전략적인 도시개발계획구상Strategic Urban Development Planning Framework: SUDPF과 같은 계획과 관리를 통해 부정적인 동향들을 전환시키려고 해왔다. 탄자니아의 과거 계획접근은 하향식 관리를 지향했고 이해관계자를 배제하는 방식이 었는 데 반해, SUDPF 접근방식은 포괄적이고 총체적인 계획접근을 한다. 다르에스살 람의 SUDPF 접근은 지속가능한 도시프로그램Sustainable Cities Programme: SCP을 통해 1992 년 도입된 환경계획 및 관리Environmental Planning and Management: EPM 프로그램과 함께 시 작됐다.

2000년에 다르에스살람 시의회DDC는 키논도니, 이라라, 테메케의 세 자치단위에게 모든 정책과 입법의 이행권한을 이양했으며, 자문방식으로 계획과 행정을 지원했다. 그 러나 여전히 다르에스살람에서 계획은 정해진 계획과 규제를 따르지 않고 임의대로 이 루어지고 있다. 이 때문에 업무공간의 부족, 빈약한 교통시설, 불충분한 물과 위생시설, 혼잡 등의 도시문제들이 야기되고 있다.

다르에스살람의 도시계획과 관리, 토지개발 등은 기본적으로 1956년의 도시농촌계 획법Town and Country Planning Act(1961년 개정), 1999년의 토지법Land Act, 2004년의 환경법En-

vironmental Law, 그리고 2000년의 정주지개발정책Human Settlement Development Policy 등 기본법령들을 따르고, 다르에스살람의 시의회와 도시위원회의 조례와 규제, 지방정부의 법령 등에 의해 보완되고 있다. EPM 프로그램의 이행을 통해 비공식 부문의 주거지, 폐기물 관리, 교통, 대기오염, 비공식 부문 경제활동, 도시농업, 연안자원관리, 도시확장, 도시 재개발 등 수많은 개발과제들이 제시됐다. 그러나 미비한 행정구조, 부족한 능력, 제한된 정보, 도시범죄, 부패 등이 EPM 프로그램의 이행에 큰 제약이 되고 있다.

현재 다르에스살람의 거버넌스 구조와 체계는 일련의 개혁을 겪고 있다. 다르에스살람의 지방정부는 도시의 인구증가, 빈곤상승과 함께 수반되는 많은 도시문제를 해결할 제도적 능력과 재정자원이 충분치 않다. 다르에스살람 시의회는 제대로 기능을 하지 못하고 있으며, 급속한 도시화에 대응할 수 있는 인적·재정적 자원도 충분치 않다. 또 중앙정부와 지방정부 사이의 협력 결여도 거버넌스의 개혁이 필요한 이유다. 도시 거주자들은 대부분 이러한 개혁이 일어나는 것을 잘 알지 못한다. 시민들이 이러한 개혁의 정보를 쉽게 접할 수 있도록 지방정부 개혁과정을 개선할 필요가 있다. 이렇게 할 때 비로소 강력한 파트너십과 의사소통을 통해 개혁프로그램은 더욱 지지를 얻고 성공할 수 있을 것이다. 개혁이 성공적으로 이루어진다면 다르에스살람의 도시발전은 도약할 기회를 갖게 될 것이다.

• 사진 제공: 대외경제협력기금

/ 진영효(두리공간환경연구소장)

| 참 고 문 헌 |

• TANZANLA: Der es salaam City Profile. 2009. UNHABITAT.
• http://www.macalester.edu/courses/geog261/khasimoto/DarEsSaalam/homepage.html

엮은이 **국토연구원**

국토연구원은 국토자원의 효율적인 이용·개발·보전에 관한 정책을 종합적으로 연구함으로써 국토의 균형발전과 국민생활의 질 향상에 기여하기 위하여 1978년에 설립되었습니다. 설립 이래 지속가능한 국토발전, 개발과 보전의 조화, 주택과 인프라시설 공급을 위한 연구를 수행함으로써 아름다운 국토를 창조하여 국민의 행복을 향상하기 위해 노력해왔습니다.

지은이(가나다순)

강현수	중부대학교 도시행정학과 교수
경신원	MIT SPURS Fellow
고용석	국토연구원 연구위원
김경석	국립공주대학교 건설환경공학부 교수
김복환	국토교통부 창조행정담당관
김정곤	LH 토지주택연구원 도시재생연구실장
김태환	국토연구원 선임연구위원
문정호	국토연구원 연구위원
소진광	가천대학교 행정학과 교수
신동호	한남대학교 도시부동산학과 교수
안영진	전남대학교 지리학과 교수
안용진	아주대학교 도시개발학과 특임조교수
양도식	K-water 수변사업본부 친수사업처 공간디자인팀장
양하백	전 국토연구원 선임연구위원
이문원	전 국토연구원 책임연구원
이민부	한국교원대학교 지리교육학과 교수
이상준	국토연구원 선임연구위원
이석우	(주)동림P&D 대표이사
이순자	국토연구원 연구위원
이영범	경기대학교 대학원 건축학과 교수
이영해	통역가
이영희	마카오과기대 호텔관광경영학과 조교수
이용우	국토연구원 선임연구위원
조남건	국토연구원 선임연구위원
진영효	두리공간환경연구소장
홍석기	서울연구원 연구위원

한울아카데미 1753

세계의 도시를 가다 1

유럽과
아프리카의
도시들

ⓒ 국토연구원, 2015

엮은이 | 국토연구원
펴낸이 | 김종수
펴낸곳 | 도서출판 한울
편집책임 | 이교혜

초판 1쇄 인쇄 | 2015년 2월 6일
초판 1쇄 발행 | 2015년 2월 16일

주소 | 413-120 경기도 파주시 광인사길 153 한울시소빌딩 3층
전화 | 031-955-0655
팩스 | 031-955-0656
홈페이지 | www.hanulbooks.co.kr
등록번호 | 제406-2003-000051호

Printed in Korea
ISBN 978-89-460-5753-1 04530(양장)
      978-89-460-4949-9 04530(반양장)
      978-89-460-4935-2(양장)(세트)
      978-89-460-4951-2(반양장)(세트)

* 책값은 겉표지에 있습니다.
* 이 도서는 강의를 위한 학생판 교재를 따로 준비했습니다.
  강의 교재로 사용하실 때에는 본사로 연락해주십시오.